Letts STUDY GUIDE

AGE 11-14

KEY STAGE 3

GERMAN

Terry Hawkin

- A clear introduction to the new National Curriculum

- Topic by topic coverage, with lots of illustrations

- Activities designed to encourage active learning

- Frequent questions to test your knowledge

- Grammar section, vocabulary list and index

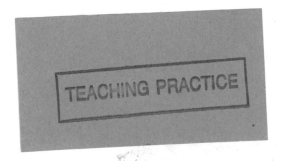

First published 1995
Reprinted 1996, 1999 (twice)

Text: © Terry Hawkin 1995

Design and illustrations: © BPP (Letts Educational) Ltd 1995

Specially commissioned photographs: M. Franz, Fellbach
                                      T. Hawkin
                                      Nik Bartrum

Letts Educational
Aldine House, Aldine Place
London W12 8AW
0181 740 2266

British Library Cataloguing-in-Publication Data
A CIP record for this book is available from the British Library.

ISBN 1 85758 940 8 (Book only)
ISBN 1 35758 941 6 (with CD)

Dedication
To Jim Barnes, my teacher.

Author's acknowledgements
The author would like to thank Wolfgang Pötter, of the Kooperative Gesamtschule, Weyhe; Wendelin Wetzel, of the Friedrich-Schiller-Gymnasium, Fellbach; and especially their pupils: Alexander Mach, Anna-Maria Comerford, Anne Henrike Becker, Anita Reiter, Anne Kathrin Laufmann, Antje Voßmeyer, Axel Domschke, Christin Themann, Christina Möhnle, Christina Melanie Bärtl, Claudia Schmidtkonz, Constanze Krohne, Dominik Bogena, Hagen Winkler, Heiko Joos, Holger, Jan Brockmann, Janin Vienaber, Janka Gayk, Job-Jan Meyer, Julia Schmidt, Kai Kaiser, Karim Azaiz, Karsten Guthoff, Katrin Meischel, Lea Corißmer, Linda Mauler, Lubos Ptaiek, Lutz Gallmeister, Maren Hetz, Marinko, Martin, Monique Schwier, Nina Fakner, Nina Kristin Flügger, Nina Willms, Rebecca Heuke, Rene Kruckemeyer, Robja-Marcel, Sabrina Oldenbüttel, Sandra Martina Bermbach, Sandra Schierenbeck, Sebastian Naurath, Sebastian Rehaag, Silke Wenzel, Simone Hinrichs, Simone Rienth, Simone Weiß, Sonja Ebernickel, Stefanie Howa, Steffi Kreibich, Tanja Alberring, Timo Anders, Timo Dittrich, Timo Lange, and others who preferred not to be named.
Many of the items in this book are based on things that they said and wrote. Their help was invaluable.
Language consultant: Gisela Moulds, The Language Centre, Leeds Metropolitan University.
Thanks also to:
Steve Jennings, Head of Modern Languages, Cockburn High School; Leeds Goethe-Institut, York.

Photo on p17 reproduced by permission of Hulton/Reuters; photos on p121 and p123 reproduced by permission of MSI/Hulton.

Material from the National Curriculum is Crown copyright and is reproduced by permission of the Controller of HMSO.

Printed and bound by: The Bath Press, Glasgow

Contents

Teil 4 – Grün

*I*ntroduction

Successful studying at Key Stage 3

During Key Stage 3 of the National Curriculum, you will have to study the following subjects:

English, Mathematics, Science, Technology, a modern foreign language (usually French or German), Geography and History.

This stage of your education is very important because it lays the foundation which you will need to embark upon your GCSE courses. The National Curriculum requires you and all 11–14 year olds to follow the same programmes of study, which define the knowledge and skills you will need to learn and develop during your course.

At school, your teachers will be monitoring your progress. At the end of Key Stage 3, your performance will be assessed and you will be given a National Curriculum level. Most students should reach level 5 or level 6, some may reach levels 7 or 8, or perhaps even higher. In English, Mathematics and Science, you will have to take a National Test towards the end of your last year at Key Stage 3. The results of your tests, also marked in levels, will be set alongside your teachers' assessment of your work to give an overall picture of how you have done.

How this book will help you

This book is designed for you to use at home to support the work you are doing at school. Think of it as a companion or study guide to help you prepare for classwork and homework. Inside the book, you will find the level descriptions which will be used to assess your performance. We have included them in the book so that, as you near the end of Key Stage 3, you will be able to check how well you are doing.

Reading the book, and doing the questions and activities will help you get to grips with the most important elements of the National Curriculum. Before you begin to read the book itself, take a few moments to read the introductory sections on 'German in the National Curriculum' and 'How to use this book'.

German in the National Curriculum

Your progress in German is measured by your achievement in four different Attainment Targets (ATs). These are as follows:

        AT 1   **Listening**
        AT 2   **Speaking**
        AT 3   **Reading**
        AT 4   **Writing**

You may wonder what you will be doing as you study Key Stage 3 German. Although there are the four Attainment Targets above, it is likely that the work you do will involve overlap between the four areas.

In **Listening**, for example, at the most basic level you will be able to understand and respond to simple greetings, instructions or questions. You will also be able to understand and respond to simple instructions or identify and note the main points in a conversation that you have. Obviously, the more proficient you become in German the more you will be able to understand longer instructions and messages and eventually you will be able to extract very specific information or detail from such conversations. Ultimately, you should be able to listen to native speakers of German in a variety of contexts and understand and describe what they are saying.

The same is largely true of **Speaking**. In the first instance, you will only be able to respond very briefly to what you have seen or heard using simple sentences involving your name, familiar objects and items, etc. Eventually you will be able to develop more sophisticated answers and, importantly, use the correct pronunciation in German. The more proficient you become in speaking the more you will be able to talk about your own experiences and your own subjects using German. Simple conversations will follow and you will soon be able to speak confidently and intelligibly when using German. If you are able to master German particularly well during Key Stage 3, you may be able to use the language in a number of unpredictable situations and respond in some detail to the conversations of others. Ultimately, you may well be able to speak in German without having to think first about the words you use.

In **Reading**, you will begin with simple words and phrases from text books or other material. You might also be looking at simple captions or messages on a postcard or cartoons. As time goes on, you will increasingly make use of real-life items in German, including newspapers, tourists' brochures, letters, etc. You will know that you are gaining in confidence and ability when you are able to infer the meanings of unfamiliar words and phrases from sentences in which they are found. Eventually, you will be expected to choose your own reading materials in German from magazines or newspapers or books. Then, you will be able to identify and extract information you need for a particular purpose, using a variety of sources. Before long, you might find yourself reading German novels or newspapers from cover to cover!

Finally with **Writing** you will soon be able to write individual words from memory and write short sentences on simple subjects. Eventually you will have more confidence as you adapt your own vocabulary in a variety of contexts as you write letters and items of news. Importantly, you will also learn how to use grammar in a correct way and put words in the correct order. Perhaps, too, you will use both formal and informal styles of writing as you write for different readers. Don't be worried though, if some of this is unfamiliar to you at the moment. The National Curriculum is designed to develop your understanding as you progress through the different levels of each Attainment Target. This book will help you do well.

Good luck and enjoy National Curriculum German!

How to use this book

The four **Teile** (sections) have been structured to accompany and support you through the three years of Key Stage 3 German study you do at school.

You start with **Teil 1 – Rot** (Part 1 – Red) which is the easiest. You build up your knowledge with **Teil 2 – Blau** (Blue) and **Teil 3 – Gelb** (Yellow). Then you prepare yourself for your Key Stage 4/GCSE German course with **Teil 4 – Grün** (Green), which is the most difficult.

There are 10 **Einheiten** (units) in each **Teil**, and in each **Einheit** there are opportunities to listen, to speak, to read and to write, with a chance to test yourself in each activity. Follow the instructions given in the 'Now test yourself' boxes, and work through the tasks. Solutions are given at the back, but you should attempt all the exercises in each **Einheit** first, before looking up the answers.

Listening. The key to this is to train yourself to pick out the important information as you listen. Don't worry if you don't understand everything at once. Pause the cassette as often as you like (a beep will suggest appropriate places) and re-play it as often as you want. Each time, you'll understand more, and be able to concentrate on exactly how words sound when spoken by real German people. In this way your own accent will improve.

Speaking. Some of the activities require you to work in pairs or groups, but often you'll work on your own. In either case, make a tape of yourself and your friends, and compare how you sound. (You could even make a video.) Don't be afraid of making mistakes. What's important is getting your message across.

Reading. The material in this book is authentic, and it includes a lot of the kind of printed and written information you meet when you go to a German-speaking country. (Remember that German is spoken in Austria, and a large part of Switzerland.) Train yourself to read for gist, without understanding everything. Each **Einheit** includes an **Info+** box which contains interesting facts, figures and information about Germany and the German way of life.

Writing. Sometimes you'll write and draw on the pages of the book itself. You're also often told to fill in or write something in your **Ordner** (file). All you need for this is a plain exercise book, or a ring-binder, to keep all your German work in one place. Try to include photographs, news items, postcards, stamps, your own drawings… anything to do with German. If you have access to a word-processor, use it where a task involves amending or adapting a passage of German.

Vocabulary. When a new German word first appears, you're given the English meaning. Copy both down in your **Ordner**. By learning these new words you'll make and consolidate progress. Many of the most useful words are listed at the back of the book, but it's also useful to have a good dictionary by your side.

Grammar. There's a special grammar section at the back, which explains simply how the German language works. When you see the symbol **G** in a unit the number with it tells you which grammar point you can look up to help you.

Level Descriptions

For each Attainment Target there are Level Descriptions which describe the types and range of performance that pupils working at a particular level should characteristically demonstrate (see table overleaf). By the end of Key Stage 3, the performance of the great majority of pupils should be within the range of Levels 2–6.

Key Stage 3 German has been written with the needs of pupils of a wide range of ability in mind. Thus, some students working on Teil 2 – Blau, for example, might be working at Level 3, whilst others could be at Levels 2 or 4. Equally, whilst working through Teil 3 – Gelb, for example, a pupil could be at differing Levels in each of the four Attainment Targets. With this flexibility in mind, no attempt has been made to relate the four sections of *Key Stage 3 German* precisely to particular Levels.

Attainment Target 1: LISTENING	Attainment Target 2: SPEAKING	Attainment Target 3: READING	Attainment Target 4: WRITING
LEVEL 1			
Understand simple commands, short statements and questions.	Respond briefly, with single words or short phrases, to what is seen and heard.	Understand single words presented in clear script in a familiar context.	Copy single words correctly. Label items and select appropriate words to complete short sentences
LEVEL 2			
Understand a range of familiar statements and questions, including instructions for setting tasks.	Give short, simple responses to what is seen and heard. Name and describe people, places and objects. Use set phrases to ask for help and permission.	Understand short phrases presented in a familiar context. Match sound to print by reading aloud familiar words and phrases. Use books or glossaries to find out the meanings of new words.	Copy familiar short sentences correctly. Write or word-process items, such as simple signs, instructions and set phrases used in class. Write familiar words from memory.
LEVEL 3			
Understand short passages, including instructions, messages and dialogues, made up of familiar language. Identify and note main points and personal responses, such as likes, dislikes and feelings.	Take part in brief, prepared tasks of at least two or three exchanges, using visual or other clues to help initiate and respond. Use short phrases to express personal responses, such as likes, dislikes and feelings.	Understand short texts and dialogues, made up of familiar language, printed in books or word-processed. Identify and note main points, including likes, dislikes and feelings. Read independently, selecting simple texts and using a bilingual dictionary.	Write two or three short sentences on familiar topics, using aids such as exercise books, textbooks and wallcharts. Express personal responses. Write short phrases from memory.
LEVEL 4			
Understand longer passages, made up of familiar language in simple sentences. Identify and note main points and some details.	Take part in simple structured conversations of at least three or four exchanges, supported by visual or other clues. Adapt and substitute single words and phrases.	Understand short stories and factual texts, printed or clearly handwritten. Identify and note main points and some details. In independent reading, use context to deduce meaning.	Write individual paragraphs or three or four sentences, drawing largely on memorised language. Adapt a model by substituting individual words and set phrases. Make appropriate use of dictionaries and glossaries as an aid to memory.
LEVEL 5			
Understand extracts of spoken language made up of familiar material from several topics, including past, present and future events. Identify and note main points and specific details, including opinions.	Take part in short conversations, seeking and conveying information and opinions in simple terms. Refer to recent experience and future plans, as well as everyday activities and interests.	Understand a range of texts on past, present and future events. Note main points and specific details. Read authentic materials e.g. leaflets, letters and databases.	Produce simple short pieces of writing in which information and opinions are sought and conveyed. Refer to recent experiences and future plans, and everyday activities. Apply basic elements of grammar in new contexts. Use dictionaries or glossaries as an aid to memory and to look up new words.
LEVEL 6			
Understand short narratives and extracts of spoken language, drawn from a variety of topics, which include familiar language in unfamiliar contexts. Identify and note main points and specific details, including points of view.	Initiate and develop conversations that include past, present and future actions and events. Improvise and paraphrase. Use the target language to meet most routine needs for information and explanation.	Understand a variety of texts that include familiar language in unfamiliar contexts. Note points and specific details. Scan magazines for items of interest. Choose appropriate texts for independent reading. Use context and grammatical understanding to deduce meaning.	Write in paragraphs, using simple descriptive language, and refer to past, present and future actions and events. Use both informal and formal styles of writing, such as when keeping a diary, booking accommodation and scripting dialogues.

EINHEIT 1

*D*ie Schule

*H*ow to...

- Identify the subjects you do at school
- Say which you prefer

Welches Fach ist das? G1–2

Hier sind einige Schulfächer.
Here are some school subjects.

Rate mal, welche!
Guess which ones!

Es ist nicht schwierig.
It's not difficult.

Englisch	Mathematik	Sport
Spanisch	Physik	Chemie
Russisch	Musik	Latein
Biologie	Italienisch	Religion

Ein bißchen schwieriger?
A bit more difficult?

Deutsch	Französisch	Erdkunde
Kunst	Geschichte	Hauswirtschaft
Werken		

Schlag mal nach! (Siehe Seiten 181–184)
Look them up! (See pages 181–184)

Meine Schule!

Kooperative Gesamtschule Weyhe

Now test yourself 1

Zeichne deinen Stundenplan in deinen Ordner.
Draw your timetable in your Dossier.

MONTAG	DIENSTAG	MITTWOCH	DONNERSTAG	FREITAG
1 Englisch	Mathematik	Französisch	Englisch	
2 Mathematik	Geschichte	Erdkunde		
3 Deutsch	Sport	Deut—		
4 Biologie				

der Ordner (-) – the dossier	**das Fach, Schulfach** – the school subject	**schwierig** – difficult	**zeichne** – draw
der Teil – the part	**das** – that	**ein bißchen** – a bit	**deinen Stundenplan** – your time-table
rot – red	**hier** – here	**schwieriger** – more difficult	**Montag** – Monday
die Einheit – the unit	**sind** – are	**schlag mal nach** – just look them up	**Dienstag** – Tuesday
die Schule – the school	**einige** – some	**siehe** – see	**Mittwoch** – Wednesday
welches, welche – which	**rate mal** – just guess	**die Seite** – the page	**Donnerstag** – Thursday
ist – is	**nicht** – not		**Freitag** – Friday

Die Lehrer sprechen G3

Du bist in Deutschland, und du gehst in die Schule.
You're in Germany, and you go to school.

Hör mal, was die Lehrer sagen:
Listen to what the teachers say:

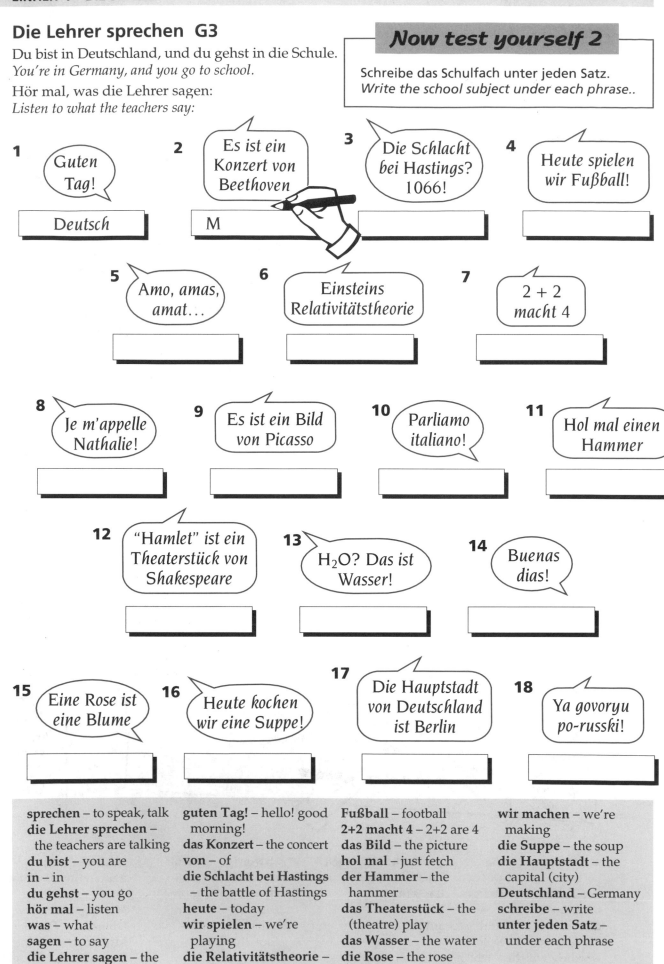

1 Guten Tag!

Deutsch

2 Es ist ein Konzert von Beethoven

M

3 Die Schlacht bei Hastings? 1066!

4 Heute spielen wir Fußball!

5 Amo, amas, amat…

6 Einsteins Relativitätstheorie

7 2 + 2 macht 4

8 Je m'appelle Nathalie!

9 Es ist ein Bild von Picasso

10 Parliamo italiano!

11 Hol mal einen Hammer

12 "Hamlet" ist ein Theaterstück von Shakespeare

13 H_2O? Das ist Wasser!

14 Buenas dias!

15 Eine Rose ist eine Blume

16 Heute kochen wir eine Suppe!

17 Die Hauptstadt von Deutschland ist Berlin

18 Ya govoryu po-russki!

---

sprechen – to speak, talk	**guten Tag!** – hello! good morning!	**Fußball** – football	**wir machen** – we're making
die Lehrer sprechen – the teachers are talking	**das Konzert** – the concert	**2+2 macht 4** – 2+2 are 4	**die Suppe** – the soup
du bist – you are	**von** – of	**das Bild** – the picture	**die Hauptstadt** – the capital (city)
in – in	**die Schlacht bei Hastings** – the battle of Hastings	**hol mal** – just fetch	**Deutschland** – Germany
du gehst – you go	**heute** – today	**der Hammer** – the hammer	**schreibe** – write
hör mal – listen	**wir spielen** – we're playing	**das Theaterstück** – the (theatre) play	**unter jeden Satz** – under each phrase
was – what	**die Relativitätstheorie** – the theory of relativity	**das Wasser** – the water	
sagen – to say		**die Rose** – the rose	
die Lehrer sagen – the teachers say		**die Blume** – the flower	

Lieblingsfächer

Herr Pötter ist Lehrer an der Gesamtschule Weyhe, Bremen.
Mr Pötter is a teacher at the Weyhe Comprehensive School, Bremen.

Für uns hat er eine Gruppe seiner Schüler und Schülerinnen gefragt: 'Welches ist dein Lieblingsfach?'
For us, he asked a group of students in his school: 'What's your favourite subject?'

Hier sind die Ergebnisse seiner Umfrage.
Here are the results of his enquiry.

Herr Wolfgang Pötter,
Kooperative
Gesamtschule Weyhe

Lieblingsfächer

1 *Sport*
6 *Deutsch*
2 *Mathematik*
7 *Erdkunde*
3 *Biologie*
8 *Musik*
4 *Englisch*
9 *Kunst*
5 *Werken*
10 *Physik*

Now test yourself 3

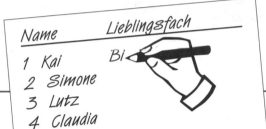

Schreibe die Namen Kai, Simone, Lutz, Claudia, Christina und Axel in deinen Ordner.
Write the names Kai, Simone, Lutz, Claudia, Christina and Axel in your Dossier.

Höre die Kassette. Nach jedem Namen schreibe das Lieblingsfach.
Play the Cassette. After each name, write down the favourite subject.

Name	Lieblingsfach
1 Kai	Bi
2 Simone	
3 Lutz	
4 Claudia	
5 Christina	
6 Axel	

an – at	**dein** – your	**die Namen** – the names
die Gesamtschule – the comprehensive school	**das Lieblingsfach** – the favourite subject	**und** – and
für uns – for us	**die Ergebnisse** – the results	**höre** – play, listen to
er hat gefragt – he asked	**sein** – his	**die Kassette** – the cassette
eine Gruppe – a group	**die Umfrage** – the enquiry	**nach** – after

Info+

Die Schule in Deutschland

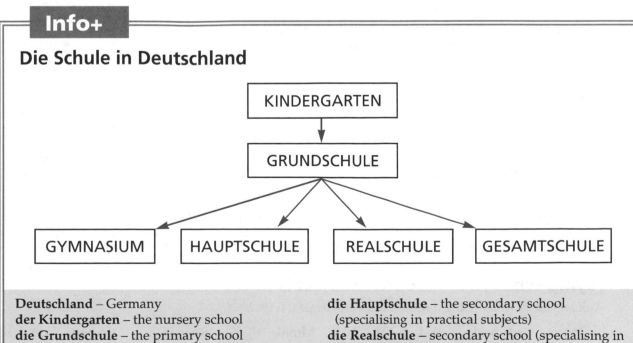

Deutschland – Germany	**die Hauptschule** – the secondary school (specialising in practical subjects)
der Kindergarten – the nursery school	
die Grundschule – the primary school	**die Realschule** – secondary school (specialising in commercial or technical subjects)
das Gymnasium – the grammar school	

Now test yourself 4

Umfrage: Lieblingsfächer

Frage deine Freunde: 'Welches ist dein Lieblingsfach?'
Ask your friends: 'What's your favourite subject?

Schreibe ihre Antworten in deinen Ordner.
Write their answers in your Dossier.

Welches ist dein Lieblingsfach, Anna?

Mein Lieblingsfach ist Englisch!

Name	Lieblingsfach
Steven	Geschichte
Anna	Englisch
Manjit	Musik

Anna

---

frage – ask **deine Freunde** – your friends **ihre Antworten** – their answers

Now test yourself 5

Komische Namen!

DES CHUT sagt: 'Mein Lieblingsfach ist DEUTSCH!'
(Aus den Buchstaben im Namen DES CHUT kann man das Schulfach DEUTSCH machen).
DES CHUT says: 'My favourite subject is DEUTSCH!'
(From the letters in the name DES CHUT you can make the school subject DEUTSCH).

Was sagen:
What is said by:

LEN GISCH? KATIE THAMM? NEL ITA? GEO OLIBI?
HY PISK? MIC HEE? REG ILONI? KIM SU? R. POTS?
FRANCIS HöSZ? KEN DRUDE? TES GECCHHI? K. STUN?
HUW CHATSRAFTIS? KEN REW?

Mein Lieblingsfach ist DEUTSCH!

---

komisch – comic **man kann machen** – one can make
sagt – says **das Schulfach** – the school subject
aus den Buchstaben – from the letters

Saying what your favourite subject is

Welches ist dein Lieblingsfach? Mein Lieblingsfach ist ...

Biologie	Erdkunde	Italienisch	Musik	Spanisch	Chemie	Französisch
Kunst	Physik	Sport	Deutsch	Geschichte	Latein	Religion
Werken	Englisch	Hauswirtschaft	Mathematik	Russisch		

*G*uten Tag!

*H*ow to...

- Say what your name is
- Say where you live
- Say how old you are

Wie heißt du? G18–20

Du bist in Deutschland auf dem Campingplatz
Augusta in der Stadt Augsburg.
*You're in Germany, at the Augusta camping site, in
the town of Augsburg.*

Da findest du Philipp, Claudia, Henrik, Jasmin,
Lisa und Gerhard – aber du kennst ihre Namen
nicht.
*There you find Philipp, Claudia, Henrik, Jasmin,
Lisa and Gerhard – but you don't know their names.*

Du fragst jeden: 'Wie heißt du?'
You ask each one: 'What are you called?'

Now test yourself 1

Höre die Kassette und schreibe ihre Namen in die
Sprechblasen.
*Play the Cassette, and write their names in the
speechbubbles.*

*Guten Tag!
Ich heiße
LINDA!*

*Guten Tag!
Ich heiße
STEFAN!*

1 (eins)

2 (zwei)

*Guten Tag!
Ich heiße
.................*

*Guten Tag!
Ich heiße
.................*

3 (drei)

4 (vier)

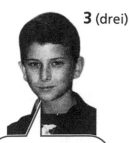

*Guten Tag!
Ich heiße
.................*

*Guten Tag!
Ich heiße
.................*

5 (fünf)

6 (sechs)

*Guten Tag!
Ich heiße
.................*

*Guten Tag!
Ich heiße
.................*

---

guten Tag! – hello! good morning!
wie heißt du? – what's your name? what are you called?
du bist – you are (< **sein** – to be)

auf – on
der Campingplatz – the campsite
die Stadt – the town, city
da – there
du findest – you find

aber – but
du kennst – you know
die Sprechblase (-n) – the speechbubble
ich heiße – I'm called

Info+

Deutschland – Erdkunde

- Nord–Süd: 853 km, Ost–West: 453 km. (Großbritannien: 860 km Nord–Süd und 480 km Ost–West)
- Oberfläche: 357 041 km²
- Die größten Städte: 1 – Berlin (2 028 716 Einwohner) 2 – Hamburg (1 594 190) 3 – München (1 201 479) 4 – Köln (930 907) 5 – Essen (621 436) 6 – Frankfurt-am-Main (621 379) 7 – Dortmund (583 793) 8 – Düsseldorf (565 545) 9 – Stuttgart (556 302) 10 – Bremen (532 686) 11 – Leipzig (530 000) 12 – Duisburg (524 502) 13 – Dresden (501 400) 14 – Hannover (495 867) 15 – Nürnberg (474 673) 16 – Bochum (386 638)

Nord–Süd – north–south	**die Oberfläche** – the surface area	**München** – Munich
Ost–West – east–west	**die größten Städte** – the biggest towns, cities	**Köln** – Cologne
Großbritannien – Great Britain		

Now test yourself 2

Wo wohnst du? G21–22

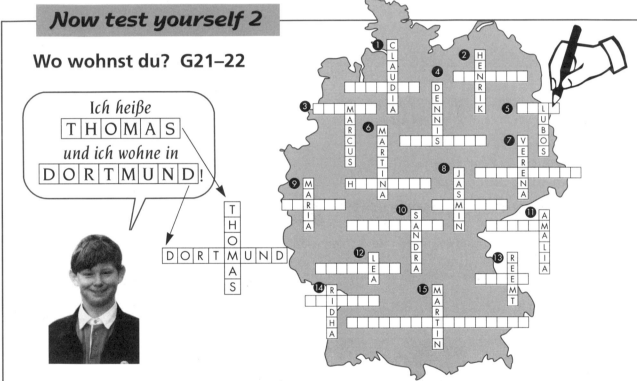

Ich heiße
T H O M A S
und ich wohne in
D O R T M U N D !

1 Jedes Kind wohnt in einer der 16 größten Städte Deutschlands. (Siehe die Liste oben in info+). THOMAS, zum Beispiel, wohnt in DORTMUND. Schreibe die Namen der Städte auf diese Seite.
Each pupil lives in one of the 16 biggest towns in Germany. (See the list in info+, above. THOMAS, for example, lives in DORTMUND. Write the names of the towns on this page.

2 Thomas sagt: 'Ich heiße THOMAS und ich wohne in DORTMUND!' Was sagen die anderen? (1-15)
Thomas says: 'I'm called THOMAS and I live in DORTMUND'. What do the others say? (1-15)

3 Zeichne eine Landkarte von Deutschland in deinen Ordner, und trage die Namen der 16 größten Städte ein.
Draw a map of Germany in your Dossier, and write in the names of the 16 biggest towns.

wo wohnst du? – where do you live?	**die Liste** – the list	**was sagen die anderen?** – what do the others say?
ich wohne – I live	**zum Beispiel (z.B.)** – for example (e.g.)	**zeichne** – draw
jedes Kind – each pupil, child	**Thomas wohnt** – Thomas lives	**eine Landkarte** – a map
in einer der größten Städte – in one of the biggest towns	**schreibe** – write	**von** – of
siehe – see	**auf diese Seite** – on this page	**trage ... ein** – write in
	Thomas sagt – Thomas says	

Now test yourself 3

Test: Mathematik

```
   zwei
 + zwei
 = vier
```

```
1    sieben
   + zwei
   =
```

```
2    acht
   + sechs
   =
```

```
3    dreizehn
   + neun
   =
```

```
4    achtzehn
   + zwölf
   =
```

```
6    sechsunddreißig
   + vierzehn
   =
```

```
5    einundzwanzig
   + zweiundzwanzig
   =
```

```
7    elf
   + dreißig
   =
```

```
8    fünfundvierzig
   + drei
   =
```

```
9    dreizehn
   + sechzehn
   =
```

```
10   zwanzig
   + eins
   =
```

---

die Zahlen – the numbers   **der Test** – the test

Now test yourself 4

Wie alt bist du? G29

Simone sagt: 'Ich bin zwölf Jahre alt!' Was sagen die anderen? (1–5)
Simone says: 'I'm twelve years old!' What do the others say? (1–5)

Ich bin <u>zwölf</u> Jahre alt!

Simone (12)

1 Gerhard (30)

2 Gaby (27)

3 Hans (16)

4 Barbara (45)

5 Michael (13)

Die Zahlen 1-50

1 eins
2 zwei
3 drei
4 vier
5 fünf
6 sechs
7 sieben
8 acht
9 neun
10 zehn
11 elf
12 zwölf
13 dreizehn
14 vierzehn
15 fünfzehn
16 sechzehn
17 siebzehn
18 achtzehn
19 neunzehn
20 zwanzig
21 einundzwanzig
22 zweiundzwanzig
23 dreiundzwanzig
24 vierundzwanzig
25 fünfundzwanzig
26 sechsundzwanzig
27 siebenundzwanzig
28 achtundzwanzig
29 neunundzwanzig
30 dreißig
31 einunddreißig
32 zweiunddreißig
33 dreiunddreißig
34 vierunddreißig
35 fünfunddreißig
36 sechsunddreißig
37 siebenunddreißig
38 achtunddreißig
39 neununddreißig
40 vierzig
41 einundvierzig
42 zweiundvierzig
43 dreiundvierzig
44 vierundvierzig
45 fünfundvierzig
46 sechsundvierzig
47 siebenundvierzig
48 achtundvierzig
49 neunundvierzig
50 fünfzig

wie alt bist du? – how old are you?
ich bin zwölf Jahre alt – I'm twelve years old

Now test yourself 5

Wer ist das? G25

1 Eine deutsche Agentur sucht Brieffreunde und sendet Fotos von ihren Klienten nach Großbritannien.
A German agency is looking for pen-friends, and sends photos of its clients to Great Britain.

Aber es fehlen einige Details: wie alt sind Tanja, Rainer, Lars und Rebecca? Wo wohnen Tina, Lars und Rebecca?
Höre die Kassette und schreibe die Antworten auf diese Seite.
But some details are missing: how old are Tanja, Rainer, Lars und Rebecca? Where do Tina, Lars and Rebecca live? Play the Cassette and write the answers on this page.

1 Name *Wolfgang*
Alter *12*
Stadt *Berlin*

2 Name *Tanja*
Alter
Stadt *Nürnberg*

3 Name *Tina*
Alter *11*
Stadt

4 Name *Rainer*
Alter
Stadt *Stuttgart*

5 Name *Lars*
Alter
Stadt

6 Name *Rebecca*
Alter
Stadt

2 Beschreibe die Fotos in deinem Ordner. Beginne: 'Nummer eins heißt Wolfgang. Er ist zwölf Jahre alt. Er wohnt in Berlin' 'Nummer zwei heißt Tanja. Sie ist ...'
In your Dossier, describe the photos. Start: 'Nummer eins heißt Wolfgang. Er ist zwölf Jahre alt. Er wohnt in Berlin' 'Nummer zwei heißt Tanja. Sie ist ...'

---

wer ist das? – who's that?
eine Agentur – an agency
sucht – is looking for
und – and
sendet – sends
von seinen Klienten – of its clients

aber – but
es fehlen einige Details – some details are missing
die Antworten – the answers
das Alter – the age
beschreibe – describe

beginne – start, begin
Nummer eins – number one
er – he, it
sie – she, it

Talking about yourself and your friends

Wie heißt { du? / er? / sie? }   Wo { wohnst du? / wohnt { er? / sie? } }   Wie alt { bist du? / ist { er? / sie? } }

Ich heiße Steven.
Er } heißt Rainer.
Sie } Tanja.

Ich wohne
Er } wohnt { in Manchester. / in Stuttgart. / in Hannover. }
Sie }

Ich bin
Er } ist } ... Jahre alt.
Sie }

Freizeit

How to...

- Say what you do in your spare time
- Say what you like (and don't like) doing

Sport
G23–4

Ich spiele Tennis!

Holger

Sabine

Kai

Sandra

Martin

Claudia

Now test yourself 1

G39

1 Holger sagt: 'Ich spiele Tennis!' Schreibe in die Sprechblasen, was die anderen sagen. (Wähle: 'Ich spiele Golf!', 'Ich spiele Fußball!', 'Ich spiele Tischtennis!', 'Ich spiele Basketball!' und 'Ich spiele Volleyball!').
Holger says: 'Ich spiele Tennis!' Write in the speech-bubbles what the others are saying. (Choose: 'Ich spiele Golf!', 'Ich spiele Fußball!', 'Ich spiele Tischtennis!', 'Ich spiele Basketball!' und 'Ich spiele Volleyball!').

2 Ein Spiel mit einem Partner. 'A' macht, als ob er/sie Tennis, Golf, Fußball, Tischtennis, Basketball oder Volleyball spielt. 'B' muß raten, welches Spiel es ist.
A game with a partner. 'A' mimes playing tennis, golf, football, table tennis, basketball or Volleyball. 'B' has to guess, which game it is.

B: Du spielst Golf, nicht wahr?
A: Nein, ich spiele Tennis!
A: Du spielst Volleyball, nicht wahr?
B: Ja, ich spiele Volleyball!

3 Klebe Fotos von Sportlern und Sportlerinnen in deinen Ordner. Schreibe, was jede Person macht.
Stick photos of sportsmen and sportswomen in your Dossier. Write what each person is doing.

Steffi Graf spielt Tennis

---

die Freizeit – spare-time, leisure	**Volleyball** – volleyball	**du spielst Golf, nicht wahr?** – you're playing golf, aren't you?
der Sport – sport	**das Spiel** (-e) – the game	
spielen – to play	**mit** – with	**nein** – no
Tennis – tennis	**der Partner** (-) – the partner	**ja** – yes
was – what	**macht, als ob** – pretends, mimes	**kleben** – to stick
wählen – to choose	**oder** – or	**der Sportler** (-) – the sportsman
Golf – golf	**muß** (< **müssen**) – must	**die Sportlerin** (-nen) – the sportswoman
Fußball – football	**raten** – to guess	
Tischtennis – table-tennis	**welch** – which	**jede** – each
Basketball – basketball		**die Person** (-en) – the person

Now test yourself 2

Hobbies G23, 25, 28

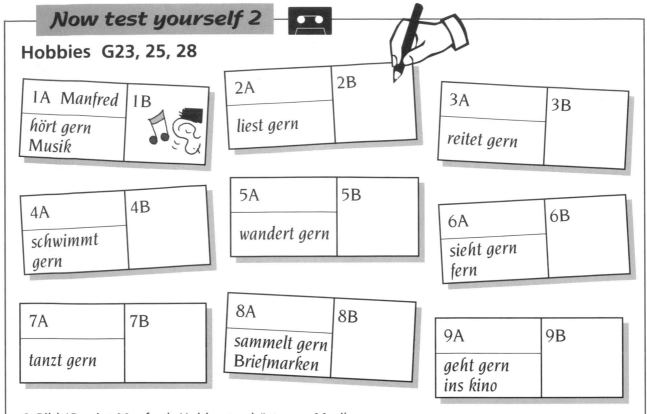

1 Bild 1B zeigt Manfreds Hobby – er hört gern Musik.
Zeichne die anderen Hobbies (2B–9B).
Picture 1B shows Manfred's hobby – he likes listening to music.
Sketch the other hobbies (2B–9B).

2 Höre die Kassette. Manfred (Nummer eins) sagt: 'Ich höre gern Musik'.
Wer hat die anderen Hobbies? Schreibe ihre Namen. (Martina, Hagen, Maria, Melanie, Philipp, Heiko, Anita und Samir).
Play the Cassette. Manfred (number 1) says, 'Ich höre gern Musik'.
Who has the other hobbies? Write their names in. (Martina, Hagen, Maria, Melanie, Philipp, Heiko, Anita and Samir).

---

das Hobby (die Hobbies) – the hobby (the hobbies)
er hört gern Musik – he likes listening to music
hören – to hear, listen
die Musik – music
reiten (er/sie reitet) – to ride (a horse)

lesen (er/sie liest) – to read
schwimmen – to swim
wandern – to hike
fernsehen (er/sie sieht fern) – to watch TV
tanzen – to dance
sammeln – to collect
gehen – to go

die Briefmarke (-n) – the postage stamp
das Kino (-s) – the cinema
wer – who
das Bild (-er) – the picture, sketch
zeigen – to show
haben (er/sie hat) – to have

Info+

Briefmarken

Ich sammle gern Briefmarken. Ich habe schon ziemlich viele. Am meisten Spaß macht mir dabei das Sortieren und den Wert im Katalog nachzuschauen. Ich sammle Briefmarken aus der ganzen Welt.

schon – already
ziemlich – fairly
am meisten Spaß macht mir dabei – what's most fun about it

viele – many
das Sortieren – sorting
nachschauen – to look up
der Wert (-e) – the value

der Katalog (-e) – the catalogue
aus – from
die Welt (-en) – the world
ganz – whole

Now test yourself 3

Ja oder nein? G39

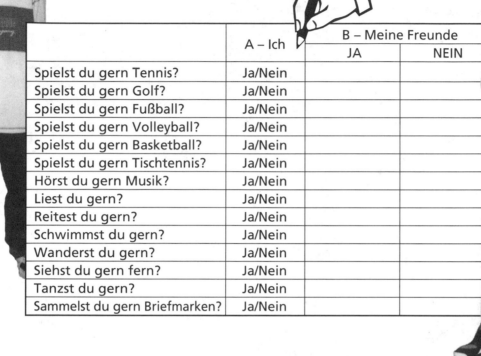

Spielst du gern Fußball?

Ja!

1 Unterstreiche (unter A: Ich) deine Antworten auf die folgenden
Fragen. ('Ja' oder 'Nein').
*Underline your answers (under A: Ich) to the following questions.
('Yes' or 'No').*

	A – Ich	B – Meine Freunde	
		JA	NEIN
Spielst du gern Tennis?	Ja/Nein		
Spielst du gern Golf?	Ja/Nein		
Spielst du gern Fußball?	Ja/Nein		
Spielst du gern Volleyball?	Ja/Nein		
Spielst du gern Basketball?	Ja/Nein		
Spielst du gern Tischtennis?	Ja/Nein		
Hörst du gern Musik?	Ja/Nein		
Liest du gern?	Ja/Nein		
Reitest du gern?	Ja/Nein		
Schwimmst du gern?	Ja/Nein		
Wanderst du gern?	Ja/Nein		
Siehst du gern fern?	Ja/Nein		
Tanzst du gern?	Ja/Nein		
Sammelst du gern Briefmarken?	Ja/Nein		

2 Stelle deinen Freunden dieselben Fragen. Ein Häkchen (✓) unter JA = 'Ja!' Ein Kreuz (✗) unter
NEIN = 'Nein!'
Ask your friends the same questions. A tick under JA = 'Yes!' A tick under NEIN = 'No!'

3 Ergänze die folgenden Sätze:
Complete the following sentences:

.... Schüler/Schülerinnen spielen gern Tennis.

.... spielen gern Golf.　　................................. spielen gern Fußball.

.... spielen gern Volleyball.　　................................. spielen gern Basketball.

.... spielen gern Tischtennis.　　................................. hören gern Musik.

.... lesen gern.　　................................. reiten gern.

.... schwimmen gern.　　................................. wandern gern.

.... sehen gern fern.　　................................. tanzen gern.

.... sammeln gern Briefmarken. .... gehen gern ins Kino.

---

ja – yes
nein – no
unterstreichen – to underline
die folgenden Fragen – the
　following questions

die Frage (-n) – the question
mein – my
der Freund (-e) – the friend
dieselben Fragen – the same
　questions

stellen – to put
das Häkchen (-) – the tick
unter – under, beneath
ergänzen – to complete
der Satz (⸚e) – the sentence

Now test yourself 4

Was machen sie denn in der Freizeit? G43–4

1 Das ist Wolfgang. In der Freizeit schwimmt er gern.
This is Wolfgang. In his free time he likes swimming.

2 Das ist Claudia. In der Freizeit reitet sie gern.
This is Claudia. In her free time she likes riding.

Was machen die anderen gern in der Freizeit (3–10)?
What do the others like doing in their free time (3–10)?

❶ Wolfgang

❷ Claudia

❸ Michael

❹ Peter

❺ Helmut

❻ Frauke

❼ Heidi

❽ Dieter

❿ Christina

❾ Jasmin

Talking about hobbies

Spielst du	(gern)	Tennis?
Ich spiele		Fußball.
Du spielst		Basketball.
Er/sie spielt		Golf.
Sie spielen		Volleyball.

In der Freizeit { reite ich (gern).
spielt er (gern) Tischtennis.
sieht sie (gern) fern.

NB Ich lese, du liest, er/sie liest, sie lesen

Ich sehe, du siehst, er/sie sieht, sie sehen

Ich reite, du reitest, er/sie reitet, sie reiten

Ich sammle, du sammelst, er/sie sammelt, sie sammeln

Ich wandere, du wanderst, er/sie wandert, sie wandern

EINHEIT 4

*E*inkaufen

*H*ow to...

- Use German money
- Find the shops you need
- Ask what things cost
- Do your shopping

Now test yourself 1

Was kostet das? G3–6

1 *Die kassette*	**2**	**3**

4	**5**	**6**

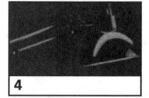  

7	**8**	**9**

1 Schreibe unter jedes Bild, was es zeigt (die Kassette, das Telefon, der Fotoapparat, die Lampe, der Jogginganzug, das Buch, das Fahrrad, der Wecker und die Puppe.)
Write under each picture, what it shows. (die Kassette, das Telefon, der Fotoapparat, die Lampe, der Jogginganzug, das Buch, das Fahrrad, der Wecker und die Puppe).

2 Höre die Kassette. Schreibe in deinen Ordner, was jeder Artikel kostet.
Play the Cassette. Write in your Dossier what each article costs.

3 Beginne: Die Kassette kostet neun Mark.
Start: 1 Die Kassette kostet neun Mark.

---

ein/kaufen – to go shopping
kosten – to cost
was kostet das? – what does that cost?
das Telefon (-e) – the telephone
der Fotoapparat (-e) – the camera
die Lampe (-n) – the lamp

der Jogginganzug (¨e) – the jogging suit
das Buch (¨er) – the book
das Fahrrad (¨er) – the bike
der Wecker (-) – the alarm-clock
die Puppe (-n) – the doll
der Artikel (-) – the article, item

Die Zahlen
51–1 000 000

51 einundfünfzig
52 zweiundfünfzig
53 dreiundfünfzig
54 vierundfünfzig
55 fünfundfünfzig
56 sechsundfünfzig
57 siebenundfünfzig
58 achtundfünfzig
59 neunundfünfzig
60 sechzig
61 einundsechzig
62 zweiundsechzig
63 dreiundsechzig
64 vierundsechzig
65 fünfundsechzig
66 sechsundsechzig
67 siebenundsechzig
68 achtundsechzig
69 neunundsechzig
70 siebzig
71 einundsiebzig
72 zweiundsiebzig
73 dreiundsiebzig
74 vierundsiebzig
75 fünfundsiebzig
76 sechsundsiebzig
77 siebenundsiebzig
78 achtundsiebzig
79 neunundsiebzig
80 achtzig
81 einundachtzig
82 zweiundachtzig
83 dreiundachtzig
84 vierundachtzig
85 fünfundachtzig
86 sechsundachtzig
87 siebenundachtzig
88 achtundachtzig
89 neunundachtzig
90 neunzig
91 einundneunzig
92 zweiundneunzig
93 dreiundneunzig
94 vierundneunzig
95 fünfundneunzig
96 sechsundneunzig
97 siebenundneunzig
98 achtundneunzig
99 neunundneunzig
100 (ein)hundert
101 (ein)hunderteins
200 zweihundert
201 zweihunderteins
555 fünfhundert-
fünfundfünzig
1000 (ein)tausend
1347 (ein)tausenddrei-
hundertsieben-
undvierzig
1 000 000 eine Million

Now test yourself 2

Wieviel?

Klebe Fotos von den folgenden Artikeln in deinen Ordner (oder zeichne sie). Schreibe unter jedes Bild, was der Artikel kostet (DM).
Stick photos of the following articles in your Dossier (or draw them). Under each picture, write what it costs (in DM).

Zum Beispiel:
Der Pulli kostet DM 56,-(sechsundfünfzig Mark).

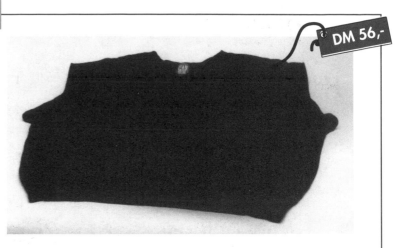

DM 56,-

der Pulli (the pullover)
der Computer (the computer)
der Hamburger (the hamburger)

die Uhr (the watch)
die Flasche Wein (the bottle of wine)
die Briefmarke (the postage stamp)

das Bett (the bed)
das Auto (the car)
das T-Shirt (the T-shirt)

wieviel – how much

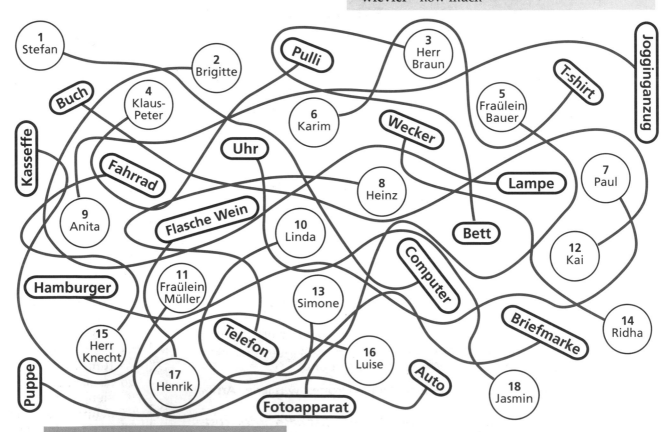

Now test yourself 3

Wer kauft was? G13, 15

Stefan (1) kauft den Computer; Brigitte (2) kauft die Lampe; und Herr Braun (3) kauft das Bett.
Stefan (1) buys the computer; Brigitte (2) buys the lamp; and Mr Braun (3) buys the bed.

Schreibe in deinen Ordner, was die anderen kaufen (4–18).
Write in your Dossier, what the others buy (4–18).

wer? – who?   **kaufen** – to buy   **was?** - what?

Now test yourself 4

Was kauft man da? G16

Hier sind acht Geschäfte. Male für jedes Geschäft, was man da kaufen kann.
Here are eight shops. For each shop, draw what you can buy there.

eine Konditorei *ein Lebensmittelgeschäft* *eine Apotheke* *ein Fischladen*

ein Blumenladen *ein Obst- Gemüseladen* *eine Bäckerei* *eine Metzgerei*

das Geschäft (-e) – the shop
male – draw, paint
da – there
die Konditorei (-en) – the cake-shop
die Apotheke (-n) – the pharmacy

das Lebensmittelgeschäft (-e) – the food-shop
der Fischladen (⸚) – the fish-monger's
der Blumenladen – the florist's
das Obst – the fruit

das Gemüse – the vegetables
die Bäckerei (-en) – the breadshop
die Metzgerei (-en) – the butcher's

Now test yourself 5

Wer hat was? G16

DENIS FLACH hat einen FISCHLADEN. (Aus den Buchstaben DENIS FLACH kann man FISCHLADEN machen).
DENIS FLACH has a FISCHLADEN. (From the letters DENIS FLACH you can make FISCHLADEN).

Was haben die anderen (2–10)?
What do the others have (2–10)?

1 DENIS FLACH hat einen .... *Fischladen*

2 ANNE BELLMUD hat einen ....

3 RICK ÄBEE hat eine ....

4 LENA GÜM DOES-BEST hat einen ....

5 GRETE MIEZ hat eine ....

6 ELSE BENTSLEM FÄGTITCH hat ein ....

7 ERIK DOONIT hat eine ....

8 THEO PAKÉ hat eine ....

DENIS FLACH

er hat – he has (< **haben** – to have)
der Laden (⸚) – the shop
aus – from, out of

der Buchstabe (-n) – the letter (of the alphabet)

man kann machen – one can make (**kann < können** – to be able to, **machen** – to make, to do)

Now test yourself 6

Was möchtest du? G16

Ein Spiel.
1 Eine Münze auf START setzen.
2 Würfeln.
3 Vorwärts rücken, je nach der Nummer.
4 Sagen, was du kaufst.
z.B. Du bist auf 'C'. Du sagst:
'Ich kaufe einen Wecker!'
Man kann allein spielen oder mit einem Partner.

A game.
1 Put a coin on START.
2 Shake a dice.
3 Move forwards, according to the number.
4 Say what you're buying.
e.g. You're on 'C'. You say, 'Ich kaufe einen Wecker!'
You can play alone, or with a partner.

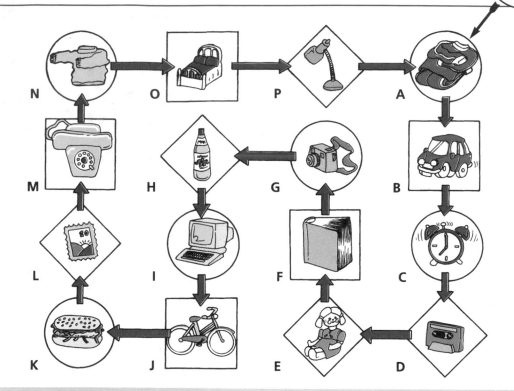

was möchtest du? – what would you like?	**würfeln** – to shake a dice
die Münze (-n) – the coin	**vorwärts** – forwards
auf – on	**rücken** – to move
setzen – to put	**je nach** – according to

allein – alone
spielen – to play
oder – or
mit – with

Info+

Was für ein (Haus) ist das? G6

Was für ein…? – what kind of a…?	**das Tuch** (¨er) – the cloth, material	**das Bräuhaus** – the brewery
das Haus (¨er) – the house	**der Gast** (¨e) – the guest	**die Reform**(kost) – health food
	der Schuh (-e) – the shoe	

Going shopping

Was kostet der Computer, die Kassette, das Buch?

Stefan
Luise } kauft { den Computer.
Kai die Kassette.
das Buch.

Ich kaufe { einen Jogginganzug.
eine Briefmarke.
ein Bett.

Meine Stadt/Mein Dorf

How to...

- Say where your town or village is
- Say what there is (and isn't) there

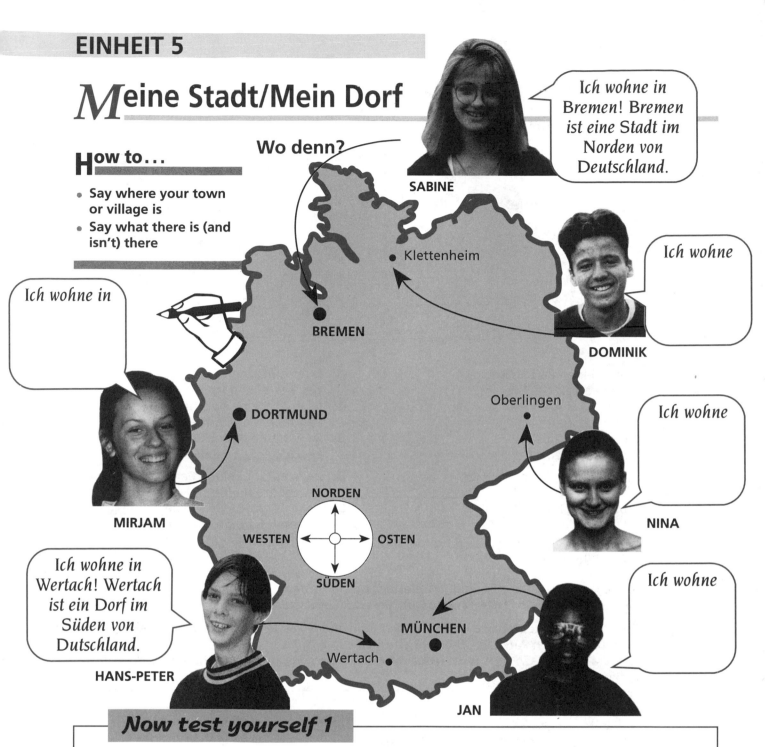

Wo denn?

Ich wohne in Bremen! Bremen ist eine Stadt im Norden von Deutschland.

SABINE

Ich wohne

DOMINIK

Ich wohne in

Klettenheim

BREMEN

Ich wohne

DORTMUND

Oberlingen

NINA

NORDEN

WESTEN — OSTEN

SÜDEN

MIRJAM

Ich wohne in Wertach! Wertach ist ein Dorf im Süden von Dutschland.

HANS-PETER

MÜNCHEN

Wertach

Ich wohne

JAN

Now test yourself 1

Wo denn?

1 Ergänze die Sprechblasen für Mirjam, Jan, Dominik und Nina. (N.B. Oberlingen und Klettenheim sind Dörfer).
Complete the speechbubbles for Mirjam, Jan, Dominik and Nina. (N.B. Oberlingen and Klettenheim are villages).

2 Zeichne eine Landkarte von Großbritannien in deinen Ordner. Klebe Fotos und Sprechblasen darauf, um zu zeigen, wo die folgenden Personen wohnen:
In your Dossier, draw a map of Great Britain. Stick photos and speechbubbles on it to show where the following people live:

a Kenny: York, England, (Norden)
b Anna: Bargoed, Wales, (Süden)
c Andrew: Aberdeen, Schottland (Osten)

d Donna: Glenmaddy, Irland (Westen) (Bargoed und Glenmaddy sind Dörfer).
e Du!

das Dorf (⁻er) – the village	**der Norden** – the north	**der Süden** – the south	**zeigen** – to show
wo denn? – where then?	**der Osten** – the east	**darauf** – on it	**Schottland** – Scotland
	der Westen – the west	**um zu ...** – in order to ...	**Irland** – Ireland

Now test yourself 2

In der Stadt G16, 41

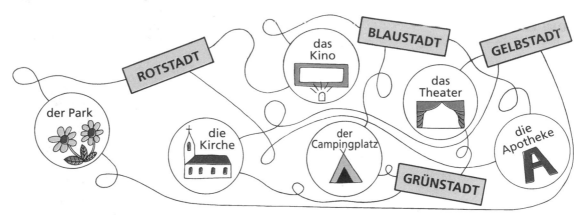

A: 'Gibt es einen Park in Rotstadt?'
'Is there a park in Rotstadt?'
A: 'Gibt es eine Apotheke?'
'Is there a pharmacy?'
A: 'Gibt es ein Kino?'
'Is there a cinema?'

B: 'Ja, es gibt einen Park'.
'Yes, there's a park'.
B: 'Ja, es gibt eine Apotheke'.
'Yes, there's a pharmacy'.
B: 'Ja, es gibt ein Kino'.
'Yes, there's a cinema'.

A: 'Gibt es einen Campingplatz?'
'Is there a campsite?'
A: 'Gibt es eine Kirche?'
'Is there a church?'
A: 'Gibt es ein Theater?'
'Is there a theatre?'

B: 'Nein. es gibt keinen Campingplatz'.
'No, there's no (isn't a) campsite'.
B: 'Nein, es gibt keine Kirche'.
'No, there's no (isn't a) church'.
B: 'Nein, es gibt kein Theater'.
'No, there's no (isn't a) theatre'.

1 Erfinde Gespräche über Blaustadt, Gelbstadt und Grünstadt.
Make up conversations about Blaustadt, Gelbstadt and Grünstadt.

2 Gibt es einen Campingplatz in deiner Stadt (in deinem Dorf)? Gibt es eine Apotheke? Ein Kino?
Eine Kirche? Einen Park? Ein Theater? Schreibe deine Antworten in deinen Ordner.
Is there a campsite in your town (your village)? Write your answers to these questions in your Dossier.

---

der Park (-s) – the park
die Kirche (-n) – the church
das Theater (-) – the theatre

das Kino (-s) – the cinema
es gibt – there is
kein – no, not a

erfinden – to invent
das Gespräch (-e) – the conversation
über – about

Now test yourself 3

Im Fremdenverkehrsamt G7

Höre die Kassette. In einem Fremdenverkehrsamt fragen 6 Personen: 'Wo sind der Campingplatz,
die Kirche, das Theater, die Apotheke, der Park und das Kino?' Ergänze:
*Play the Cassette. In a tourist information office 6 people are asking: 'Where's the campsite. the
church, the theatre, the pharmacy, the park and the cinema?' Complete:*

1 .... Das Theater ...... ist in der Mainstraße.

2 ....ist in der Goethestraße.

3 ....ist in der Lutherstraße.

4 .... ist in der Falkenstraße.

5 .... ist in der Löwenerstraße.

6 .... ist in der Rheinstraße.

---

das Fremdenverkehrsamt (¨er) – the tourist information office

Now test yourself 4

Bankstadt G16, 41

'In Bankstadt gibt es' (sagt der Bürgermeister) …
'In Bankstadt there are' (says the mayor) …

How many of these can you recognise without looking them up?

H	B	A	S	N	E	D	A	L	N	E	M	U	L	B	N	K	S
T	O	A	U	D	T	■	I	E	S	T	■	U	A	E	I	E	N
F	E	T	P	■	K	N	A	B	S	T	A	N	S	D	K	T	■
I	R	I	E	M	■	K	N	E	O	R	K	D	E	E	N	■	V
S	E	E	R	L	O	N	N	N	■	D	E	U	H	E	U	T	S
C	S	B	M	T	M	A	T	S	O	P	C	T	H	H	L	M	A
H	T	D	A	D	N	B	D	M	.	■	O	C	D	O	R	T	■
L	A	A	R	N	E	G	I	I	B	P	A	G	K	T	Z	■	E
A	U	B	K	S	K	N	■	T	A	W	K	N	A	B	T	K	K
D	R	M	T	E	N	I	V	T	I	N	A	U	■	B	A	N	K
E	A	M	K	N	A	B	K	E	E	B	I	L	N	N	L	A	R
N	N	I	O	,	B	■	Z	L	R	K	E	D	I	O	P	B	A
N	T	W	E	E	■	I	D	G	E	K	I	N	S	I	G	C	P
O	,	H	■	R	L	R	U	E	G	I	E	A	N	D	N	D	■
K	E	C	I	O	E	N	E	S	Z	R	N	H	■	A	I	B	A
H	N	S	P	T	H	K	O	C	T	C	F	H	R	T	P	.	■
A	K	N	A	B	B	E	C	H	E	H	R	C	B	S	M	■	E
S	■	E	L	U	H	C	S	Ä	M	E	G	U	A	I	A	B	T
■	H	Z	W	Ö	L	F	■	F	B	B	A	B	N	N	C	M	K
T	E	N	!	I	E	R	O	T	I	D	N	O	K	!	!	■	T

= KONDITOREI

'eine SCHULE
einen CAMPINGPLATZ
ein SCHWIMMBAD
ein STADION
ein POSTAMT
eine KONDITOREI
ein LEBENSMITTELGESCHÄFT
eine APOTHEKE
einen FISCHLADEN
einen BLUMENLADEN
eine BÄCKEREI
eine METZGEREI
einen PARK
eine KIRCHE
ein KINO
ein THEATER
ein HOTEL
eine DISCO
einen BAHNHOF
einen SUPERMARKT
eine POLIZEIWACHE
eine BUCHHANDLUNG
ein RESTAURANT
ein FREMDENVERKEHRSAMT
ein MUSEUM
und …
zwölf BANKEN!' (=12x BANK)

1 Suche sie! Es fehlen drei. Welche?
Look for them! Three are missing. Which ones?

Es gibt keinen ………………………………, keine ………………………………, und kein …………………………

2 Schreibe hier die unbenutzten Buchstaben:
Write the unused letters here:

………

………

---

der Bürgermeister (-) – the mayor
das Schwimmbad (¨er) – the swimming baths
das Stadion (die Stadien) – the stadium
das Postamt (¨er) – the post-office
das Hotel (-s) – the hotel
die Disco (-s) – the disco
der Bahnhof (¨e) – the railway station
der Supermarkt (¨e) – the supermarket
die Polizeiwache (-n) – the police station

die Buchhandlung (-en) – the book shop
das Restaurant (-s) – the restaurant
das Museum (Museen) – the museum
die Bank (-en) – the bank
suchen – to look for
suche sie – look for them
es fehlen drei – three are missing
welche? – which ones?
unbenutzt – unused

Now test yourself 5

Jan G16, 41

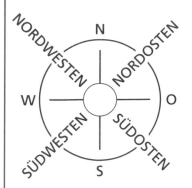

> Hallo! Ich heiße Jan. Ich wohne in Ettendorf. Ettendorf ist ein Dorf im Südwesten von Deutschland. Dort gibt es ein Lebensmittelgeschäft, eine Bäckerei, eine Metzgerei, einen Supermarkt und ein Postamt. Aber es gibt keinen Bahnhof, kein Restaurant, und keine Buchhandlung.

Schreibe ein paar Sätze über deine Stadt (oder dein Dorf), wie Jan. Sage, was es dort gibt und was es dort nicht gibt.

Write a few sentences about your town (or your village), like Jan. Say what there is there, and what there isn't there.

hallo! – hi! hello!
der Südwesten – the south-west
der Südosten – the south-east

der Nordwesten – the north-west
der Nordosten – the north-east

ein paar – a few
wie – like

Info+

'Meine Stadt Fellbach', von Karim

- Fellbach ist eine kleine Stadt mit 25 000 Einwohnern.
- Fellbach liegt in der Nähe der Großstadt Stuttgart am Fuße des Kappelbergs.
- Fellbach ist ein großer Weinort und Fellbachwein ist sehr beliebt.
- Wein wurde von den Römern vor 2 000 Jahren am Kappelberg angebaut.
- Jedes Jahr im Oktober gibt es 'den Fellbacher Herbst', eine Art Erntedankfest, vor allem für den Wein.
- Partnerstädte von Fellbach sind Tain/l'Hermitage (Frankreich), Erba (Italien), Pees (Ungarn) und Meißen (Deutschland).

von – by	**am Fuße des Kappelbergs** –at the foot of the Kappelberg (the name of a mountain)	**Wein wurde angebaut** – wine was grown	**das Erntedankfest** – harvest festival
klein – small, little			
der Einwohner (-) – the inhabitant		**von den Römern** – by the Romans	**die Partnerstadt** (⸚e) – the partner town
liegen – to lie	**der Weinort** (-e) – place where wine is grown	**vor 2 000 Jahren** – 2000 years ago	**Frankreich** – France
in der Nähe – near			**Italien** – Italy
die Großstadt (⸚e) – the city, large town	**der Wein** (-e) – the wine	**der Herbst** – autumn	**Ungarn** – Hungary
	sehr – very	**eine Art** – a kind of	
groß – big	**beliebt** – popular	**vor allem** – above all	

Talking about your town or village

... ist { eine Stadt / ein Dorf } { im Norden/Nordwesten/Nordosten / im Süden/Südwesten/Südosten / im Osten / im Westen } von { Deutschland. / England. / Wales. / Schottland. / Irland. }

Es gibt einen / keinen } Bahnhof, eine / keine } Disco, ein / kein } Kino.

EINHEIT 6

Zu Hause

How to...

- Understand and write descriptions of homes
- Use telephone numbers
- Say what there is in a flat or house

Haus zu verkaufen

Schönes Haus. Erdgeschoß: Flur, Wohnzimmer, Schlafzimmer, Küche, mit Blick auf den See. 1. Stock: fünf große Schlafzimmer, Badezimmer, Toilette. Dachboden: Schlafzimmer. In erstklassigem Zustand. (46 39 70)

Haus in Stadtnähe. Keller. Erdgeschoß: Flur, Wohnzimmer, Eßzimmer, Küche, Arbeitszimmer, großes Schlafzimmer, Toilette. 1. Stock: drei große Schlafzimmer, Badezimmer, Toilette. Dachboden: zwei Schlafzimmer. Garage für zwei Wagen. (82 55 38)

Haus, in der Nähe vom Gymnasium. Kleiner Garten. Erdgeschoß: Garage, Flur, Abstellraum, 1 Schlafzimmer. 1. Stock: Wohnzimmer mit Balkon, drei Schlafzimmer, Badezimmer, Küche, Toilette. Zentralheizung. (21.59.46)

Now test yourself 1

What number would you ring if you wanted a house ...

1 .... with a view over the lake?

2 .... near the grammar school?

3 .... with a cellar?

4 .... with seven bedrooms?

5 .... with a utility room?

6 .... with a garage for two cars?

7 .... with living room and kitchen upstairs?

8 .... near the town centre?

9 .... said to be in first-class condition?

10 .... with central heating?

11 .... with six bedrooms and a study?

12 .... with an attic with two bedrooms?

---

verkaufen – to sell
Haus zu verkaufen – house for sale
zu Hause – at home
in Stadtnähe – near the town
der Keller (-) – the cellar
das Erdgeschoß (¨e) – the ground floor
der Flur (-e) – the entrance hall
das Wohnzimmer (-) – the living room
das Eßzimmer (-) – the dining room
die Küche (-n) – the kitchen

das Arbeitszimmer (-) – the study
der Stock (¨e) - the floor, storey
der erste Stock – the first floor
das Schlafzimmer (-) – the bedroom
das Badezimmer (-) – the bathroom
die Toilette (-n) – the wc
der Dachboden (¨) – the attic
die Garage (-n) – the garage
der Wagen (-) – the car
schön – beautiful
der Blick (-e) – the view
der See (-n) – the lake

erstklassig – first-class
der Zustand (¨e) – the condition
in der Nähe von – near
der Garten (¨) – the garden
der Abstellraum (¨e) – the utility room
der Balkon (-e) – the balcony
die Zentralheizung – the central heating

Now test yourself 2

You work for a UK estate agent, in an area where there is a large German-run machine tool factory. Write an advertisement in German for the following: beautiful house, near grammar school; small garden, cellar; ground floor: entrance hall, living room, kitchen, dining room; first floor: three bedrooms, study, bathroom, wc. Attic. Central heating. Garage for 2 cars. In first class condition.

Wer wohnt wo? G80

Beispiel 1: Kais Telefonnummer ist 18 29 33. Seine Adresse ist Tannenstraße 3. Er hat ein Haus in der Stadt.
Kai's telephone number is 18 29 33. His address is Tannenstraße 3. He has a house in the town.

Beispiel 2: Ninas Telefonnummer ist 23 65 47. Ihre Adresse ist Esslinger Straße 5. Sie hat eine Wohnung auf dem Lande.
Nina's telephone number is 23 65 47. Her address is Esslinger Straße 5. She has a flat in the country.

Now test yourself 3

1 Höre die Kassette. Du hörst noch vier Personen. (Zuerst hörst du ihre Telefonnummern). Schreibe den Namen von jedem in 'B'. (Axel, Christina, Dominik oder Lea).
Play the Cassette. You'll hear another four people. (First you hear their telephone numbers). Write the name of each in 'B'. (Axel, Christina, Dominik or Lea).

Schreibe ihre Adressen in 'C'. (Kirchplatz 5, Sudweyher Straße 113, Christophstraße 16 oder Pfarrstraße 58).
Write their addresses in 'C'. (Kirchplatz 5, Sudweyher Straße 113, Christophstraße 16 or Pfarrstraße 58).

Schreibe in 'D' 'ein Haus' oder 'eine Wohnung' und in 'E' 'in der Stadt' oder 'auf dem Lande'.
In 'D' write 'ein Haus' or 'eine Wohnung' and in 'E' 'in der Stadt' or 'auf dem Lande'.

Beispiel 1

A 18 19 33
B Kai

C Tannenstraße 3
D ein Haus
E in der Stadt

1

A 93 39 42
B

C
D
E

2

A 59 25 43
B

C
D
E

Beispiel 2

A 23 65 47
B Nina

C Esslinger Straße 5
D eine Wohnung
E auf dem Lande

3

A 48 13 62
B

C
D
E

4

A 95 64 20
B

C
D
E

---

wer – who	**die Wohnung** (-en) – the flat	**dann** – then
wo – where	**auf dem Lande** – in the country	**sagen** – to say
die Telefonnummer (-n) – the telephone number	**zuerst** – first	**ob** – whether
	hören – to hear	**noch vier** – another four
sein – his	**geben** – to give	
er/sie hat (< **haben** – to have)	**ihr** – her, their	

Now test yourself 3 (continued)

2 Ein Gespräch.
A: Wessen Telefonnummer ist achtzehn
neunzehn dreiunddreißig?
B: Das ist Kais Telefonnummer.
A: Wie ist seine Adresse?
B: Seine Adresse ist Tannenstraße drei.
A: Hat er ein Haus oder eine Wohnung?
B: Er hat ein Haus.
A: Wohnt er in der Stadt oder auf dem Lande?
B: Er wohnt in der Stadt.

Erfinde ein Gespräch über Christina.
Make up a conversation about Christina.

NB: Christinas Telefonnummer ist .... Ihre Adresse ist ... Sie hat ... Sie wohnt ...

Wie ist seine Adresse?

Tannenstraße 3.

---

das Gespräch (-e) – the
conversation

wessen – whose
ihr – her

wie ist seine/ihre Adresse? –
what's his/her address?

Info+

Mein Zimmer G43

Ich teile mein Zimmer mit meinem Bruder. Bei mir ist meistens
nicht aufgeräumt. Ich habe ein Bett, das quietscht. Das Bett von
meinem Bruder quietscht auch. Unter meinem Bett stehen zwei
große, volle Schubladen mit lauter Krimskrams. Hinter meinem
Bett habe ich ein Radio auf einem Regal stehen. Darüber sind
zwei Regale mit Büchern und darüber noch ein Regal mit einem
Computer und Videokassetten, daneben ein Regal mit
Kuscheltieren. Vor meinem Bett steht mein Schreibtisch und über
meinem Schreibtisch ist ein großes Regal. Neben der Tür ist ein
Kleiderschrank. Dann haben wir auch ein Aquarium. Über dem
Aquarium hängen drei Regale von meinem Bruder. Darauf sind
ein Briefmarkenalbum, Comics, CDs, Kassetten, ein Radio und ein
Wecker. Nach dem Aquarium kommt das Bett von meinem
Bruder und neben dem Bett ist sein Schreibtisch und hinter dem
Bett steht ein Tisch mit seinem Computer. Über dem Tisch sind
drei Regale mit Büchern, Heften und Sachen für den Computer.

Maren.

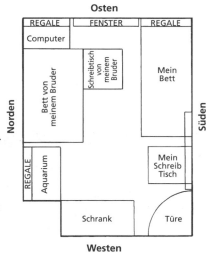

Marens Zeichnung

---

teilen – to share
das Zimmer (-) – the room
der Bruder (⁝) – the brother
bei mir – in my room
meistens – mostly
aufgeräumt – tidied up
sehr – a lot
quietschen – to squeak
auch – also
stehen – to stand
voll – full
die Schublade (-n) – the drawer
lauter – nothing but
der Krimskrams – stuff
hinter – behind

das Radio (-s) – the radio
das Regal (-e) – the shelf
darüber – over it
der Bildschirm (-e) – the screen
als – as
der Fernseher (-) – the TV set
daneben – next to it
das Kuscheltier (-e) – the cuddly
toy
vor – in front of
der Schreibtisch (-e) – the desk
neben – next to
die Tür (-en) – the door
der Kleiderschrank (⁝e) – the
wardrobe

das Aquarium (-ien) – the
aquarium
über – above, over
hängen – to hang
darauf – on them
das Briefmarkenalbum (-en) –
the stamp-album
nach – after
kommen – to come
der Tisch (-e) – the table
das Heft (-e) – the exercise book
die Sache (-n) – the thing
die Zeichnung (-en) – the
drawing

Ein deutsches Haus G73

Im (in dem) Erdgeschoß sind: der Flur (F), das Wohnzimmer (WZ) und die Küche (KÜ).

In dem Flur sind: die Treppe (TR) und ein Schrank (SK). In dem Wohnzimmer sind ein Sofa (SO), zwei Sessel (SE), die Stereoanlage (SA), der Fernseher (FS) und eine Stehlampe (SL).

In der Küche sind: der Herd (HE), das Spülbecken (SB), die Waschmaschine (WM) und der Kühlschrank (KS).

Die Küche hat auch eine Eßecke (EE). In der Eßecke sind: ein Tisch (TI), vier Stühle (SH) und Regale (RE).

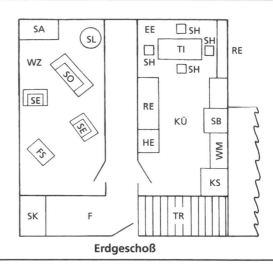

Erdgeschoß

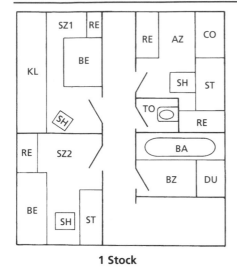

1 Stock

Im ersten Stock sind: zwei Schlafzimmer (SZ), ein Arbeitszimmer (AZ), das Badezimmer (BZ) und die Toilette (TO).

Im ersten Schlafzimmer sind: ein Bett (BE), ein Stuhl (SH), ein Regal (RE) und ein Kleiderschrank (KL).

Im zweiten Schlafzimmer sind: ein Bett (BE), ein Schreibtisch (ST), ein Stuhl (SH) und Regale (RE).

Im Arbeitszimmer sind: ein Schreibtisch (ST), ein Stuhl (SH), Regale (RE) und ein Computer (CO) u.s.w. (und so weiter).

Im Badezimmer sind das Bad (BA) und die Dusche (DU).

Das Haus hat auch eine Garage (GE) und einen Garten (GN).

Now test yourself 4

Mein ideales Haus

Zeichne den Plan von deinem idealen Haus mit einem Schlüssel. Schreibe ein paar Sätze darüber. (Was es in jedem Stock und in jedem Zimmer gibt).
Draw the plan of your ideal house, with a key. Write a few sentences about it. (What there is in each storey, and in each room).

---

die Treppe (-n) – the staircase	**der Herd** (-e) – the cooker	**das Bad** (¨er) – the bath
der Schrank (¨e) – the cupboard	**das Spülbecken** (-) – the sink	**die Dusche** (-n) – the shower
das Sofa (-s) – the sofa	**die Waschmaschine** (-n) – the washing machine	**und so weiter** – etc., and so on
der Sessel (-) – the armchair		**der Plan** (¨e) – the plan
die Stereoanlage (-n) – the stereo system	**der Kühlschrank** (¨e) – the refrigerator	**ideal** – ideal
die Stehlampe (-n) – the standard lamp	**die Eßecke** (-n) – the dining area	**der Schlüssel** (-) – the key
	der Stuhl (¨e) – the chair	**ein paar** – a few
		darüber – about it

Talking about homes

Ich habe ⎫ ⎧ ein Haus.　　　　Ich wohne ⎫ ⎧ in der Stadt.
Er/sie hat ⎭ ⎩ eine Wohnung.　Er/sie wohnt ⎭ ⎩ auf dem Lande.
Meine/seine/ihre Adresse ist ...
Im Erdgeschoß ist die Küche u.s.w.
Im ersten Stock sind zwei Schlafzimmer u.s.w.
Im Wohnzimmer ⎫ sind ⎧ der/ein Tisch und vier Stühle u.s.w.
In der Küche 　⎭ 　　⎩ die/eine Waschmaschine und der/ein Herd u.s.w.

*D*ie Familie

*H*ow to...

- **Identify the members of your family**
- **Give their names and ages**
- **Say what they look like**

Meine TOCHTER ist die Schwester von meinem Sohn!

Now test yourself 1

Ein Stammbaum G73–4, 80

1 'Meine *TOCHTER* ist die Schwester von meinem Sohn'.
(Nummer 1) Was sagen die anderen? (Nummer 2–24).
Ergänze jeden Satz mit einem der folgenden Wörter:
*'My DAUGHTER is the sister of my son'. (Number 1) What
do the others say? (Nos. 2–24) Complete each sentence with
one of the following words:*

BRUDER NEFFE TOCHTER ENKELIN SCHWIEGERSOHN ENKEL SCHWESTER
SCHWIEGERTOCHTER SCHWAGER NICHTE MUTTER SCHWÄGERIN SOHN
COUSIN VATER SCHWIEGERMUTTER MANN COUSINE ONKEL FRAU
SCHWIEGERVATER GROßVATER TANTE GROßMUTTER

1	'Meine (TOCHTER) ist die Schwester von meinem Sohn' *(mit * über TOCHTER)*
2	'Meine _ _ _ _ _ ist die Frau von meinem Onkel'
3	'Mein _ _ _ _ _ ist der Bruder von meinem Vater'
4	'Mein _ _ _ _ _ ist der Sohn von meiner Tochter'
5	'Mein _ _ _ _ _ _ ist der Sohn von meiner Tante'
6	'Mein _ _ _ _ _ _ _ _ _ _ _ ist der Mann von meiner Tochter'
7	'Meine _ _ _ _ _ _ ist die Tochter von meinem Bruder'
8	'Meine _ _ _ _ _ _ _ _ _ ist die Frau von meinem Großvater'
9	'Mein _ _ _ _ _ _ _ _ ist der Mann von meiner Schwester'
10	'Meine _ _ _ _ _ _ _ ist die Tochter von meinem Onkel'
11	'Meine _ _ _ _ _ _ _ _ _ ist die Tochter von meiner Mutter'
12	'Meine _ _ _ _ _ _ _ _ _ _ _ _ _ ist die Frau von meinem Sohn'
13	'Mein _ _ _ _ ist der Vater von meiner Tochter'
14	'Mein _ _ _ _ _ ist der Sohn von meinem Bruder'
15	'Mein _ _ _ _ _ _ _ _ _ _ _ _ _ ist der Vater von meiner Frau'
16	'Mein _ _ _ _ ist der Bruder von meiner Tochter'
17	'Mein _ _ _ _ _ ist der Mann von meiner Mutter'
18	'Meine _ _ _ _ ist die Mutter von meinem Sohn'
19	'Mein _ _ _ _ _ _ _ _ ist der Vater von meiner Mutter'
20	'Meine _ _ _ _ _ _ ist die Frau von meinem Vater'
21	'Meine _ _ _ _ _ _ _ _ _ _ _ _ _ ist die Mutter von meiner Frau'
22	'Meine _ _ _ _ _ _ _ ist die Tochter von meinem Sohn'
23	'Meine _ _ _ _ _ _ _ _ _ ist die Schwester von meinem Mann'
24	'Mein _ _ _ _ _ _ ist der Sohn von meiner Mutter'

2 Schreibe hier die Buchstaben unter *.
*Write here the letters under *.*

| H | | | | ■ | | | | ■ | | | ■ | | E | | | | ■ | | | | | | | I |

die Familie (-n) – the family
der Stammbaum (¨e) – the family tree
die Tochter (¨) – the daughter
die Schwester (-n) – the sister
der Sohn (¨e) – the son
das Wort (¨er) – the word
der Neffe (-n) – the nephew
die Enkelin (-nen) – the granddaughter
der Schwiegersohn (¨e) – the son-in-law
der Enkel (-) – the grandson
die Schwiegertochter (¨) – the daughter-in-law
der Schwager (¨) – the brother-in-law
die Nichte (-n) – the niece
die Mutter (¨) – the mother
die Schwägerin (-nen) – the sister-in-law
der Vater (¨) – the father
die Schwiegermutter (¨) – the mother-in-law
der Mann (¨er) – the man, husband
die Cousine (-n) – the (female) cousin
der Onkel (-) – the uncle
die Frau (-en) – the wife, woman
der Schwiegervater (¨) – the father-in-law
der Großvater (¨) – the grandfather
die Tante (-n) – the aunt
die Großmutter (¨) – the grandmother

Now test yourself 2

Sprechen wir von der Familie!

Jede Person hier spricht von ihren Verwandten – wie sie heißen, wo sie wohnen und wie alt sie sind. Leider fehlen einige Details. Ergänze die Sprechblasen.

Each person here is talking about his or her relatives – what they're called, where they live, and how old they are. Unfortunately some details are missing. Complete the speechbubbles.

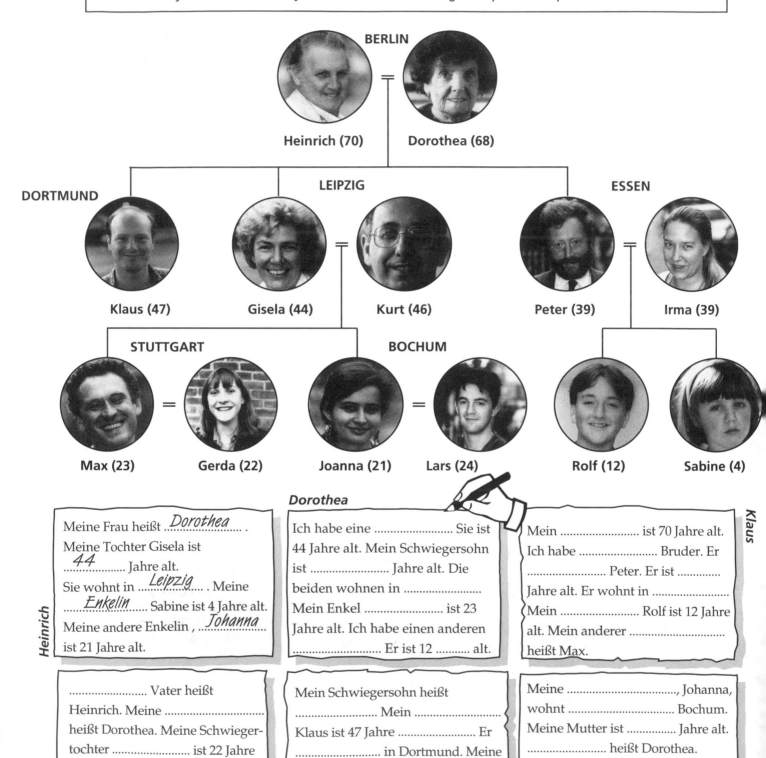

BERLIN

Heinrich (70)　　Dorothea (68)

DORTMUND　　**LEIPZIG**　　**ESSEN**

Klaus (47)　　Gisela (44)　　Kurt (46)　　Peter (39)　　Irma (39)

STUTTGART　　**BOCHUM**

Max (23)　　Gerda (22)　　Joanna (21)　　Lars (24)　　Rolf (12)　　Sabine (4)

Heinrich

Meine Frau heißt ....*Dorothea*..... .
Meine Tochter Gisela ist
....*44*.......... Jahre alt.
Sie wohnt in ....*Leipzig*..... . Meine
....*Enkelin*......... Sabine ist 4 Jahre alt.
Meine andere Enkelin , ...*Johanna*.........
ist 21 Jahre alt.

Dorothea

Ich habe eine .... Sie ist
44 Jahre alt. Mein Schwiegersohn
ist .... Jahre alt. Die
beiden wohnen in ....
Mein Enkel .... ist 23
Jahre alt. Ich habe einen anderen
.... Er ist 12 .... alt.

Klaus

Mein .... ist 70 Jahre alt.
Ich habe .... Bruder. Er
.... Peter. Er ist ....
Jahre alt. Er wohnt in ....
Mein .... Rolf ist 12 Jahre
alt. Mein anderer ....
heißt Max.

Gisela

.... Vater heißt
Heinrich. Meine ....
heißt Dorothea. Meine Schwiegertochter .... ist 22 Jahre
alt. Meine .... Sabine
wohnt bei ihren Eltern in
....

Kurt

Mein Schwiegersohn heißt
.... Mein ....
Klaus ist 47 Jahre .... Er
.... in Dortmund. Meine
.... Gerda ....
22 Jahre alt. Mein ....
heißt Max.

Peter

Meine ...., Johanna,
wohnt .... Bochum.
Meine Mutter ist .... Jahre alt.
.... heißt Dorothea.
Sie .... in Berlin.
.... Sohn, Rolf, ist ....
Jahre alt.

Max

Irma

Meine .... Gisela ist .... Jahre alt. .... wohnt in Leipzig. Mein .... heißt Rolf. .... Schwiegermutter ist .... Jahre alt. Mein .... ist 39 Jahre alt.

.... Cousin Rolf .... 12 Jahre alt. Mein .... heißt Kurt. .... Cousine ist .... Jahre alt. Meine .... wohnt in Essen. Sie .... Irma.

Gerda

Meine .... ist 44 Jahre alt. Mein .... heißt Max. Wir wohnen in .... Mein .... ist 46 Jahre alt. Mein Schwager heißt ....

Johanna

Meine .... ist 4 Jahre alt. Sie heißt .... Mein .... Peter ist .... Jahre alt. .... Großmutter ist .... Jahre alt. .... Großvater heißt ....

Meine .... ist 21 Jahre alt. Wir wohnen in .... Mein Schwiegervater heißt .... Meine .... ist 22 Jahre alt. Mein .... ist 23 Jahre alt.

Meine .... Johanna wohnt in .... Meine .... ist 68 Jahre alt. Ich habe eine ...., Sabine. Meine .... heißt Irma.

Sabine

Mein .... heißt Heinrich. Mein .... ist 12 Jahre alt. Wir .... in Essen. Mein .... Klaus wohnt in .... Mein Cousin ist .... Jahre alt.

Lars

Rolf

---

man – one
spricht < sprechen (i) – to speak
ihr – their
der/die Verwandte (-n) – the relative
leider – unfortunately
die beiden – both
bei – with

Now test yourself 3

Mein Stammbaum G42

Zeichne deinen Stammbaum. Setze Sprechblasen dazu, worin jede Person etwas über ihre Verwandten sagt. *Draw your family tree. Add speechbubbles in which each person says something about his or her relatives.*

setze ... dazu < dazusetzen – to add   **worin** – in which

Info+

Die Deutschen

Bevölkerung am 31.12.91: 80 274 600
Je km²: 224
Männlich: 38 839 100
Weiblich: 41 435 500
Ausländer: 5 882 300 (7,3%) (Darunter 1 612 600 aus der Türkei, 610 500 aus Ex-Jugoslawien, 560 100 aus Italien, 293 600 aus Griechenland und 127 000 aus Spanien).

Ledig: männlich 42,7%, weiblich 34,3%
Verheiratet: männlich 50,7%, weiblich 46,9%
Verwitwet: männlich 2,6%, weiblich 13,7%
Geschieden: männlich 4,0%, weiblich 5,1%
Aus 30 Schülern in Klasse 5P, KGS Weyhe…
10 haben blonde Haare, 12 schwarze Haare, 6 braune Haare und 2 rote Haare.
8 haben blaue Augen, 16 braune Augen und 6 graue Augen.

der/die Deutsche (-n) – the German
die Bevölkerung (-en) – the population
je km² – per square kilometre
männlich – masculine, male
weiblich – feminine, female
der Ausländer (-) – the foreigner
darunter – amongst them

aus – from, out of
Ex-Jugoslawien – the former Jugoslavia
Griechenland – Greece
Spanien – Spain
ledig – single
verheiratet – married
verwitwet – widowed

geschieden – divorced
das Haar (-e) – the hair
schwarz – black
braun – brown
rot – red
blau – blue
das Auge (-n) – the eye
grau – grey

Now test yourself 4

Ottos Familie G80

Neun Mitglieder von Ottos Familie (1–9) nennen ihre Haarfarbe und ihre Augenfarbe. Höre die Kassette. Entscheide, wer spricht. Schreibe in deinen Ordner 25 Wörter über ihn oder sie.
Nine members of Otto's family (1–9) give the colour of his or her hair and the colour of his or her eyes. Listen to the Cassette and decide who's speaking. In your Dossier, write 25 words about him or her.

Zum Beispiel:
Nummer eins ist sein Onkel. Er heißt Helmut. Er ist 56 Jahre alt und er wohnt in Hamburg. Er hat braune Haare und blaue Augen.
NB: Es ist sein Onkel (männlich) aber es ist seine Tante (weiblich).

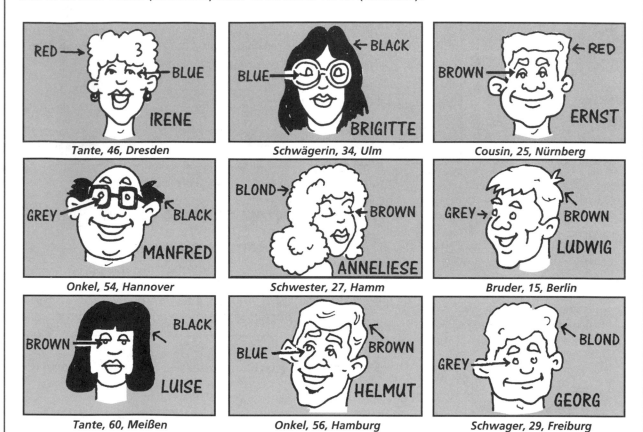

IRENE — *Tante, 46, Dresden*	BRIGITTE — *Schwägerin, 34, Ulm*	ERNST — *Cousin, 25, Nürnberg*
MANFRED — *Onkel, 54, Hannover*	ANNELIESE — *Schwester, 27, Hamm*	LUDWIG — *Bruder, 15, Berlin*
LUISE — *Tante, 60, Meißen*	HELMUT — *Onkel, 56, Hamburg*	GEORG — *Schwager, 29, Freiburg*

das Mitglied (-er) – the member **entscheiden** – to decide **das Beispiel** (-e) – the example
die Farbe (-n) – the colour **ihn** – him **zum Beispiel** – for example
die Augen – the eyes **sie** – her

Talking about the family

Mein Onkel ist der Bruder } von { meinem Vater.
Meine Tante ist die Schwester } { meiner Mutter.

Ich habe }{ einen Sohn, einen Onkel, einen Cousin u.s.w. (männlich)
Er/sie hat }{ eine Tochter, eine Tante, eine Cousine u.s.w. (weiblich)

Er/heißt .... Er/sie ist .... Jahre alt. Er/sie wohnt in ....

Mein Bruder/er } { heißt ....
Meine Schwester/sie } { ist .... Jahre alt.
{ wohnt in ....

Ich habe }{ schwarze Haare.
Er/sie hat }{ blaue Augen.

Guten Appetit!

Ich habe Hunger!

Volker

How to...

- Find places to eat and drink
- Get a snack
- Order a good meal

Now test yourself 1

Volker hat Hunger!

Wo möchte Volker essen? Im Restaurant? In der Cafeteria? Unten links siehst du die Namen von 21 Orten, wo man in Deutschland essen oder trinken kann.

Suche sie in dem Kreuzworträtsel unten rechts. Schreibe die unbenutzten Buchstaben in deinen Ordner, um herauszufinden, wo Volker essen möchte.

Where would Volker like to eat? In the restaurant? In the cafeteria? Below left you see the names of 21 places where you can eat or drink in Germany.

Find them on the wordsearch below right. In your Dossier, write out the unused letters to find out where Volker would like to eat.

Grill- Gaststätte · Bar · Eis-Café · Die Fa · Der Treff fü · Kneipe mit · RESTAURANT · Tanzcafé mit Eve · Weinstube · V.I.P. SNACK-BAR DER TREFF IM STEHEN · PIZZERIA LECHNER · McDonald's · Ratskeller · Café Margrit · CAFETERIA · Gasthof · italienische Taverne · straße 38 · BUFFET IM RATHAUS · Imbiss · Bierstube · Gasthaus zum Lamm · ßer Och

W	E	I	N	S	T	U	B	E	W	O	■	M	Ö
C	N	H	E	S	U	O	H	K	A	E	T	S	T
E	R	E	S	T	A	U	R	A	N	T	N	D	■
S	E	V	T	K	N	E	I	P	E	A	O	L	C
U	V	A	E	T	L	K	E	B	C	R	R	A	A
A	A	I	F	■	Ä	E	U	K	A	S	S	N	F
H	T	R	F	E	N	T	B	T	?	■	B	O	E
T	E	É	U	I	S	A	S	S	■	M	H	D	T
S	C	Z	B	R	R	K	S	T	D	T	O	C	E
A	N	Z	E	A	E	I	L	D	S	S	R	M	R
G	R	I	L	L	B	É	■	A	S	A	E	L	I
B	B	P	L	M	S	F	G	T	B	V	G	E	A
R	S	E	I	S	C	A	F	É	T	Ä	N	D	L
I	R	C	É	F	A	C	Z	N	A	T	H	!	

ERSTES ORIGINAL STEAKHOUSE ÖSTERREICHS

guten Appetit! – enjoy your meal!	**links** – left	**das Kreuzworträtsel** (-) –
Volker hat Hunger – Volker's hungry	**du siehst< sehen** – to see	the wordsearch
möchte – would like	**der Ort** (-e) – the place	**rechts** – on the right
essen (i) – to eat	**trinken** – to drink	**herausfinden** – to find out
die Cafeteria (-s) – the cafeteria	**man kann** – one can	**selbstverständlich** – of
unten – below	(**kann < können** – to be able to)	course

Wo man essen und trinken kann

das Restaurant (-s)
– the restaurant
die Cafeteria (-s)
– the cafeteria
das Eiscafe (-s)
– the ice-cream parlour
die Taverne (-n)
– the taverna
die Imbißstube (-n)
– the cafe, snackbar
das Gasthaus (¨er)
– the inn
der Ratskeller (-)
– restaurant in town-hall cellar
die Pizzeria (-s)
– the pizzeria
das Steakhouse
– the steakhouse
die Kneipe (-n)
– the pub
das Tanzcafe (-s)
– coffee-house with dancing
die Gaststätte (-n)
– the restaurant
der Gasthof (¨e)
– the inn
das Buffet (-s)
– the buffet
die Bierstube (-n)
– the (small) pub
die Weinstube (-n)
– the wine bar
die Snackbar (-s)
– the snackbar
das Cafe (-s) – the café
der Grill (-s) – the grill
die Bar (-s) – the bar

Now test yourself 2

Die Imbißstube

Hier (A) ist die Speisekarte von einer Imbißstube. Ein Kunde nimmt einen Hamburger, eine Portion Pommes frites und eine Flasche Apfelsaft. Hier (B) ist seine Quittung. Höre die Kassette. Fünf Kunden sagen, was sie essen und trinken möchten. Schreibe in den Ordner eine Quittung für jeden.
Here (A) is the menu of a snackbar. A customer takes a hamburger, French fries, and a bottle of apple juice. Here (B) is his receipt. Play the Cassette. Five customers say what they'd like to eat and drink. In your Dossier, write a receipt for each one.

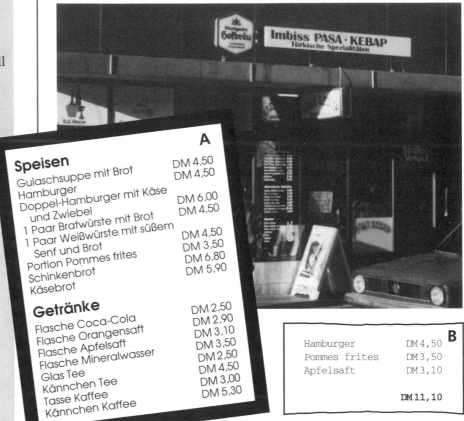

A

Speisen

Gulaschsuppe mit Brot	DM 4,50
Hamburger	DM 4,50
Doppel-Hamburger mit Käse und Zwiebel	DM 6,00
1 Paar Bratwürste mit Brot	DM 4,50
1 Paar Weißwürste mit süßem Senf und Brot	DM 4,50
Portion Pommes frites	DM 3,50
Schinkenbrot	DM 6,80
Käsebrot	DM 5,90

Getränke

Flasche Coca-Cola	DM 2,50
Flasche Orangensaft	DM 2,90
Flasche Apfelsaft	DM 3,10
Flasche Mineralwasser	DM 3,50
Glas Tee	DM 2,50
Kännchen Tee	DM 4,50
Tasse Kaffee	DM 3,00
Kännchen Kaffee	DM 5,30

B

Hamburger	DM 4,50
Pommes frites	DM 3,50
Apfelsaft	DM 3,10
	DM 11,10

die Speisekarte (-n) – the menu
der Kunde (-n) – the customer
nimmt < nehmen – to take
die Portion (-en) – the portion
die Pommes frites – the French fries
der Apfelsaft (¨e) – the orange juice
die Quittung (-en) – the receipt
die Speise (-n) – the dish, food
die Gulaschsuppe (-n) – the goulash soup
das Brot – the bread
der Käse – the cheese
die Zwiebel (-n) – the onion
das Paar (-e) – the pair
die Bratwurst (¨e) – the grilled pork sausage
die Weißwurst (¨e) – the veal sausage
süß – sweet
der Senf – the mustard
das Schinkenbrot (-e) – the open ham sandwich
das Käsebrot (-e) – the open cheese sandwich
das Getränk (-e) – the drink
der Orangensaft – the orange juice
das Mineralwasser – the mineral water
das Glas (¨er) – the glass
der Tee – the tea
das Kännchen (-) – the pot
die Tasse (-n) – the cup
der Kaffee – the coffee

Im Restaurant

Ratskeller
Speisekarte

Vorspeisen
Lachs vom Grill
Heringsfilet
Parmaschinken

Suppen
Französische Zwiebelsuppe
Ochsenschwanzsuppe
Linsensuppe

Hauptgerichte
Schweineschnitzel
Kalbsleber
Filetsteak
Lammsteak
Hähnchen
Omelett

Gemüse
Reis, Nudeln,
Salzkartoffeln, Pommes
frites, Spinat, Erbsen,
Karotten

Nachspeisen
Eis
Pfannkuchen

RESTAURANT RATSKELLER, WUPPERTAL

Herr Heinken	Einen Tisch für zwei, bitte.
Kellner	Bitte schön!
	....
Herr Heinken	Nimmst du eine Vorspeise, Erika, oder eine Suppe?
Frau Heinken	Ich nehme eine Suppe – Zwiebelsuppe, bitte. Und du?
Herr Heinken	Ich nehme eine Vorspeise … Heringsfilet. Und als Hauptgericht?
Frau Heinken	Filetsteak …
Herr Heinken	Mit …?
Frau Heinken	Pommes frites, selbstverständlich! Und du?
Herr Heinken	Für mich, Kalbsleber und Nudeln.
	....
Kellner	Bitte schön?
Frau Heinken	Einmal Zwiebelsuppe, Filetsteak und Pommes frites, einmal Heringsfilet, Kalbsleber und Nudeln.
Kellner	Und zu trinken?
Herr Heinken	Eine Flasche Rotwein, bitte.
	....
Frau Heinken	Bitte! Die Rechnung, bitte.
Kellner	Bitte schön!

Now test yourself 3

1 On holiday in Germany, Jim Barnes and his wife Dora go to the Ratskeller for a meal. Mr Barnes chooses oxtail soup, followed by chicken with spinach; Mrs Barnes has grilled salmon, followed by an omelet with peas. They also have a bottle of white wine (Weißwein). Make up the dialogue.

2 Make up a similar dialogue where you and a friend order a meal of your choice at the Ratskeller.

Die Vorspeise (-n) – the starter
der Lachs (-e) – the salmon
das Heringsfilet (-s) – the herring fillet
der Parmaschinken – the Parma ham
die Suppe (-n) – the soup
die Ochsenschwanzsuppe (-n) – the oxtail soup
die Linsensuppe (-n) – the lentil soup
das Hauptgericht (-e) – the main dish
die Kalbsleber – the veal liver

das Schweineschnitzel (-) – the pork escalope
das Filetsteak (-s) – the fillet steak
das Lammsteak (-s) – the lamb steak
das Hähnchen (-) – the chicken
die Erbse (-n) – the pea
das Omelett (-e) – the omelette
das Gemüse (-) the vegetable
der Reis – the rice
die Nudel (-n) – the noodle
die Salzkartoffel (-n) – the boiled potato
der Spinat – the spinach

die Karotte (-n) – the carrot
die Nachspeise (-n) – the dessert, sweet
bitte – please, excuse me!
der Kellner (-) – the waiter
bitte schön! – what would you like?, you're welcome
du nimmst < nehmen – to take
einmal – one, once
zu – to
der Rotwein (-e) – the red wine
die Rechnung (-en) – the bill

Info+

Mahlzeiten in Deutschland

~ **7.00** Das Frühstück: Allerlei Brot (Z.B. Brötchen, Schwarzbrot, Weißbrot, Roggenbrot); Butter, Konfitüre, Käse, Aufschnitt; Kaffee, Trinkschokolade)

~ **9.30** Zweites Frühstück (Der Morgen in der Schule ist sehr lang!): ein belegtes Brot (Z.B. Käse oder Schinken)

~ **13.00** (oder noch später) Das Mittagessen: vielleicht eine Suppe; Fleisch (oft Schweinefleisch, manchmal Rindfleisch oder Kalbfleisch; Kartoffeln (oft Salzkartoffeln) und anderes Gemüse, Z.B. Sauerkraut oder Rotkohl; Nachspeise – Z.B. Obst oder ein Pudding.

~ **16.00** Kaffee und Kuchen (aber nicht jeden Tag!)

~ **19.00** Das Abendessen (oft kalt): kaltes Fleisch, Aufschnitt, Käse, Salat, Obst

Restaurant Emma, Restaurant Sean

das Frühstück (-e) – the breakfast	

das Frühstück (-e) – the breakfast
allerlei – all kinds of
das Brötchen (-) – the bread roll
das Schwarzbrot (-e) – black bread
das Weißbrot (-e) – white bread
das Roggenbrot (-e) – rye bread
die Butter – butter
die Konfitüre (-n) – the jam
der Aufschnitt – cold sliced meats and sausage
die Trinksschokolade - the drinking chocolate
zweites – second
der Morgen (-) – the morning
lang – long
das belegte Brot (-e) – the sandwich
noch später – even later
das Mittagessen (-) – the midday meal
vielleicht – perhaps
das Fleisch – the meat
oft – often
das Schweinefleisch – pork
das Rindfleisch – beef
das Kalbfleisch – veal
die Kartoffel (-n) – the potato
die Salzkartoffel – the boiled potato
das Sauerkraut – sauerkraut, pickled cabbage
der Rotkohl – red cabbage
der Pudding (-e) – the (milk) pudding
der Kuchen (-) – the cake
der Tag (-e) – the day
das Abendessen (-) - the evening meal
kalt – cold
der Salat – salad

Now test yourself 4

Study the restaurant ads. Then, in your Dossier, design and make an advertisement in German for a new restaurant. It's called the 'Restaurant (your name)' and you wish to make the following points, in this order:

Known for quality. Enjoy the pleasant atmosphere with choice cooking, coffee and cakes. Excellent cooking and choice of wines. Hot meals from 11.30–15.00, 17.00–22.00. Specialities from all over the world. Open daily, no closing day. Interesting prices. Big car park.

You can probably guess most of the words and phrases you need, but you can check in a dictionary.

Talking about eating

Einen Tisch für …,
Eine Flasche Rotwein, } bitte!
Die Rechnung,

Nimmst du
Ich nehme
Für mich
Einmal } { eine Vorspeise/eine Suppe?
Filetsteak
Zwiebelsuppe } und { Pommes frites.
Kalbsleber.

*E*in Ausflug in die Stadt

*H*ow to...

- **Find your way about a town**
- **Discover exactly where the places of interest are**
- **Take the right road**

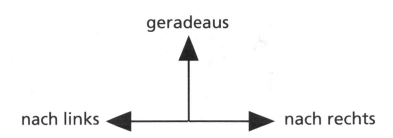

geradeaus

nach links ← → nach rechts

Now test yourself 1

Wie komme ich am besten...? G74, 78

1 Sechs Touristen (1–6) besuchen die Stadt. Jeder Tourist (1–6) ist in einer anderen Straße.
Six tourists are visiting the town. Each tourist (1–6) is in a different street.

Gehen Sie hier geradeaus!

↑ das Theater	← → der Campingplatz	die Post	**Die Hebbelstraße**
← der Dom	die Pizzeria Lechner	→ das Schloß	**Die Einsteinstraße**
↑ die Gesamtschule	← → das Schwimmbad	der Park	**Die Staderstraße**
↑ die Stadtmitte	← das Museum	→ der Ratskeller	**Die Kornstraße**
↑ der Bahnhof	← das Hotel Adler	→ die Disco	**Die Zeppelinstraße**
↑ die Südstraße	← das Rathaus	→ der Gasthof Stumpen	**Die Hansestraße**

Höre die Kassette. Jeder Tourist sagt: 'Entschuldigen Sie! Wie komme ich am besten zum/zur ...?' Schreibe die richtige Antwort in deinen Ordner:
a – Gehen Sie hier geradeaus.
b – Gehen Sie hier nach links.
c – Gehen Sie hier nach rechts.
Play the cassette. Each tourist says: 'Excuse me! What's the best way to ...?' In your Dossier, write the correct answer: **a** – Gehen Sie hier geradeaus. **b** – Gehen Sie hier nach links. **c** – Gehen Sie hier nach rechts.

2 Ein Gespräch. 'A' sagt zuerst, auf welcher Straße er ist, und fragt nach dem Weg. 'B' antwortet.
Conversation. 'A' says first in which street he is, and asks the way. 'B' answers.
Beispiele:
A Ich bin in der Hebbelstraße. Wie komme ich am besten zum Campingplatz?
B Gehen Sie hier nach rechts.
A Ich bin in der Kornstraße. Wie komme ich am besten zur Stadtmitte?
B Gehen Sie hier geradeaus.
A Ich bin in der Hansestraße. Wie komme ich am besten zum Rathaus?
A Gehen Sie hier nach links.

---

der Ausflug (¨e) – the trip, excursion
geradeaus – straight on
nach links – to the left
nach rechts – to the right
wie komme ich am besten ...? – what's the best way to get to ...?
der Tourist (-en) – the tourist

besuchen – to visit
ander – different
gehen Sie – go
die Post – the post office
der Dom (-e) – the cathedral
das Schloß (die Schlösser) – the castle

das Rathaus (¨er) – the town hall
entschuldigen Sie – excuse me
richtig – correct, right
fragen nach – to ask about
der Weg (-e) – the way
antworten – to answer

Now test yourself 2

Nach dem Weg fragen G26, 42

Beispiel: Der Campingplatz

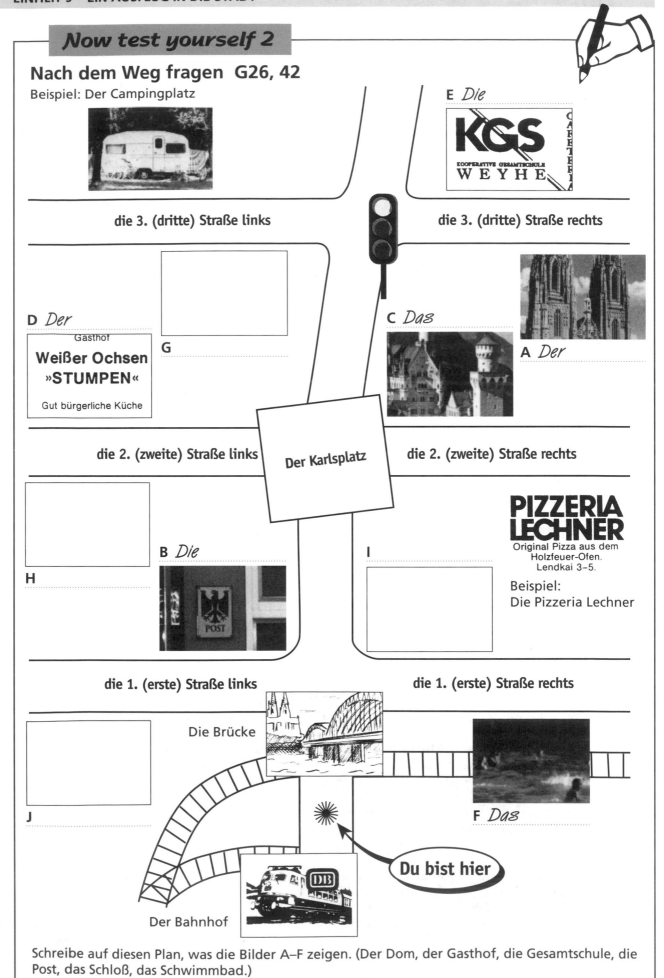

E *Die* KGS · KOOPERATIVE GESAMTSCHULE WEYHE

die 3. (dritte) Straße links

die 3. (dritte) Straße rechts

D *Der*
Gasthof
Weißer Ochsen
»STUMPEN«
Gut bürgerliche Küche

G

C *Das*

A *Der*

die 2. (zweite) Straße links

Der Karlsplatz

die 2. (zweite) Straße rechts

B *Die* POST

H

I

PIZZERIA LECHNER
Original Pizza aus dem Holzfeuer-Ofen.
Lendkai 3–5.

Beispiel:
Die Pizzeria Lechner

die 1. (erste) Straße links

die 1. (erste) Straße rechts

Die Brücke

J

F *Das*

Du bist hier

Der Bahnhof

Schreibe auf diesen Plan, was die Bilder A–F zeigen. (Der Dom, der Gasthof, die Gesamtschule, die Post, das Schloß, das Schwimmbad.)

Now test yourself 2 (continued)

Nach dem Weg fragen (1). (Du bist vor dem Bahnhof).
Asking the way (1). (You're in front of the railway station).

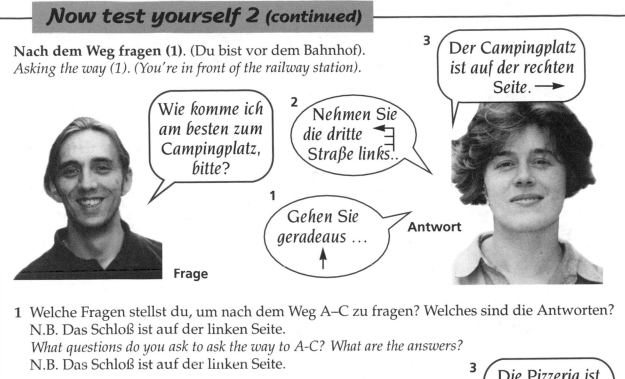

1 Welche Fragen stellst du, um nach dem Weg A–C zu fragen? Welches sind die Antworten?
N.B. Das Schloß ist auf der linken Seite.
What questions do you ask to ask the way to A-C? What are the answers?
N.B. Das Schloß ist auf der linken Seite.

Nach dem Weg fragen (2)
Asking the way (2)

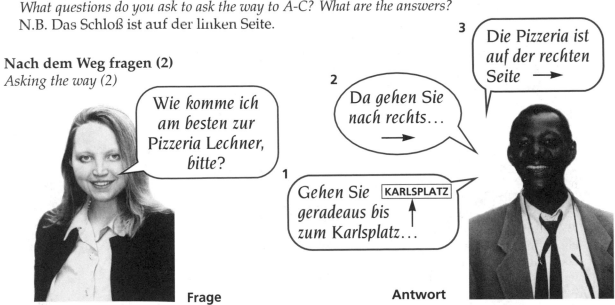

2 Welche Fragen stellst du, um nach dem Weg D–F zu fragen? Welches sind die Antworten?
What questions do you ask to ask the way to D–F? What are the answers?
N.B. bis zum Karlsplatz; bis zur Brücke; bis zur Verkehrsampel.

3 Zeichne Symbole, für G–J, um 4 andere Orte zu zeigen. Erfinde Gespräche darüber.
For G–J, draw symbols to show 4 other places. Invent conversations about them.

4 Besprich mit einem Partner den Weg zu verschiedenen Orten auf dem Plan. N.B. zu einem Freund sagt man nicht 'Gehen Sie' und 'Nehmen Sie' sondern 'Gehe' und 'Nimm'.
With a partner, discuss the way to various places on the plan. N.B. to a friend you don't say 'Gehen Sie' and 'Nehmen Sie' but 'Gehe' and 'Nimm'.

---

die Verkehrsampel (-n) – the traffic lights
die Straße (-n) – the street
die dritte Straße – the third street
links – on the left
rechts – on the right

die zweite Straße – the second street
der Platz (ö e) – the square
die erste Straße – the first street
nehmen (i) – to take
bis zum, bis zur – as far as

auf der rechten (linken) Seite – on the right-hand (left-hand) side
das Symbol (-e) – the symbol
besprechen (i) – to discuss
nicht ... sondern ... – not ... but ...

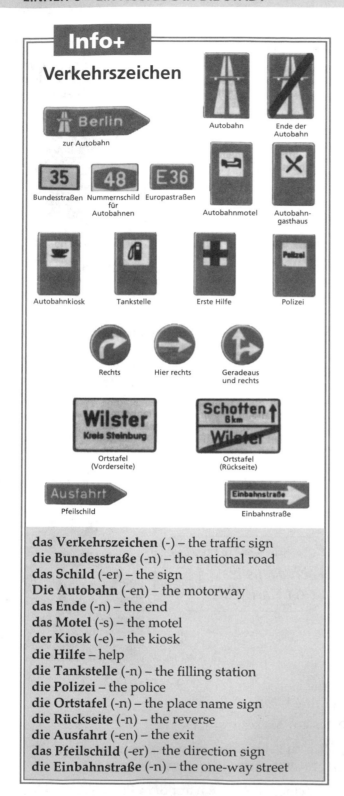

Info+

Verkehrszeichen

Berlin — zur Autobahn

Autobahn — Ende der Autobahn

35 Bundesstraßen — 48 Nummernschild für Autobahnen — E36 Europastraßen

Autobahnmotel — Autobahngasthaus

Autobahnkiosk — Tankstelle — Erste Hilfe — Polizei

Rechts — Hier rechts — Geradeaus und rechts

Wilster Kreis Steinburg — Ortstafel (Vorderseite)

Schotten 6km / Wilster — Ortstafel (Rückseite)

Ausfahrt — Pfeilschild

Einbahnstraße — Einbahnstraße

das Verkehrszeichen (-) – the traffic sign
die Bundesstraße (-n) – the national road
das Schild (-er) – the sign
Die Autobahn (-en) – the motorway
das Ende (-n) – the end
das Motel (-s) – the motel
der Kiosk (-e) – the kiosk
die Hilfe – help
die Tankstelle (-n) – the filling station
die Polizei – the police
die Ortstafel (-n) – the place name sign
die Rückseite (-n) – the reverse
die Ausfahrt (-en) – the exit
das Pfeilschild (-er) – the direction sign
die Einbahnstraße (-n) – the one-way street

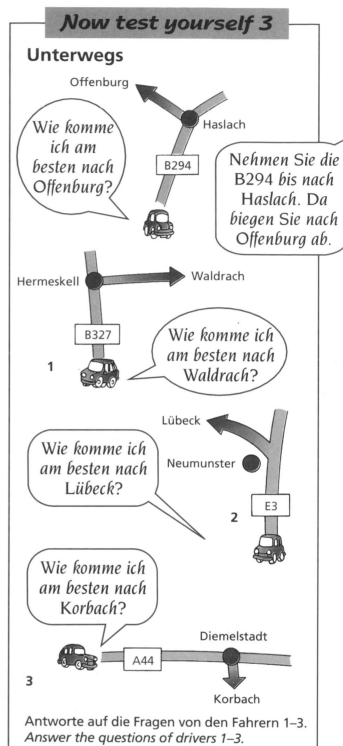

Now test yourself 3

Unterwegs

Offenburg

Wie komme ich am besten nach Offenburg?

Haslach

B294

Nehmen Sie die B294 bis nach Haslach. Da biegen Sie nach Offenburg ab.

Hermeskell — Waldrach

B327

1 Wie komme ich am besten nach Waldrach?

Lübeck

Neumunster

Wie komme ich am besten nach Lübeck?

E3

2

Wie komme ich am besten nach Korbach?

Diemelstadt

A44

3

Korbach

Antworte auf die Fragen von den Fahrern 1–3.
Answer the questions of drivers 1–3.

Finding the way

Wie komme ich am besten { zum Dom, zum Schloß u.s.w.?
zur Stadtmitte u.s.w.?
nach Lübeck u.s.w.?

Gehen Sie / gehe hier { geradeaus
nach { rechts } { bis zur Brücke.
links } { bis zum Karlsplatz.
bis nach Haslach.

Nehmen Sie } { die erste / zweite / dritte Straße rechts / links.
Nimm } { die E63 / die A2 / die B35.
Da biegen Sie / biegst du nach Lübeck ab.

unterwegs – on the way
nach Offenburg – to Offenburg
bis nach – as far as
da biegen Sie ab < ab / biegen – to turn off
antworten auf – to answer
der Fahrer (-) – the driver

*T*est: Allerlei

Ein Rezept – Hamburger mit Pommes frites G42

Zutaten (für eine Person)

150 g Tiefkühl-Pommes frites
150 g Rinderhack
1 Zwiebel
1 Eßlöffel Quark

Pfeffer
Senf
Paprikapulver

Zubereitung

1 Backofen auf 225° vorheizen.
2 Rinderhack mit Quark vermengen.
3 Nach Geschmack mit Senf, Pfeffer und Paprikapulver würzen.
4 Drei kleine Hamburger formen.
5 Auf ein Backblech legen.
6 Zwiebeln in Ringe schneiden und darauf legen.
7 Mit den unaufgetauten Pommes frites etwa 20 Minuten backen.

Ingredients

oven chips, minced beef, onion, Quark, mustard, paprika

1 *Pre-heat oven to 225 degrees*
2 *Mix mince with Quark*
3 *Season to taste with mustard, pepper, paprika*
4 *Shape three small Hamburgers*
5 *Put on baking tray*
6 *Slice onion into rings, put on hamburgers*
7 *Bake with chips for 20 minutes*

How to...

- Check your progress by
  – proving you understand and speak German
  – making a meal
  – drawing Nina's room
  – doing a puzzle and some tongue-twisters
  – making and playing a game

Now test yourself 1

Den Hamburger zubereiten.
Prepare the hamburger.

das Rezept (-e) – the recipe	**die Zubereitung** – the preparation	**das Backblech** (-e) – the baking tray
die Zutat (-en) – the ingredient	**der Backofen** (˝) – the oven	**legen** – to put
Tiefkühl Pommes frites – deep frozen French fries/chips	**vor/heizen** – to pre-heat	**schneiden** – to cut
das Rinderhack – minced beef	**vermengen** – to mix	**unaufgetaut** – not thawed
der Eßlöffel (-) – the table spoon	**nach Geschmack** – according to taste	**etwa** – about
der Quark – the curd cheese	**würzen** – to season	**backen** (ä) – to bake
der Pfeffer – pepper	**formen** – to shape	**bereiten** – to prepare
das Paprikapulver – paprika		

Ninas Zimmer

Nina wohnt in Weyhe mit ihrer Mutter Barbara, ihrem Vater Werner, ihrem Bruder Jan Christian, ihrem Wellensittich Rosa und ihrem Meerschweinchen Fritzi. Sie ist 14 Jahre alt und ist in der Klasse 68b, KSG Weyhe. Ihr Lieblingsfach ist Deutsch. Sie spielt gern Tischtennis und jongliert. ('Nina ist eine gute Artistin!' sagt ihr Lehrer, Herr Pötter). Hier beschreibt sie für uns ihr Zimmer.

Mein Zimmer

Wir haben ein großes Haus. Wenn ich in mein Zimmer will, muß ich die Treppe hochgehen. Auf der rechten Seite sind dann drei Zimmer. Das sind: das Badezimmer, mein Zimmer und das Zimmer meines Bruders.

Mein Zimmer ist ziemlich groß. Wenn ich reinkomme, sind auf der linken Seite mein Kleiderschrank und ein anderer Schrank für Bücher und so weiter. Vor dem Fenster, das auch ziemlich groß ist, steht mein Schreibtisch. Daneben steht mein Bett.

Gegenüber stehen ein Regal und mein Computer. Auf meinem Regal stehen viele Bücher und Zeitschriften. Außerdem sind in diesem Regal auch mein CD-Spieler, mein Kassettenrecorder und mein Radio. Ach ja! meine Kassetten, Disketten für den Computer und meine CDs stehen auch auf dem Regal. Ich habe auch ein Sofa und einen kleinen Tisch.

An meinen Wänden hängen viele Poster von verschiedenen Stars. Urkunden hängen auch an der Wand. Auf meinem Schreibtisch habe ich alle Sachen, die ich für die Schule brauche.

Ich habe auch ein Waschbecken in meinem Zimmer. Das ist aber reiner Zufall. Als wir eingezogen sind, war es schon eingebaut.

In meinem Zimmer steht auch noch ein Koffer. Darin sind alle Sachen, die ich zum Jonglieren brauche. Das sind: 4 Bälle, 3 Keulen, 3 Ringe, 1 Feuerfackel u.s.w.

Ich finde mein Zimmer sehr schön.

Now test yourself 2

Zeichne Ninas Zimmer in deinem Ordner.
Draw Nina's room in your Dossier.

---

der Wellensittich (-e) – the budgerigar
das Meerschweinchen (-) – the guinea pig
jonglieren – to juggle
gut – good
die Artistin (-nen) – the artiste
wenn – if, when
wenn ich in mein Zimmer will – if I want to go into my room
ich muß – I have to
hoch/gehen – to go up
wenn ich reinkomme – when I come in
das Fenster (-) – the window
gegenüber – opposite
außerdem – besides

die Zeitschrift (-en) – the magazine
der CD-Spieler (-) – the CD-player
der Kassettenrecorder (-) – the cassette recorder/player
ach – oh
die Diskette (-n) – the computer disk
die CD(platte) – the CD
die Wand (¨e) – the wall
der Poster (-s) – the poster
der Star (-s) – the star
die Urkunde (-n) – the certificate
alle – all
brauchen – to need
rein – pure

das Waschbecken (-) – the wash-basin
der Zufall (¨e) – the chance
als – when
als wir eingezogen sind – when we moved in
es war schon eingebaut – it was already installed
auch noch – as well
der Koffer (-) – the suitcase
darin – in it
das Jonglieren – juggling
der Ball (¨e) – the ball
die Keule (-n) – the club
der Ring (-e) – the ring
die Feuerfackel (-n) – the torch

Now test yourself 3

Was macht man da? G27, 43

Was macht man z.B. in der PIZZERIA? Man kauft Pizza!
  HIER KAUFT MAN PIZZA.
Schreibe, was man an jedem Ort macht. Was liest du unter * ?

P I Z Z E R I A			H I E R	K A U F T	M A N	P I Z Z A
M E T Z G E R E I	H I E R	K				
S C H L A F Z I M M E R				H I E R		
G A R T E N		H I E R				
S C H U L E		H I E R				
P O S T	H I E R					
A P O T H E K E	H I E R					
D E U T S C H L A N D		H I E R				
P A R K P L A T Z		H I E R				
P O L I Z E I W A C H E	H I E R					
S T A D I O N		H I E R				
B Ä C K E R E I			H I E R			
F I S C H L A D E N		H I E R				
S C H W I M M B A D				H I E R		
B U C H H A N D L U N G	H I E R					

↑ !!

MAN KAUFT ASPIRIN. MAN FINDET BLUMEN. MAN FINDET DIE POLIZEI. MAN KAUFT BRIEFMARKEN. MAN KAUFT BROT. MAN KAUFT BÜCHER. MAN KAUFT FISCH. MAN KAUFT FLEISCH. (MAN KAUFT PIZZA.) MAN LERNT DEUTSCH. MAN PARKT DAS AUTO. MAN SCHLÄFT. MAN SCHWIMMT. MAN SPIELT FUßBALL. MAN SPRICHT DEUTSCH.

du liest < lesen (ie) – to read **die Pizza** – pizza   **parken** – to park   **spricht < sprechen (i)** – to speak
das Aspirin – aspirin   **lernen** (ie) – to learn **schläft < schlafen (ä)** – to sleep

Now test yourself 4

Zungenbrecher

In Ulm, um Ulm und um Ulm herum! ❶

Fischers Fritze fischt frische Fische. Frische Fische fischt Fischers Fritze!. ❸

Wir Wiener Waschfrauen würden weiße Wäsche waschen ❷

Info+

Weltsprachen

~ Sprachen, die in der Welt gesprochen werden: 2 500 bis 3 500
~ Mehr als 50 000 000 Menschen sprechen:
  1 – Chinesisch 2 – Englisch 3 – Hindi 4 – Spanisch 5 – Russisch 6 - Arabisch 7 – Bengalisch 8 – Portugiesisch 9 – Malaiisch 10 – Japanisch 11 – Französisch 12 – Deutsch
~ Mehr als 118 Millionen sprechen Deutsch

die Weltsprache (-n) – the world language   **mehr als** – more than   **bis** – to
die Sprache (-n) – the language   **der Mensch** (-en) – the human   **der Zungenbrecher** (-)
die gesprochen werden – which are spoken   being   – the tongue-twister

Now test yourself 5

Kais Spiel

1 Jeder Spieler braucht elf Zettel (2 cm x 3 cm).
Each player needs eleven slips of paper (2 cm x 3 cm).

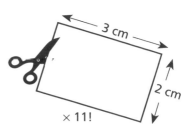

2 Auf jeden Zettel ein Wort schreiben:
Write one word on each slip:

3 Alle Zettel umdrehen und mischen.
Turn all the slips over and mix them up.

4 Der Reihe nach nimmt jeder Spieler einen Zettel, dreht ihn um und legt ihn vor sich auf den Tisch.
Each player in turn takes a slip of paper, turns it over and puts it down on the table in front of him.

5 Die Spieler versuchen, mit den Zetteln den Satz 'Guten Tag! Ich heiße Kai und ich bin zwölf Jahre alt!' zu machen.
The players try to make with the slips the sentence 'Guten Tag! Ich heiße Kai und ich bin zwölf Jahre alt!'

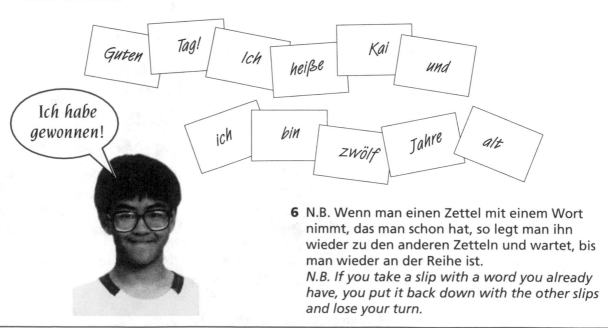

6 N.B. Wenn man einen Zettel mit einem Wort nimmt, das man schon hat, so legt man ihn wieder zu den anderen Zetteln und wartet, bis man wieder an der Reihe ist.
N.B. If you take a slip with a word you already have, you put it back down with the other slips and lose your turn.

der Spieler (-) – the player	**der Reihe nach** – in turn	**so** – then	**warten** – to wait
der Zettel (-) – the slip of paper	**sich** – oneself	**legen** – to put	**bis** – until
um/drehen – to turn over	**versuchen** – to try	**wieder** – again	**gewinnen** – to win

Roter Teil Ende

EINHEIT 11

*D*er Tagesaublauf

*H*ow to...

- Tell the time
- Describe what you do on a school day
- Say what you do at weekends — depending on the weather
- Talk about things you're less keen on

Nummer eins: Es ist zwanzig Minuten nach eins. Man ist vor der Schule.

Beispiel ↑

Now test yourself 1

Wie spät ist es? G45

Höre die Kassette. Sechs Personen fragen:
'Wie spät ist es?' Schreibe in deinen Ordner, wie spät es ist und wo die Leute sind.

Wähle: *vor der Schule, vor der Café-Konditorei, vor der Kirche, in der Jugendherberge, auf dem Karlsplatz, im Schwimmbad*

Es ist ein Uhr

Es ist drei Uhr

Es ist zehn Minuten nach vier

Es ist Viertel nach sechs

Es ist halb neun

Es ist Viertel vor zehn

Es ist fünf Minuten vor zehn

Es ist Mitternacht / Mittag

der Tagesablauf (¨e) – the daily routine
es ist ein Uhr – it's one o'clock
es ist zehn Minuten nach vier – it's 10 past 4
es ist Viertel nach sechs – it's a quarter past 6
es ist halb neun – it's half past 8

es ist Viertel vor zehn – it's a quarter to 10
Mitternacht – midnight
Mittag – mid-day
wie spät ist es? – what time is it?
die Leute – people
die Jugendherberge (-n) – the youth-hostel

Axels Tagesablauf G35–6, 38, 46–7

Diese 8 Bilder zeigen Axels Tagesablauf. Leider sind sie in Unordnung.

Now test yourself 2

1 Kannst du sie in Ordnung bringen? Schreibe dann Axels Tagesablauf in deinen Ordner. Beginne: (1–G) Um 7 Uhr steht er auf...

A Er geht nach Hause.

B Er geht in die Schule.

C Er sieht fern.

D Er macht seine Hausaufgaben.

E Er frühstückt.

F Er geht zu Bett.

G Er steht auf und zieht sich an.

H Er ißt sein Abendbrot.

2 Schreibe deinen Tagesablauf.
N.B. er geht > ich gehe er sieht > ich sehe er macht > ich mache er ißt > ich esse er steht ...
auf > ich stehe ... auf er zieht sich ... an > ich ziehe mich ... an

---

in Unordnung – out of order
kannst du – can you (< **können** – to be able to)
in Ordnung bringen – to put in the right order

um 7 Uhr – at 7 o'clock
auf/stehen – to get up
nach Hause – home
fern/sehen (ie) – to watch TV
essen (i) – to eat

die Hausaufgabe (-n) – the homework
sich an/ziehen – to get dressed
das Abendbrot – the evening meal

Am Wochenende G49–50

Was machst du am Wochenende?
Das hängt von dem Wetter ab!

> *Bei schönem Wetter spiele ich Golf!*

> *Bei schlechtem Wetter sehe ich fern!*

Now test yourself 3

1 Schreibe unter jedes Quadrat, was es zeigt: Wähle: *ein gutes Buch, ins Kino, Tennis, zu Hause, im Freibad, in den Bergen, ihr Pferd, Musik.*

2 Schreibe ein passendes Verb in jeden Kreis: Wähle: *bleiben, gehen, hört, liest, reitet, schwimmen, spielt, wandern.*

3 Schreibe in deinen Ordner, was die Leute bei schönem Wetter und bei schlechtem Wetter tun. Beispiel: (1) Bei schönem Wetter spielt Großvater Tennis und (2) bei schlechtem Wetter liest er ein gutes Buch.

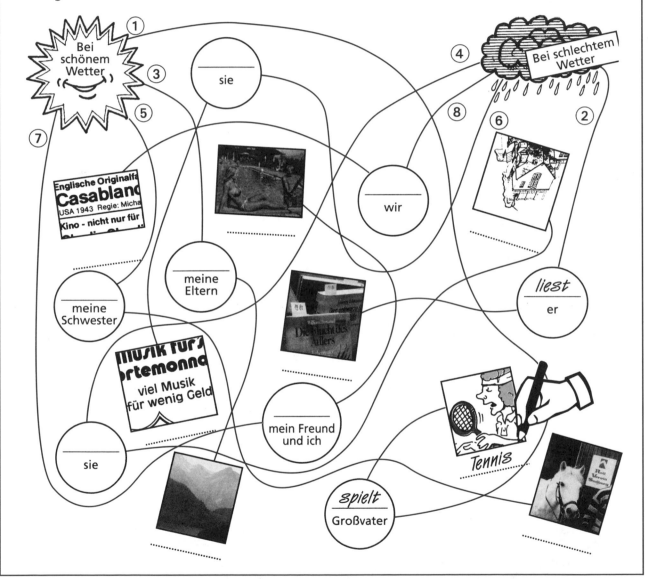

das Wochenende (-n) – the weekend	bei schlechtem Wetter – when the weather's bad	der Kreis (-e) – the circle
am Wochenende – at the weekend	das Quadrat (-e) – the square	das Verb (-en) – the verb
ab/hängen – to depend	zu Hause – at home	passend – suitable
das Wetter – the weather	das Freibad (-̈er) – the open-air swimming-pool	bleiben – to stay
bei schönem Wetter – when the weather's fine	der Berg (-e) – the mountain	tun – to do
	das Pferd (-e) – the horse	die Eltern – the parents

Now test yourself 4

Hilfst du im Haushalt? G35–6, 40

Ich mache mein Bett. ✔	Ich arbeite im Garten. ✔	Ich sauge. ✔	Ich wasche ab. ✔	Ich kaufe ein. ✔	Ich räume mein Zimmer auf. ✔
Ich mache nicht mein Bett. ✗	Ich arbeite nicht im Garten. ✗	Ich sauge nicht. ✗	Ich wasche nicht ab. ✗	Ich kaufe nicht ein. ✗	Ich räume mein Zimmer nicht auf. ✗

1 Unterstreiche die Sätze, die dich betreffen.

2 Höre die Kassette. Hagen, Sandra, Samir, Anita und Henrik sagen, was sie zu Hause tun. Schreibe ihre Namen in die folgenden Sätze:

1 ...*Hagen*........... und .... machen ihre Betten. 2 ...., ... und

.... arbeiten im Garten. 3 .... und .... saugen. 4 ....

und .... waschen ab. 5 .... und .... kaufen ein. 6 ....

und .... räumen ihre Zimmer auf.

---

helfen (i) – to help	**saugen** – to hoover	**auf/räumen** – to tidy up
der Haushalt – the housework	**ab/waschen** (ä) – to wash up	**betreffen** – to concern (i)
arbeiten – to work	**ein/kaufen** – to shop	

Info+

Simones Tageslauf

Ich stehe zwischen 6.30 und 7.00 Uhr auf. Um 7.30 Uhr verlasse ich das Haus, gehe in die Garage, und hole mein Fahrrad. Die Schule fängt um 8.00 Uhr an. Die erste Stunde ist um 8.45 Uhr zu Ende. Danach haben wir eine kleine Pause (5 Minuten). In der Zeit wechseln wir den Raum. Also fängt die nächste Stunde um 8.50 Uhr an. Sie geht bis 9.35 Uhr. Dann kommt eine große Pause (15 Minuten). Wenn es gongt, gehen wir wieder zu unseren Räumen. Die nächste Stunde geht von 9.50 Uhr bis 10.35 Uhr. Dann ist kleine Pause und die nächste Stunde geht von 10.40 bis 11.25 Uhr. Da haben wir endlich wieder große Pause und danach geht es weiter: von 11.40 Uhr bis 12.25 Uhr, kleine Pause und die letzte Stunde kommt von 12.30 bis 13.15 Uhr. Zum Schluß gehen wir zu unseren Fahrrädern und fahren nach Hause.

---

zwischen – between	**unser** – our	**also** – so
verlassen (ä) – to leave	**zu Ende** – over, at an end	**nächst** – next
holen – to fetch	**die Pause** (-n) – the pause, break	**es gongt** – the gong sounds
an/fangen (ä) – to start	**die Zeit** (-en) the time	**zum Schluß** – finally
die Stunde (-n) – the lesson, hour	**wechseln** – to change	

Talking about routines

Es ist .... Uhr / .... Minuten { nach / vor } .... Um .... Uhr { frühstücke ich. / frühstückt sie/er. / stehe ich auf. / ziehe ich mich an. }

Bei { schönem / schlechtem } Wetter { schwimme ich. / höre ich Musik. }

*D*ie Leute

*H*ow to...

- Describe people
  – their figures
  – their faces
  – their characters

Wer ist denn das? G68

Elisabeth ist jung und groß. Herr Heiber ist jung und dünn. Frau Hertel ist jung und dick. Frau Holzner ist alt und dünn. Herr Mirbach ist alt und dick. Monika ist klein und dünn.

Now test yourself 1

1 Schreibe unter jedes Bild (a–f) den Namen von der Person auf dem Bild.

Herr Lorenz   *Frau Heinke*   *Anneliese*

2 Herr Lorenz ist jung und dick. Er ist ein junger, dicker Mann.
Was für ein Mann ist (g) Herr Mirbach? (h) Herr Heiber?

Frau Heinke ist jung und dünn. Sie ist eine junge, dünne Frau.
Was für eine Frau ist (i) Frau Holzner? (j) Frau Hertel?

Anneliese ist jung und klein. Sie ist ein junges, kleines Mädchen.
Was für ein Mädchen ist (k) Elisabeth? (l) Monika?

---

jung – young	**dünn** – thin	**der Mann** (¨er) – the man	**das Mädchen** (-) – the girl
groß – tall	**dick** – fat	**die Frau** (-en) – the woman	

Now test yourself 2

Zippo und Patatina G68

1 Bild A zeigt den Clown Zippo. Sein Gesicht anmalen: die Nase: rot; die Augen: blau; die Haare: gelb; den Mund: grün; die Ohren: schwarz; das übrige Gesicht: weiß.

2 Ergänze:

> Zippo hat einen grünen ....*Mund*....., eine rote ...., ein weißes ....,
>
> blaue ...., gelbe .... und schwarze ....

Bild A

Bild B

3 Bild B zeigt den Clown Patatina. Höre die Kassette. Male Patatinas Gesicht an.

4 Ergänze:

> Patatina hat .... Augen, eine .... Nase, ... Haare,
>
> ein .... Gesicht, einen .... Mund und .... Ohren.

5 Male ein Clowngesicht. Beschreibe es in deinem Ordner.

der Clown (-s) – the clown
das Gesicht (-er) – the face
an/malen – to paint, colour
die Nase (-n) – the nose
das Auge (-n) – the eye

das Haar (-e) – the hair
gelb – yellow
der Mund (ˉer) – the mouth
grün – green
das Ohr (-en) – the ear

schwarz – black
das übrige Gesicht – the rest of the face

Was sonst? G68

Dieser Herr hat
lange Haare

Diese Dame hat
kurze Haare

Dieser Herr hat
eine Glatze

Dieser Herr hat
einen großen Mund

Diese Dame hat
lockige Haare

Dieses Mädchen hat
eine kleine Nase

Dieser Herr hat
einen Schnurrbart
und einen Bart

Dieser Herr
hat eine Brille

Now test yourself 3

Jutta ist ein ziemlich großes, schlankes
Mädchen. Sie ist auch jung und hübsch. Sie
hat kurze Haare und blaue Augen. Sie hat
kleine Ohren, aber eine lange Nase und
einen ziemlich großen Mund.

Klebe Fotos von verschiedenen Personen
(und auch von dir!) in deinen Ordner.
Beschreibe sie.

---

sonst – else, otherwise
was sonst? – what else?
der Herr (-en) – the gentleman
lang – long
die Dame (-n) – the lady

die Glatze (-n) – the bald head
lockig – curly
der Schnurrbart (̈e) – the moustache
der Bart (̈e) – the beard

die Brille (-n) – the spectacles
ziemlich – fairly
hübsch – pretty
schlank – slim
verschiedene – various

Info+

Ein guter Lehrer?
Eine gute Lehrerin?

Zwei Lehrer – Wolfgang Pötter an der KSG Weyhe und Wendelin Wetzel am Friedrich-Schiller-Gymnasium – fragen ihre Schüler: 'Wie ist ein guter Lehrer (eine gute Lehrerin)?' Ihre Antworten?

Er/sie ...

1 .... ist nett

2 .... ist verständnisvoll

3 .... ist nicht zu streng

4 .... ist interessant und erklärt alles gut

5 .... ist humorvoll/lustig/ witzig/macht Witze *

6 .... ist freundlich

7 .... ist gerecht (fair)

8 .... ist nicht zu nachgiebig

9 .... gibt nicht zu viele Hausaufgaben +

10 .... ist hilfsbereit

11 .... versteht Spaß

12 .... ist geduldig und meckert nicht immer sofort

13..................... ist pünktlich

* 1 Schüler: '... will nicht immer witzig sein'
+ 3 Schüler: '... gibt keine Hausaufgaben'
1 Schüler: '... macht auch mal ein bißchen Quatsch'

Was meinst du?

Martinas Familie   G68

Mein Vater ist ein fleißiger Mann!

Martinas Vater ist fleißig.
Martina sagt: 'Mein Vater ist ein fleißiger Mann.'

Martinas Mutter ist geduldig.
Martina sagt: 'Meine Mutter ist eine geduldige Frau.'

Ihr Bruder Richard ist dumm.
Martina sagt: 'Er ist ein dummer Junge.'

Ihre Cousine Ingrid ist intelligent.
Martina sagt: 'Sie ist ein intelligentes Mädchen.'

Now test yourself 4

Was sagt Martina über die übrigen Mitglieder ihrer Familie?

(Martinas Schwester Christa ist ungeduldig. Ihr Bruder Udo ist nett. Ihr Großvater ist witzig. Ihre Großmutter ist streng. Ihr Onkel Walter ist interessant. Ihr Cousin Peter ist faul. Ihre Tante Renate ist gerecht. Ihre Cousine Helga ist freundlich).

---

die Lehrerin (-nen) – the (lady) teacher
wie – what ... like
nett – nice
verständnisvoll – understanding
zu – too
streng – strict
interessant – interesting
erklären – to explain
alles – everything
gut – well
humorvoll – amusing
lustig – cheerful
witzig – funny
Witze machen – to make jokes

freundlich – friendly
gerecht – fair
nachgiebig – indulgent, 'soft'
zu viele – too many
hilfsbereit – helpful
verstehen – to understand
geduldig – patient
meckern – to grumble
immer – always
sofort – at once, immediately
pünktlich – punctual
will ... sein – wants to be
mal – from time to time
ein bißchen – a bit
Quatsch – nonsense
meinen – to think

fleißig – hard-working
dumm – stupid
intelligent – intelligent

Describing people

Er/sie ist jung/klein u.s.w.

Er ⎫ ist ⎧ ein junger Mann.
Sie ⎬   ⎨ eine junge Frau.
Sie ⎭   ⎩ ein junges Mädchen.

Er ⎫ hat ⎧ einen roten Mund .
Sie ⎬   ⎨ eine lange Nase.
     ⎭   ⎪ ein weißes Gesicht.
            ⎩ blaue Augen.

Unterwegs

mit dem Fahrrad

Simone
10 Minuten

How to...

- Talk about travelling
  - getting to school
  - looking at timetables
  - going by train

Now test yourself 1

Der Schulweg G7, 81–2

1 Höre die Kassette.
Anne-Kathrin, Axel, Christina, Dominik, Heiko, Janin, Kai, Karim, Lea, Martin, Nina, Rene, Silke, Simone und Timo antworten auf zwei Fragen:

a) Wie kommst du zur Schule? *(Mit dem Bus? Mit dem Fahrrad? Mit dem Auto? Zu Fuß?)*

b) Wie lange dauert das? *(5 Minuten? 10 Minuten? Länger?)*

Simone antwortet: a) '*Mit dem Fahrrad*' und b) '*10 Minuten*'.
Wo gehören die anderen Namen hin? Wie lange ist der Schulweg für jede Person?

zu Fuß

mit dem Bus

mit dem Auto

2 Ergänze:

1 .... Schüler / Schülerinnen kommen mit dem Bus zur Schule.

2 .... Schüler / Schülerinnen kommen mit dem Fahrrad zur Schule.

3 .... Schüler / Schülerinnen kommen zu Fuß zur Schule.

4 .... Schüler / Schülerinnen kommen mit dem Auto zur Schule.

5 Für .... Schüler / Schülerinnen dauert das 15 Minuten oder länger.

6 Für .... Schüler / Schülerinnen dauert das weniger als 15 Minuten.

7 Ich komme .... zur Schule. Das dauert .... Minuten.

---

unterwegs – on the way
der Schulweg (-e) – the way to school
der Bus (-se) – the bus, coach
mit dem Bus – by bus, coach

mit dem Fahrrad – by bike
mit dem Auto – by car
zu Fuß – on foot
wie lange – how long
dauern – to take, last

wo gehören die anderen Namen hin? – where do the other names belong?
mehr als – more than
weniger als – less than

Um wieviel Uhr? G36

ABFLUG

Flug	nach		Zeit
LH	058	LONDON	17.25
LH	989	MÜNCHEN	18.05
BA	3026	BERLIN	19.05
LH	1805	HAMBURG	19.10
LH	739	FRANKFURT	19.30
LH	039	NÜRNBERG	21.50

Das Flugzeug

(Düsseldorf)

Der Zug

(Augsburg)

Die Straßenbahn

(Wuppertal)

STRAßENBAHNLINIEN

Linie	nach	Zeit
601	Wieden	08.00
602	Barmen	08.15
608	Langerfeld	08.27
611	Elberfeld	08.39

FAHRPLAN AUGSBURG

Zug	nach	Zeit
D14164	Amsterdam	02.34
D718	Basel	04.44
IC524	Berlin	09.27
IC584	Frankfurt	10.27
IC11	Mailand	14.37
IC680	Ulm	16.21

Es ist 02.00 Uhr. Der nächste Zug nach Amsterdam fährt um 02.34 Uhr ab.
Es ist 07.00 Uhr. Die nächste Straßenbahn nach Wieden fährt um 08.00 Uhr ab.
Es ist 17.00 Uhr. Das nächste Flugzeug nach London fliegt um 17.25 Uhr ab.

Now test yourself 2

Um wieviel Uhr?

Ergänze:

1 Es ist 8.00 Uhr. ....*D*.... nächste .... nach Langerfeld fährt um .... Uhr ab.

2 Es ist 10.00 Uhr. .... nächste .... nach .... fährt um 10.27 Uhr ab.

3 Es ist 19.00 Uhr. .... nächste .... nach Frankfurt fliegt um ...*19.30*... Uhr ab.

Antworte:

4 Um wieviel Uhr fährt der nächste Zug nach Berlin ab?

5 Um wieviel Uhr fliegt das nächste Flugzeug nach Nürnberg ab?

6 Um wieviel Uhr fährt die nächste Straßenbahn nach Elberfeld ab?

7 Um wieviel Uhr fliegt das nächste Flugzeug nach München ab?

8 Um wieviel Uhr fährt der nächste Zug nach Basel ab?

9 Um wieviel Uhr fährt die nächste Straßenbahn nach Barmen ab?

10 Um wieviel Uhr fliegt das nächste Flugzeug nach Hamburg ab?

---

um wieviel Uhr? – at what time?
der Abflug (¨e) – the (plane) departure
der Flug (¨e) – the flight
das Flugzeug (-e) – the (aero)plane

die Straßenbahn (-en) – the tram
die Linie (-n) – the line
der Fahrplan (¨e) – the time-table
der Zug (¨e) – the train

ab/fahren (ä) – to leave, depart
ab/fliegen – to leave, depart (aeroplane)

Wir fahren mit dem Zug

(a) Nach Berlin?	**(b) Nach Hamburg?**	**(c) Ein Erwachsener**
(d) 2 Erwachsene	**(e) Ein Kind**	**(f) 2 Kinder**
(g) Einfach	**(h) Hin und zurück**	**(i) Erste Klasse** / **(j) Zweite Klasse**

> *Nach Berlin, bitte! Zwei Erwachsene und zwei Kinder. Hin und zurück. Zweite Klasse.*

1 Wohin willst du fahren? (a) Nach Berlin? (b) Nach Hamburg?

2 Wieviele Personen? (c) Ein Erwachsener? (d) Zwei (drei, vier ...) Erwachsene? Wieviele Kinder? (e) Ein Kind? (f) Zwei (drei, vier ...) Kinder?

3 (g) Einfach oder (h) hin und zurück?

4 (i) Erste (1.) Klasse? (j) Zweite (2.) Klasse?

Now test yourself 3

5 Touristen wollen Fahrscheine kaufen. Leider sprechen sie kein Deutsch. Was sollten sie sagen?

> *Stuttgart. 1 adult. 2 children. Single. Second class.*

2 Mrs Turner

> *Münich. 4 adults. 3 children. Return. Second class.*

4 Miss Frost

> *Ulm. 5 adults. 4 children. Return. Second class.*

1 Mr Briggs

> *Lübeck. 3 adults. 1 child. Return. Second class.*

> *Freiburg. 1 adult. Single. First class.*

3 John Griggs

5 Mr Hitchins

fahren (ä) – to go, travel **wohin?** – where to? **du willst < wollen** – to want to **wie viele?** – how many?	**der/die Erwachsene** (-n) – the adult **das Kind** (-er) – the child **einfach** – single	**hin und zurück** – return **der Fahrschein** (-e) – the ticket **sie sollten** – they ought

Now test yourself 4

Auf dem Bahnhof

Schilder mit diesen Wörtern findet man in jedem Hauptbahnhof:
ABFAHRT ANKUNFT AUSGANG AUSKUNFT EINGANG ERFRISCHUNGEN FAHRKARTEN
FAHRPLAN FRAUEN GEPÄCKSCHLIEßFÄCHER GLEIS HAUPTBAHNHOF MÄNNER TAXI
WARTESAAL ZEITUNGEN

Die Wörter hier (A) eintragen.   *Hier (B) findest du ihre Bedeutungen!*

1	= MAIN STATION
2	= WOMEN
3	= MEN
4	= NEWSPAPERS
5	= REFRESHMENTS
6	= WAITING ROOM
7	= INFORMATION
8	= TICKETS
9	= TAXI
10	= PLATFORM
11	= WAY OUT
12	= WAY IN
13	= LUGGAGE LOCKERS
14	= DEPARTURES
15	= ARRIVALS
16	= TIMETABLE

der Hauptbahnhof (ˉe) – the main station   **die Bedeutung** (-en) – the meaning

Info+

Die deutsche Bahn

Streckenlänge: 44 332 km (darunter
 elektrifiziert 12 040 km)
Bahnhöfe: 4 823
Haltestellen: 3 070
Personalbestand: 461 199
Elektrische Lokomotiven: 3 914
Diesellokomotiven: 7 908
Reisezugwagen: 18 944
Güterwagen: 317 555
Beförderte Personen: 1 530 000 000
Beförderte Güter: 196 000 Tonnen

DB Die Bahn

die Bahn – Railway
AG = Aktiengesellschaft – Ltd
die Streckenlänge – length of track
darunter – including
elektrifiziert – electrified
die Haltestelle (-n) – the stop
der Personalbestand – the employees
elektrisch – electric
die Lokomotive (-n) – the locomotive
der Reisezugwagen (-) – the coach
der Güterwagen (-) – the goods wagon
befördert – transported
Güter – goods, freight
die Tonne (-n) – the tonne

Travelling

Ich komme $\Big\}$ $\Big\{$ mit dem Fahrrad $\Big\}$ zur Schule.
Kommst du   zu Fuß
Er/sie kommt   mit dem Bus
Sie kommen   mit dem Auto

Um wieviel Uhr fährt $\Big\{$ der $\Big\}$ nächste $\Big\{$ Zug $\Big\}$ nach ...... ab?
               die   Straßenbahn
    fliegt $\Big\{$ das $\Big\}$ Flugzeug

Nach ...., bitte $\Big\{$ Ein Erwachsener/zwei Erwachsene…
                Ein Kind/zwei Kinder…

Einfach/hin und zurück. Erste/zweite Klasse.

Geld

Etwas Neues G68

Hier sind ein Computer, ein Doppelbett, eine Videokamera, eine Schreibmaschine, ein Auto, eine Waschmaschine, ein Fahrrad, eine Stereoanlage, und ein Fernseher.

How to...

- Deal with large sums of money
- Find a bank
- Change cash and travellers' cheques

Now test yourself 1

1 Schreibe hier, was jedes Bild zeigt:

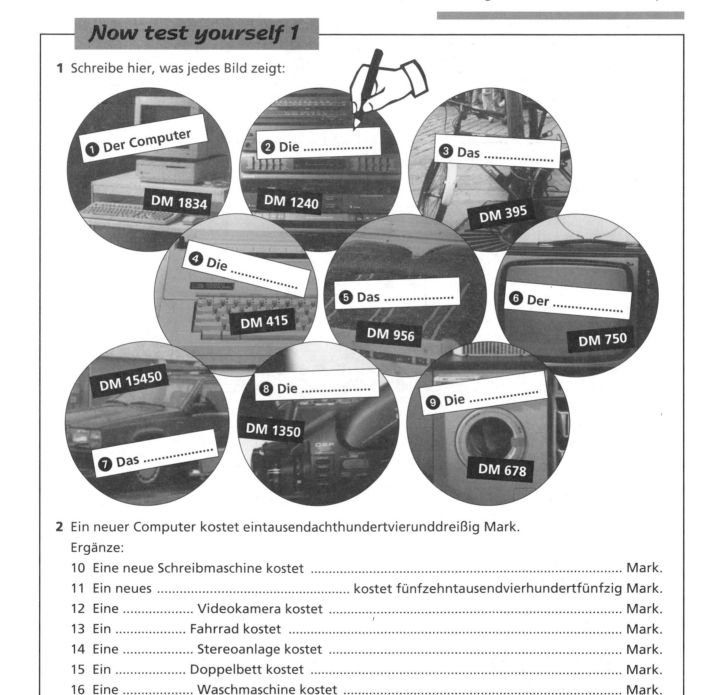

1 Der Computer — DM 1834

2 Die .... — DM 1240

3 Das .... — DM 395

4 Die .... — DM 415

5 Das .... — DM 956

6 Der .... — DM 750

7 Das .... — DM 15450

8 Die .... — DM 1350

9 Die .... — DM 678

2 Ein neuer Computer kostet eintausendachthundertvierunddreißig Mark. Ergänze:

10 Eine neue Schreibmaschine kostet .... Mark.

11 Ein neues .... kostet fünfzehntausendvierhundertfünfzig Mark.

12 Eine .... Videokamera kostet .... Mark.

13 Ein .... Fahrrad kostet .... Mark.

14 Eine .... Stereoanlage kostet .... Mark.

15 Ein .... Doppelbett kostet .... Mark.

16 Eine .... Waschmaschine kostet .... Mark.

17 Ein .... Fernseher kostet .... Mark.

---

das Geld – the money
etwas Neues – something new
das Doppelbett (-en) – the double bed

die Videokamera (-) – the video camera
die Schreibmaschine (-n) – the typewriter
neu – new

Wollen und müssen G30–1

Kurt (Nummer eins) will ein Buch schreiben: er muß eine neue Schreibmaschine kaufen.

Now test yourself 2

Was müssen die anderen (2–6) kaufen?

Kurt will ein Buch schreiben. 'Was kostet eine neue HIM CRI BASH SCENE?' **1** Er muß eine neue *Schreibmaschine* kaufen.	Herr Meyer will heute abend ein bißchen fernsehen. 'Was kostet ein neuer SEE HERR FN?' **2** Er muß einen neuen .... kaufen.	Frau Komarov will ein bißchen Musik hören. 'Was kostet eine neue GALES ARE TONE?' **3** Sie muß eine neue .... kaufen.
Aktar will einen Film drehen. 'Was kostet ein neuer IVE A MAKE ROD?' **4** Er muß eine neue .... kaufen.	Helga will nicht mehr zu Fuß zur Schule kommen. 'Was kostet ein neues HARD FAR?' **5** Sie muß ein neues .... kaufen.	Manfred will seine Wäsche waschen. 'Was kostet eine neue WHAM SINC ACHES?' **6** Er muß eine neue .... kaufen.

wollen – to want to **müssen** – to have to	**einen Film drehen** – to make a film	**der Film** (-e) – the film **nicht mehr** – not any more	**die Wäsche** – the washing **waschen** (ä) – to wash

Info+

Deutsche Münzen und Banknoten

ein Pfennig   zwei Pfennig   fünf Pfennig   zehn Pfennig   fünfzig Pfennig   eine Mark

zwei Mark   fünf Mark   fünf Mark   zehn Mark

zwanzig Mark   fünfzig Mark   hundert Mark

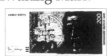

zweihundert Mark   fünfhundert Mark   eintausend Mark

die Münze (-n) – the coin   **die Banknote** (-n) – the banknote

Now test yourself 3

Die Bank

1 Höre die Kassette: Aktar, Herr Meyer, Frau Komarov, Helga, Kurt und Manfred gehen alle zur Bank, um Geld abzuheben. Wer geht zu welcher Bank?
Wieviel Geld hebt jeder ab? Beispiel: Kurt geht zur Kommerzbank. Da hebt er DM 420,- ab.

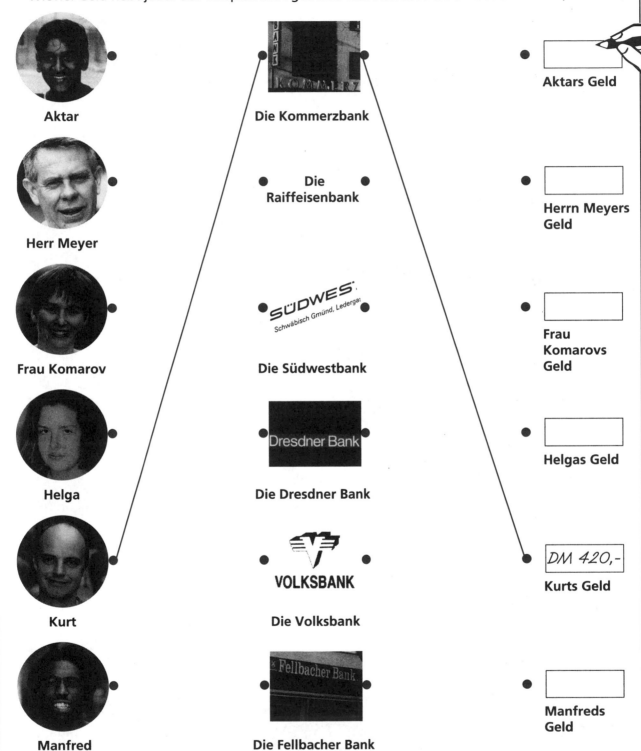

Aktar

Herr Meyer

Frau Komarov

Helga

Kurt

Manfred

Die Kommerzbank

Die Raiffeisenbank

Die Südwestbank

Die Dresdner Bank

Die Volksbank

Die Fellbacher Bank

Aktars Geld

Herrn Meyers Geld

Frau Komarovs Geld

Helgas Geld

DM 420,-

Kurts Geld

Manfreds Geld

2 Schreibe einige Wörter über Aktar, Helga und Manfred. Beispiel: Kurt will ein Buch schreiben. Er muß eine neue Schreibmaschine kaufen. Eine neue Schreibmaschine kostet DM 415,- Er geht zur Kommerzbank und sagt: 'Ich möchte DM 420,- abheben, bitte'.

---

ab/heben – to withdraw   **ich möchte** – I'd like to

Reisechecks. G30–1

Touristin	Ich möchte Reisechecks einlösen, bitte.
Kassierer	Wie viele?
Touristin	Zwei zu £50 (fünfzig Pfund).
Kassierer	Bitte unterschreiben Sie sie.
Touristin	Bitte schön.
Kassierer	Darf ich Ihren Paß sehen?
Touristin	Bitte schön.
Kassierer	Danke schön.

Wie viele?

Now test yourself 4

Du möchtest drei Schecks zu £100 einlösen. Erfinde den Dialog.

der Reisecheck (-s) – the traveller's cheque
die Touristin (-nen) – (feminine) tourist
ein/lösen – to cash

der Kassierer (-) – the cashier
wie viele? – how many?
zwei zu £50 – 2 at £50
das Pfund – the pound
unterschreiben – to sign

darf ich? – may I? (< **dürfen**)
der Paß (Pässe) – the passport
der Dialog (-e) – the dialogue

Now test yourself 5

Wechsel

Wie viele?

Tourist	Ich möchte Geld wechseln, bitte.
Kassiererin	Wieviel?
Tourist	£30 Sterling. (Dreißig Pfund Sterling).

Dein Vater möchte £50 Sterling wechseln. Erfinde den Dialog.

der Wechsel – the exchange   **wechseln** – to exchange
die Kassiererin (-nen) – the (lady) cashier

Now test yourself 6

Das stimmt nicht!

Welche Währung gehört zu welchem Land?
Kannst du dem armen Kassierer helfen?

das stimmt nicht – that's not right
die Währung (-en) – the currency
das Land (¨er) – the country
arm – poor

Rußland – Russia
Schweden – Sweden
Österreich – Austria

1	FRANKREICH	**a**	LIRA
2	DEUTSCHLAND	**b**	KRONA
3	ITALIEN	**c**	DRACHME
4	SPANIEN	**d**	SCHILLING
5	GRIECHENLAND	**e**	RUBEL
6	RUßLAND	**f**	MARK
7	SCHWEDEN	**g**	FRANC
8	ÖSTERREICH	**h**	PESETA

Dealing with money

Ein neuer Computer/eine neue Stereoanlage/ein neues Fahrrad kostet…

Ich ⎰ möchte ⎱ ⎰ einen neuen Computer
    ⎨ will ⎬ ⎨ eine neue Stereoanlage   ⎱ kaufen.
    ⎰ muß ⎱ ⎩ ein neues Fahrrad
           Geld abheben/Reisechecks einlösen/Geld wechseln.

*K*lubs und Vereine

*H*ow to...

- Talk about what clubs you go to
- Say how often you go, and why

montags	*der Reitverein*
dienstags	
mittwochs	
donnerstags	
freitags	
samstags	

Now test yourself 1

Herr Stolz G43

Ein Interview. Herr Stolz spricht über seine Klubs und Vereine.

1 Höre die Kassette. Notiere, welchen Klub (oder welchen Verein) Herr Stolz an welchem Tag besucht.

Sind Sie Mitglied eines Vereins, Herr Stolz?

Jawohl! Sechs!

der Turnverein

der Tanzklub

der Reitverein

der Tischtennisklub

der Leichtathletikverein

der Surfklub

2 Erfinde ein Gespräch zwischen dem Interviewer und seinem Chef über Herrn Stolz.

    Chef: Was macht er montags?

Interviewer: Montags geht er zum Reitverein ...

    Chef: Und dienstags ...?

---

der Klub (-s) – the club
der Verein (-e) – the society, association, sports club
montags – on Mondays
der Reitverein (-e) – the riding club
das Interview (-s) – the interview

notieren – to note down
besuchen – to visit, go to
jawohl – yes, certainly
der Turnverein – the gym club
der Tanzklub – the dancing club
der Tischtennisverein – the table-tennis club

der Leichtathletikverein – the athletics club
der Surfklub – the surfing club
der Chef (-s) – the boss

Info+

Anita im Schwimmverein

Anita, geborene Rumänin, jetzt Schülerin am Friedrich-Schiller-Gymnasium, ist Mitglied eines Schwimmvereins und geht zweimal in der Woche zum Schwimmen. Oft hat sie Wettkämpfe. Hier beschreibt sie ihr Wochenende.

Bei fast jedem Wettkampf läuft es so ab daß ich 4–7 mal starten muß. Dann ziehe ich jedesmal einen frischen Badeanzug an. Später esse ich eine Kleinigkeit. Nach einer Stunde muß ich dann nochmal schwimmen. Das Ganze wiederholt sich ein paar mal. So ein Wettkampf fängt meistens Samstagnachmittag an und dauert bis abends. Dann Sonntag, Vormittag und Nachmittag. Abends bin ich immer sehr müde und schlafe gleich ein. An den nächsten Tagen habe ich schrecklichen Muskelkater!

geborene Rumänin – born in Rumania	**später** - later
jetzt – now	**nochmal** – again
der Schwimmverein – the swimming club	**das Ganze** – the whole thing
oft – often	**sich wiederholen** – to repeat
der Wettkampf (¨e) – the competition	**der Nachmittag** – the afternoon
bei – at	**abends** – in the evening
fast – almost	**der Vormittag** – the morning
ab/laufen (äu) – to happen	**müde** – tired
so – in this way	**ein/schlafen** (ä) – to fall asleep
daß – that	**gleich** – at once
4–7 mal – 4–7 times	**schrecklich** – terrible
starten – to start	**der Muskelkater** – muscle pains
an/ziehen – to put on	
frisch – fresh	
der Badeanzug (¨e) – the swimsuit	

Der Unterbacher See

Segeln + Windsurfen Unterbacher See. Liebe Segelfreunde! Liebe Windsurf-Freaks!

Im Süden Düsseldorfs liegt der Unterbacher See.

Gesamtfläche: 200 Hektar.
Wasserfläche: 95 Hektar.
Durchschnittliche Wassertiefe: 5 m.
Freizeit! Sport! Spiel! Spaß!

Qualifizierte Fachlehrer. Kurse für Anfänger, Fortgeschrittene und für Kinder ab 10 Jahren. Auffrischungskurse.

Über 50 Jollen und 60 Surfbretter.

Unser Team: Erik Linke, Hans-Günther Scheurer, Lothar Schnitzler, Alexander Schmidt.

Now test yourself 2

1 Where exactly is the Unterbach Lake?
2 What are its dimensions?
3 How are the teachers said to be?
4 Name 4 kinds of courses offered there.
5 What equipment is mentioned?

der See (-n) – the lake
segeln – to sail
windsurfen – to windsurf
lieb – dear
die Gesamtfläche – the total area
die Wasserfläche – the water area
durchschnittlich – average
die Wassertiefe – the depth of water
qualifiziert – qualified
der Fachlehrer (-) – the specialist teacher
der Kurs (-e) – the course
der Anfänger (-) – the beginner
der Fortgeschrittene – the advanced student
ab – from
der Auffrischungskurs – the refresher course
die Jolle (-n) – the sailing yacht
das Surfbrett (-er) the surfboard
das Team (-s) – the team

Wie oft gehst du dahin? G81–2

Timo: *Jedes Wochenende!*

Linda: *Einmal in der Woche!*

Lubos: *Zweimal im Monat!*

Hagen: *Jeden Tag!*

Stefanie: *Jeden Mittwoch!*

Lutz: *Zweimal in der Woche!*

Katrin: *Einmal im Monat!*

Simone: *Von Zeit zu Zeit!*

Now test yourself 3

Who goes to the Unterbacher See...

1 .... every Wednesday?

2 .... twice a month?

3 .... once a week?

4 .... every weekend?

5 .... once a month?

6 .... from time to time?

7 .... twice a week?

8 .... every day?

Now test yourself 4

Wie oft und wohin? G81–2

Höre die Kassette. Axel, Frauke, Nina, Simone und Sebastian sagen, zu welchem Verein (oder zu welchen Vereinen) sie gehen, und wann. Schreibe die Information in deinen Ordner. Beispiel: Simone geht zweimal in der Woche zum Turnverein.

wie oft? – how often?	**die Woche** (-n) – the week	**von Zeit zu Zeit** – from time to time
dahin – there	**zweimal** – twice	**wohin** – where to
einmal – once	**der Monat** (-e) – the month	

An der KSG-Weyhe G47–8, 51

An der KSG-Weyhe ist die Schule um 13.15 Uhr zu Ende. Aber am Nachmittag finden sogenannte 'AG's' (Arbeitsgemeinschaften) statt. Es gibt z.B. AG's für: Theater, Schach, Orchester, Fotografie, Leichtathletik, Informatik, Schulchor und Schülerzeitung.

Janosch
Ich spiele gern Schach!

Kai
Ich spiele gern Violine!

Rainer
Ich programmiere gern Computer!

Martina
Ich schreibe gern!

Steffi
Ich spiele gern Theater!

Rebecca
Ich laufe gern!

Kerstin
Ich mache gern Fotos!

Reemt
Ich singe gern!

Now test yourself 5

Steffi sagt: 'Ich gehöre der Theater-AG an, weil ich gern Theater spiele'. Was sagen die anderen?

Janosch sagt: 'Ich gehöre der ....–AG an,

weil ich ....

Kerstin sagt: 'Ich gehöre der ....–AG an,

weil ich ....

Kai sagt: 'Ich gehöre der ....–AG an,

weil ich ....

Martina sagt: 'Ich gehöre der ....–AG an,

weil ich ....

Rainer sagt: 'Ich gehöre der ....–AG an,

weil ich ....

Reemt sagt: 'Ich gehöre der ....–AG an,

weil ich ....

Rebecca sagt: 'Ich gehöre der ....–AG an,

weil ich ....

AG = die Arbeitsgemeinschaft (-en) – the study group	**Informatik** – computing	**laufen** (äu) – to run
statt/finden – to take place	**der Schulchor** (¨e) – the school choir	**programmieren** – to programme
sogenannt – so-called	**die Schülerzeitung** (-en) – the pupils' newspaper	**singen** – to sing
Schach – chess		**an/gehören** – to belong to (a club)
die Fotografie – photography	**Theater spielen** – to act	**weil** – because
das Orchester (-) – the orchestra	**die Violine** (-n) – the violin	

Talking about clubs

Montags gehe ich zum Reitverein.
Ich gehe zweimal in der Woche zum Turnverein.
Er / sie geht jeden Freitag zum Surfklub.
Es gibt AG's für Theater und Schach.
Ich gehöre der Theater-AG an, weil ich gern Theater spiele.

_T_iere

Hast du ein Tier zu Hause?: eine Umfrage G29

Ja, ich habe...	
... einen Fisch	... einen Hund
... ein Kaninchen (einen Hasen)	...eine Katze
... ein Meerschweinchen	... einen Hamster
... ein Pferd (ein Pony)	... ein Schaf
... einen Vogel (einen Wellensittich)	...eine Ziege

x

How to...

- **Say what pets you have and what they are called**
- **Say how old they are and what they are like**
- **Find out about zoos**

Von 56 Schülern / Schülerinnen an der KSG-Weyhe und am Friedrich-Schiller Gymnasium Fellbach…

… haben 22 kein Tier.

… haben 34 ein Tier oder mehrere Tiere, darunter 2 Hamster, 6 Hunde, 18 Kaninchen (oder Hasen), 15 Katzen, 10 Meerschweinchen, 2 Pferde (1 pony), 3 Schafe, 18 Vögel (6 Wellensittiche), 2 Ziegen und 202 Fische! (Ein Junge hat 200 Fische).

Ihre Lieblingstiere:
1 = Kaninchen / Hase
1 = Vogel / Wellensittich
3   Katze
4   Meerschweinchen
5   Hund
6   Schaf
7 = Fisch(e)
7 = Hamster
7 = Pferd / Pony
7 = Ziege

Now test yourself 1

Frage deine Freunde: 'Hast du ein Tier zu Hause?'
Notiere ihre Antworten in deinen Ordner.

---

das Tier (-e) – the animal
der Fisch (-e) – the fish
der Hund (-e) – the dog
das Kaninchen (-) – the rabbit
der Hase (-n) – the hare
die Katze (-n) – the cat
der Hamster (-) – the hamster

das Meerschweinchen (-) – the guinea-pig
das Pferd (-e) – the horse
das Pony (-s) – the pony
das Schaf (-e) – the sheep
der Vogel (¨) – the bird
die Ziege (-n) – the goat

der Wellensittich (-e) – the budgerigar
mehrere – several
das Lieblingstier (-e) – the favourite animal

Now test yourself 2

Wer hat was? G72

❶ A .....Alexander.....
B ....Hund........
Name ..Moritz..
A Alter ..9 Jahre..

❷ A ....
B ....
Name: Hoppel
A Alter ....

❸ A ....
B ....
Name: Muckel
A Alter ....

❹ A ....
B ....
Name: Fritzi
A Alter ....

❺ A ....
B ....
Name: Rosa
A Alter ....

❻ A ....
B ....
Name: Pipsi
A Alter ....

❼ A ....
B ....
Name: Fridolin
A Alter ....

❽ A ....
B ....
Name: Bürtl
A Alter ....

1 Für 'B' schreibe, was für ein Tier es ist.
2 Höre die Kassette. Für 'A' schreibe, wessen Tier es ist. (Alexander, Christina, Heiko, Kai, Lutz, Martina, Nina, Simone).
3 Für 'C' schreibe, wie alt das Tier ist.
4 Schreibe in deinen Ordner einen Satz über jedes Tier. Beispiel: Alexander hat einen Hund namens Moritz, der 9 Jahre alt ist.

namens – by the name of

Info+

Was denken sie von ihren Tieren?

Wer	Tier	Name	Beschreibung
Janin	Hund	Panja	sehr niedlich
Heiko	Kaninchen	Hoppel	immer freundlich
Lea	Hase	Cola	verschmust
Christina	Meerschweinchen	Bürtl	fast immer hungrig
Martina	Wellensittich	Chip	ärgert mich
Simone	Vogel	Mikey	frech
Rene	Kaninchen	Langohr	intelligent
Kai	Katze	Fritzi	nie zufrieden mit dem Fressen
Timo	Hund	Basko	lieb
Katrin	Kaninchen	Wuschel	sauber
Steffi	Kaninchen	Blacky	süß
Sandra	Kaninchen	Goldi	überdurchschnittlich intelligent
Christina	Wellensittich	Hamsi	hat Übergewicht
Anita	Hase	Schnucki	immer hungrig, sehr schwer
Linda	Kater	Tom	verspielt
Nina	Wellensittich	Rosa	ängstlich
Anna-Maria	Katze	Gabriele	schlau

Sebastians Kater (Name – Samson Omnivier) ist etwas Besonderes. Sebastian schreibt: 'Unser Kater ist intelligent und hungrig. Weil er einen guten Geschmack hat, ist er Testkater für Kraft (Tierfutter).'

denken von – to think of
die Beschreibung (-en) – the description
niedlich – nice, sweet
verschmust – wanting to be cuddled
fast – almost
hungrig – hungry
ärgern – to annoy
mich – me

frech – cheeky
nie – never
zufrieden – satisfied
das Fressen – the (animal) food
lieb – dear, good
sauber – clean
süß – sweet
hungrig – hungry
überdurchschnittlich – above average

hat Übergewicht – is overweight
schwer – heavy
der Kater (-) – the tomcat
verspielt – playful
ängstlich – timid
schlau – clever, sly
etwas Besonderes – something special
das Tierfutter – the animal food

Now test yourself 3

Das Tierspiel G72

Die Spieler würfeln dreimal nacheinander.

1
1 dog
2 cat
3 rabbit
4 hamster
5 guinea-pig
6 *crocodile

*das Krokodil (-e)

2
1 Tapsi
2 Kucki
3 Pucki
4 Monnel
5 Kiki
6 Hoppel

3
1 friendly
2 always hungry
3 very heavy
4 very cheeky
5 intelligent
6 playful

Guten Tag, Kucki...

Beispiel

'Ich habe eine Katze...

namens Hoppel ...

die sehr frech ist'.

Erstes Mal: Zweites Mal: Drittes Mal:

nacheinander – in turn   **das Mal** – the time, occasion   **erstes Mal** – first time

Now test yourself 4

Zoo Wuppertal

Elefanten

ZOO WUPPERTAL 〰

Eintrittspreise (einschl. Aquarium):

Einzelkarten	Erwachsene	DM 5,-
	Kinder (2–14J.)	DM 3,-
Schulen		
Schulklassen bis einschl. 10. Schuljahr		je DM 1,-
Schulklassen ab 11. Schuljahr		je DM 2,-
(bei 10 Kindern 1 Begleiter frei)		
Gruppen		
Erwachsene 20–99 Personen		je DM 4,-
Erwachsene ab 100 Personen		je DM 3,50

Öffnungszeiten:
Geöffnet von 8.30–18.00 Uhr.

Fütterungszeiten:
Sommer:

Seelöwen	11.00 Uhr, 15.00 Uhr, 17.00 Uhr
Großkatzen	16.30 Uhr (außer montags)
Pinguine	11.15 Uhr, 15.15 Uhr

Wir freuen uns auf ihren Besuch!

Who pays...	Who gets fed at...
1 1 Mark?	**8** 11.00 ?
2 2 Marks?	**9** 11.15 ?
3 3 Marks?	**10** 16.30 ?
4 3,50 Marks?	
5 4 Marks?	
6 5 Marks?	
7 Nothing?	

Ein Eisbär

Ein Pelikan

Ein Gepard

Ein Affe

---

der Zoo (-s) – the zoo
der Eintrittspreis (-e) – the admission price
einschließlich – including
die Einzelkarte (-n) – the individual ticket
die Schulklasse (-n) – the school class
das Schuljahr (-e) – the school year
je – each

bei – with
der Begleiter (-) – the escort
frei – free
die Gruppe (-en) – the society, club
die Öffnungszeit (-en) – the opening time
die Fütterungszeit (-en) – the feeding time
der Seelöwe (-n) – the sea-lion
die Großkatze (-n) – the big cat

außer – except
der Pinguin (-e) – the penguin
sich freuen auf – to look forward to
Ihr – your
der Besuch (-e) – the visit
der Elefant (-en) – the elephant
der Eisbär (-en) – the polar bear
der Pelikan (-e) – the pelican
der Gepard (-e) – the cheetah
der Affe (-n) – the monkey

Talking about pets and other animals

Ich habe } einen Hund, der } ... Jahre alt } ist.
Er } hat   } eine Katze, die } (sehr) niedlich }
Sie }   { ein Kaninchen, das }
           { zwei Hunde/Katzen/Kaninchen u.s.w. namens ....
           { kein (Haus)Tier

Mode et cetera

- Find out what clothes cost
- Buy the right colour and size
- Say why you don't want them

Was kostet der Pulli?

Er kostet DM 45,-!

Now test yourself 1

Preise G70

Höre die Kassette. Ergänze die Sprechblasen (1–8).

1 ein Pulli

Was kostet der Pulli?

Er kostet DM 45,-

2 eine Hose

Was kostet die Hose?

Sie kostet DM .....

3 ein T-Shirt

Was kostet das T-Shirt?

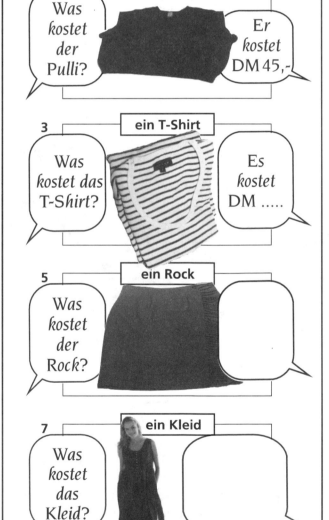

Es kostet DM .....

4 Trainingsschuhe

Was kosten die Trainingsschuhe?

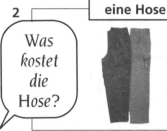

Sie kosten DM .....

5 ein Rock

Was kostet der Rock?

6 eine Jacke

Was kostet die Jacke?

7 ein Kleid

Was kostet das Kleid?

8 Jeans

Was kosten die Jeans?

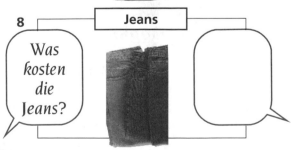

---

die Mode (-n) – the fashion
der Preis (-e) – the price
der Pulli (s) – the pullover

die Hose (-n) – the pair of trousers
der Trainingsschuh (-e) – the trainer
der Rock (⁻e) – the skirt

die Jacke (-n) – the jacket
das Kleid (-er) – the dress
die Jeans – the jeans

TOP FIT ■

PREISLISTE

MODEN

Hose
schwarz	DM 70,-
weiß	DM 79,-
blau	DM 94,-

Jacke
grün	DM 140,-
schwarz	DM 125,-
blau	DM 235,-

Jeans
schwarz	DM 63,-
rot	DM 59,-
blau	DM 40,-

Kleid
gelb	DM 95,-
rot	DM 245,-
weiß	DM 34,-

Pulli
rot	DM 32,-
grün	DM 45,-
gelb	DM 54,-

Rock
rot	DM 65,-
gelb	DM 70,-
blau	DM 73,-

T-Shirt
gelb	DM 29,-
grün	DM 32,-
weiß	DM 35,-

Trainingsschuhe
grün	DM 90,-
schwarz	DM 85,-
weiß	DM 80,-

29,95

34,95

34,95

Now test yourself 2

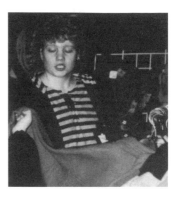

Was kostet...? G68

1 What's the price of:
1 a blue jacket?
2 a yellow T-shirt?
3 a green pullover?
4 some black trousers?
5 a red skirt?
6 a white dress?
7 some black jeans?
8 some white trainers?

Kunde: Was kostet ein gelber Pulli?
Verkäufer: Er kostet vierundfünfzig Mark.

Kundin: Was kostet eine weiße Hose?
Verkäuferin: Sie kostet neunundsiebzig Mark.

Kundin: Was kostet ein gelbes Kleid?
Verkäufer: Es kostet fünfundneunzig Mark.

Kunde: Was kosten schwarze Jeans?
Verkäuferin: Sie kosten dreiundsechzig Mark.

2 You want to know the price of the following clothes. What do you ask? What's the reply?
9 a red pullover
10 some black trousers
11 a white dress
12 some blue jeans
13 a green jacket
14 a blue skirt
15 some black trainers
16 a yellow T-shirt

die Preisliste (-n) – the price list
weiß – white
grün – green
der Kunde (-n) – the (male) customer
der Verkäufer (-) the (male) sales assistant
die Kundin (-nen) – the (female) customer
die Verkäuferin (-nen) – the (female) sales assistant

Info+

Jeans und Denim

1853: USA — der Goldrausch. Ein Deutscher namens Oscar ist in Kalifornien. Er bemerkt, daß die Goldgräber feste Hosen brauchen. Oscar macht für sie Hosen aus Segelstoff aus der französischen Stadt Nîmes. (Auf Französisch: '*de Nîmes*'.) Später tragen Matrosen in der italienischen Stadt Genua (auf Französisch '*Gênes*') Uniformen aus demselben Stoff. Oscars Familienname? Levi-Strauß.

der Denim – denim
der Goldrausch – the gold-rush
bemerken – to notice
der Goldgräber (-) – the gold-digger
fest – tough
aus – from
brauchen – to need
der Segelstoff – canvas
auf Französisch – in French
tragen (ä) = to wear, carry
der Matrose (-n) – the sailor
die Uniform (-en) – the uniform
aus demselben Stoff – made out of the same material

PECH! G68

Otto will sich neue Kleidung kaufen, aber er hat Pech!

Der weiße Pullover ist zu kurz.	Die schwarze Jacke ist zu lang.	Das blaue T-Shirt ist zu groß.	Die weißen Trainings-schuhe sind zu klein.
Otto kauft den schwarzen Pullover.	Otto kauft die weiße Jacke.	Otto kauft das schwarze T-Shirt.	Otto kauft die blauen Trainingsschuhe.

Now test yourself 3

Ergänze:

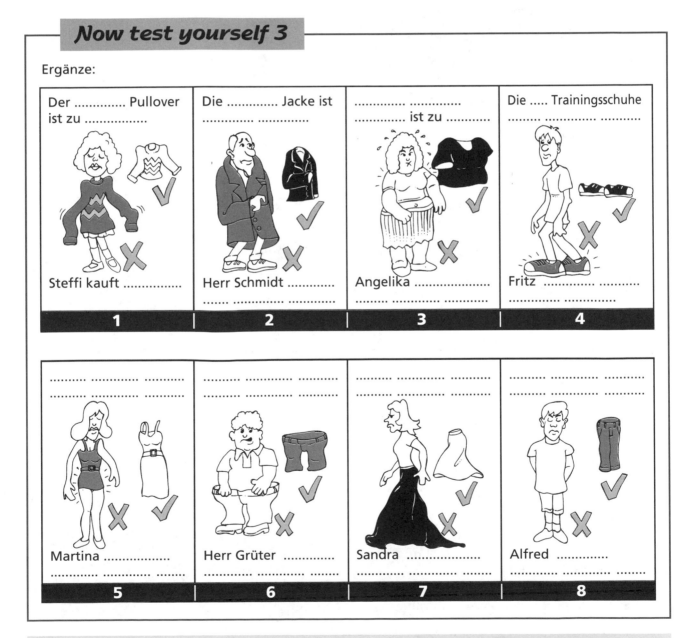

1
Der .... Pullover ist zu ....
Steffi kauft ....

2
Die .... Jacke ist ....
Herr Schmidt ....
....

3
....
.... ist zu ....
Angelika ....
....

4
Die ..... Trainingsschuhe
....
Fritz ....
....

5
....
....
Martina ....
....

6
....
....
Herr Grüter ....
....

7
....
....
Sandra ....
....

8
....
....
Alfred ....
....

Pech! – bad luck!   **sich** – for himself   **die Kleidung** – clothes

Was trägt man? G68

Sean trägt ein weißes Hemd, eine blaue Krawatte, einen grauen Pulli, eine schwarze Hose und braune Schuhe.

Now test yourself 4

Klebe Fotos in deinen Ordner.
Beschreibe, was die Leute tragen.

die Bluse (-n) – the blouse
kariert – checked
das Blouson (-s) – the blouson
dekorativ – decorative
die Strickjacke (-n) – the cardigan
geblümt – flowery
der Handschuh (-e) – the glove
grau – grey

der Mantel (⁝) – the raincoat
gestreift – striped
das Hemd (-en) – the shirt
der Schuh (-e) – the shoe
die Socke (-n) – the sock
die Krawatte (-n) – the tie
die Strumpfhose (-n) – the tights

Now test yourself 5

Welches Geschäft?

Which shop would you go to if you wanted to buy
a children's clothes?
b English fashions?
c hats?
d stockings?

e Two shops specialise in national costume and clothes for hunting. Which one doesn't charge for alterations?
f Which shop is having a clearance sale?
g Why?
h What do they sell?

Talking about clothes

die Tracht (-en) – national costume
die Jagdbekleidung – hunting-clothes
die Änderung (-en) – the alteration
gratis – free
der Räumungsverkauf (⁝e) – the clearance sale
wegen Ladenumbau – for rebuilding of the shop
der Strumpf (⁝e) – the stocking, sock
der Hut (⁝e) – the hat

Ferien

How to...

- Say what you want to do on holiday
- Say where you're going
- Say where you'll stay
- Say how you'll travel

Ferien in Deutschland G30–1, 43

Diese Fotos (1–12) zeigen, was man in den Ferien in Deutschland machen kann.

Now test yourself 1

1 Schreibe unter jedes Foto, was es zeigt: (*allerlei Sport treiben; auf dem Lande radeln; Bootsfahrten machen; gut essen und trinken; im Freien schwimmen; in den Bergen wandern; in den Seen angeln; interessante Ausflüge machen; malerische Städte besuchen; mit der Seilbahn fahren; Schlösser und Burgen besichtigen; schöne Musik hören*).

In Deutschland kann man... 	Im Süden und im Osten kann man... 	Im Sommer kann man... 
1 *malerische Städte besuchen.*	2	3
In jeder Stadt kann man... 	Überall kann man... 	Wenn man Lust dazu hat, kann man... 
4	5	6
Im Sommer und im Winter kann man... 	In den Bergen kann man... 	In vielen Städten kann man... 
7	8	9
Auf den Seen und Flüssen kann man... 	Wenn man gerne fischt, kann man... 	Das ganze Jahr hindurch kann man... 
10	11	12

---

die **Ferien** – the holidays
diese – these
man – one
Sport treiben – to do sport
radeln – to cycle
die Bootsfahrt (-en) – the boat-trip
im Freien – in the open air
angeln – to go angling

malerisch – picturesque
besuchen – to visit
die Seilbahn (-en) – the cable railway
fahren (ä) – to travel
die Burg (-en) – the castle
besichtigen – to visit
der Sommer – the summer
überall – everywhere

wenn man Lust dazu hat – if you like that kind of thing
Im Sommer – in summer
Im Winter – in winter
der Fluß (¨sse) – the river
fischen – to go fishing
das ganze Jahr hindurch – the whole year

Ferien im Freien G34

Im Urlaub machen manche Leute gern etwas Sportliches.
Auf der Landkarte sieht man, wo in Deutschland, Österreich und der Schweiz verschiedene
Sportkurse stattfinden.

1 segeln

2 Segelfliegen

3 Windsurfen

4 Kanu fahren

5 Drachenfliegen

6 skifahren

7 Bergsteigen

A und B besprechen die Ferien.

A: Wohin fährst du in den Ferien?
B: Nach Kiel.

A: Warum?
B: Ich will segeln lernen.

Now test yourself 2

Reiseziele

1 Erfinde Dialoge über Reiseziele 2–7.
2 Höre die Kassette. Notiere die Reiseziele von 1) Claudia, 2) Dominik, 3) Axel, 4) Stefanie, 5) Thomas, 6) Samir und 7) Tanja.
3 Schreibe einen Satz über jede Person. Beispiel: Claudia fährt nach Kiel, um segeln zu lernen.

im Urlaub – on holiday	**Segelfliegen** – gliding	**warum** – why
manche – a fair number of	**Drachenfliegen** – hang-gliding	**das Reiseziel** (-e) – the
sportlich – sportive	**Kanu fahren** – to canoe	holiday destination
die Schweiz – Switzerland	**skifahren** – to ski	
der Sportkurs (-e) – the sports course	**Bergsteigen** – mountaineering	

Im Reisebüro G83

Wo möchten Sie gern Ihre Ferienverbringen?

Auf dem Land?

In den Bergen?

Am Meer?

Möchten Sie lieber ...

ein Hotel?

Ihr Zuhause im Urlaub!
Gasthof-Pension
Schloßblick
Walter Schmidt

eine Pension?

CAMPINGPL
AUGUSTA
An der Autobahn-Ausfahrt Augsbu

zelten?

Möchten Sie am liebsten ...

mit dem Zug reisen?

mit dem Bus reisen?

ein Auto mieten?

Herr Heumann geht zum Reisebüro, um die Ferien seiner Familie zu organisieren.

Herr Heumann: Wir möchten gern unsere Ferien am Meer verbringen.

Angestellter: Möchten Sie ein Hotel oder eine Pension? Oder möchten Sie lieber zelten?

Herr Heumann: Wir möchten lieber ein Hotel.

Angestellter: Wie möchten Sie reisen? Mit dem Zug? Mit dem Bus? Oder möchten Sie ein Auto mieten?

Herr Heumann: Wir möchten am liebsten mit dem Zug reisen.

Now test yourself 3

Während sie in Europa sind, möchten drei Touristen auch einige Tage in Deutschland verbringen.
Erfinde die Dialoge im Reisebüro.

In the country. Camping. Hire car.	In the mountains. Guest house. Coach.	? ? ?
Wayne Howson	**Mrs Beacke**	**You**

das Reisebüro (-s) – the travel agency
verbringen – to spend (time)
das Meer (-e) – the sea
am Meer – at the seaside
möchten Sie lieber ...? – do you prefer?
die Pension (-en) – the guest-house
zelten – to camp
ich möchte am liebsten ... – most of all I'd like ...
reisen – to travel   **organisieren** – to organise
mieten – to hire   **während** – while

Ein Ausflug am Rhein

Bei einer erholsamen Tagesfahrt mit Bus und Schiff durch das Feriengebiet Rhein-Siebengebirge-Ahrtal.

Abfahrt: 7.35 Uhr Oberbarmen Bahnhof.

Sie fahren im modernen Reisebus zur Rheinstadt Königswinter.

Einschiffung zur Rheindampferfahrt (im Gesamtpreis enthalten).

Vorbei an: Drachenfels * Weinbergen * Schloß Marienfels.

Unterwegs Rast in einem gemütlichen rheinischen Restaurant. Hier erhält jeder Fahrgast ein Mittagessen, reichhaltig + gut, im Gesamtpreis enthalten.

Weiterfahrt nach Bad Neuenahr.

Bei Kaffee und Kuchen können Sie noch in Ruhe verweilen.

Möglichkeit zum Besuch einer Weinkellerei mit Weinprobe.

Durchführung der Fahrt und Anmeldung:

H.S.-Reisen
Pahlkestr. 46e
5600 Wuppertal 1
Tel. 0202/713380
und 706366

Gesamtpreis nur DM **19,80**

Ein Tag – Erholung – Abwechslung – Entspannung

Here is an advertisement for a trip through the holiday area River Rhine-Siebengebirge mountains-valley of the river Ahr.

Now test yourself 4

1. How long does the trip last?
2. What 2 means of transport are involved?
3. Where does it start out and at what time?
4. How do you get to the town of Königswinter?
5. What happens there?
6. You go past the 'Dragon's Rock' mountain and what other 2 things?
7. Where do you have lunch?
8. How is lunch described?
9. Where do you go next?
10. What other refreshment do you get?
11. What other activity is mentioned?
12. What's the price of the trip?
13. What does the price include?

erholsam – restful
die Tagesfahrt (-en) – the day-trip
das Schiff (-e) – the ship
durch – through
das Feriengebiet (-e) – the holiday area
modern – modern
der Reisebus (-se) – the coach
die Rheinstadt (¨e) – the town on the River Rhine
die Einschiffung (-en) – the embarkation

die Rheindampferfahrt (-en) – the Rhine steamer trip
der Gesamtpreis (-e) – the total price
enthalten – included
vorbei an – past
der Weinberg (-e) – the vineyard
die Rast – the break
gemütlich – cosy
erhalten (ä) – to receive
reichhaltig – substantial

die Weiterfahrt (-en) – the onward trip
die Ruhe – the rest
verweilen – to linger
die Möglichkeit (-en) – the possibility
der Besuch (-e) – the visit
die Weinkellerei (-en) – the wine-producer's
die Weinprobe (-n) – the wine-tasting

Talking about going on holiday

In Deutschland kann man malerische Städte besuchen.
Ich fahre nach Kiel. Ich will segeln lernen.
Simone fährt nach Kiel, um segeln zu lernen.

Wir möchten { gern / lieber / am liebsten } { unsere Ferien am Meer verbringen. / zelten. / mit dem Zug reisen. }

*E*twas zu essen

*H*ow to...

- Say what food and drinks cost
- Say what quantities you want
- Say where you go to get them

DM 1,20 Kilo	DM 1,30 Kilo	DM 2,20 Kilo
1 Artischocken	2	3
DM 2,40 Kilo	DM 3,50 Kilo	DM 8,00 Kilo
4	5	6
DM 3,00 Bund	DM 6,40 Kilo	DM 2,00 Kilo
7	8	9
DM 1,80 Stück	DM 1,00 Kilo	DM 3,20 Kilo
10	11	12
DM 7,50 Kilo	DM 1,40 Kilo	DM 1,50 Kilo
13	14	15

Now test yourself 1

Auf dem Markt G8–12

1 Auf dem ersten Bild sind *Artischocken*. Beschrifte auch: *Bananen, Karotten, Melonen, Orangen* und *Tomaten*.

2 Höre die Kassette. Auf dem Markt fragen die Leute nach den Preisen. Beschrifte: *Birnen, Champignons, Erdbeeren, Äpfel, Kartoffeln, Kirschen, Pfirsiche, Radieschen* und *Zwiebeln*. Beschrifte ihre Bilder.

3 Ein Spiel. Spieler 'A' ist der Kunde/die Kundin. Spieler 'B' ist der Verkäufer/die Verkäuferin. Der Kunde schreibt eine Liste mit 3 Früchten und 3 Gemüsen und (ohne die Bilder auf dieser Seite zu sehen) fragt nach den Preisen. Beispiel:

A: Was kosten die Tomaten?
B: DM 2,- das Kilo!
(A schreibt den Preis auf seine Liste.)
A: Was kosten die Bananen ...?
Am Ende des Spiels die Preise nachprüfen. Jeder richtige Preis gewinnt einen Punkt.

NB: Die Melonen kosten DM 1,80 *das Stück*. Die Radieschen kosten DM 3,- *pro Bund*.

etwas zu essen – something to eat
der Markt (ᴗe) – the market
die Artischocke (-n) – the artichoke
beschriften – to label
die Banane (-n) – the banana
die Karotte (-n) – the carrot
die Melone (-n) – the melon
die Orange (-n) – the orange
die Tomate (-n) – the tomato
die Frucht (ᴗe) – the (piece of) fruit
das Gemüse (-) – the vegetable
ohne ... zu sehen – without seeing
die Seite (-n) – the page
das Kilo (-s) – the kilo

nach/prüfen – to check
gewinnen – to win
der Punkt (-e) – the point
DM 1,80 das Stück – DM 1,80 each
das Stück (-e) – the piece
pro Bund – per bundle
der Apfel (ᴗ) – the apple
die Birne (-n) – the pear
der Champignon (-s) – the mushroom
die Erdbeere (-n) – the strawberry
die Kartoffel (-n) – the potato
die Kirsche (-n) – the cherry
der Pfirsich (-e) – the peach
das Radieschen (-) – the radish

Now test yourself 2

Auf Dauer billig!

1 *On holiday in Germany, Jill, Anne, Sean and Dave each makes a separate shopping list, noting down the German words for the items they require.*

Anne
Frosties
Apfelfrucht-
saftgetr nk
Rotkohl
Tomatenmark

Sean
Erdnüsse
Backofenfrites
Sonnenblumenöl
Senf

Jill
Fischstäbchen
Milch
Chips
Eiskrem

Dave
Essig
Erbsen
Honig
Pflanzenmargarine

TIKO Eiskrem Erdbeer oder Kirsch, je 500-ml-Becher **1.49**

vita Frische Trinkmilch 1,5 % Fett, 1-Liter Packung **-.89**

Langnese Bienenhonig feincremig, 500-g-Glas **4.48**

McCain Backofenfrites tiefgefroren, 1500-g-Beutel **3.69**

Kellogg's Frosties 250-g-Packung **3.28**

Tomatenmark 200-g-Tube **-.78**

Erdnüsse ungesalzen, 200-g-Dose **-.99**

Erbsen, sehr fein 850-ml-Dose **-.98**

Rama reine Pflanzenmargarine 500-g-Becher **1.59**

Hengstenberg Delikateß-Senf 200-ml-Tube **1.68**

Kühne Surol-Essig 7 Kräuter, 0,75-Liter-Flasche **1.48**

Sonnenblumenoel 0,75-Liter-Flasche **2.48**

Chips ungarische Art, 150-g-Beutel **-.79**

15 Fischstäbchen paniert, tiefgefroren, 450-g-Packung **3.79**

Gena Apfel-fruchtsaftgetränk 1-Liter-Packung **-.59**

Rotkohl 720-ml-Glas **-.65**

...auf Dauer billig!

Who wants: 1 Frosties? 2 vegetable margarine? 3 ice cream? 4 peanuts? 5 oven chips? 6 tomato purée? 7 fish fingers? 8 honey? 9 sunflower oil? 10 fruit drink? 11 milk? 12 vinegar? 13 red cabbage? 14 crisps? 15 mustard? 16 peas?

2 Gerda kauft eine Packung Fischstäbchen, eine Dose Erdnüsse, ein Glas Rotkohl und eine Tube Tomatenmark. Sie bezahlt DM 3.79 + DM -.99 + DM -.65 + DM -.78.

Jochen kauft einen Liter Milch, einen Beutel Chips, einen Becher Eiskrem und eine Flasche Essig. Er bezahlt DM -.89 + DM -.79 + DM 1.49 + DM 1.48.

Schreibe in deinen Ordner was Ilse, Kurt, Magda und Paul kaufen.
Ilse bezahlt DM -.79 + DM -.65 + DM 3.79 + DM 1.48.
Kurt bezahlt DM 1.49 + DM -.89 + DM -.78 + DM -.99.
Magda bezahlt DM 3.28 + DM -.59 + DM 3.69 + DM 1.59.
Paul bezahlt DM 2.48 + DM -.98 + DM 1.68 + DM 4.48

---

auf Dauer billig – always cheap
das Fischstäbchen (-) – the fish finger
die Milch – milk
der Chip (-s) – the potato crisp
die Eiskrem – ice-cream
das Apfelfruchtsaftgetränk – the apple/fruit juice drink
der Rotkohl – red cabbage
das Tomatenmark – tomato purée

die Erdnuß (¨sse) – the peanut
die Backofenfrites – oven chips
das Sonnenblumenöl – sunflower oil
der Senf – mustard
der Essig – vinegar
die Erbsen – peas
der Honig – honey
die Pflanzenmargarine – vegetable margarine

die Packung (-en) – the packet
die Dose (-n) – the tin, box
das Glas (¨er) – the jar
die Tube (-n) – the tube
bezahlen – to pay
der Liter (-) – the litre
der Beutel (-) – the bag, packet
der Becher (-) – the pot, tub, carton
die Flasche (-n) – the bottle

Supermarkt Doof G88

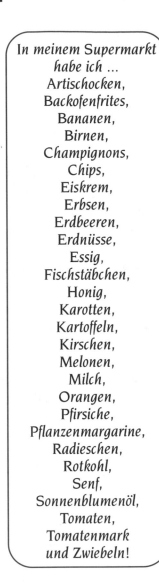

In meinem Supermarkt
habe ich ...
Artischocken,
Backofenfrites,
Bananen,
Birnen,
Champignons,
Chips,
Eiskrem,
Erbsen,
Erdbeeren,
Erdnüsse,
Essig,
Fischstäbchen,
Honig,
Karotten,
Kartoffeln,
Kirschen,
Melonen,
Milch,
Orangen,
Pfirsiche,
Pflanzenmargarine,
Radieschen,
Rotkohl,
Senf,
Sonnenblumenöl,
Tomaten,
Tomatenmark
und Zwiebeln!

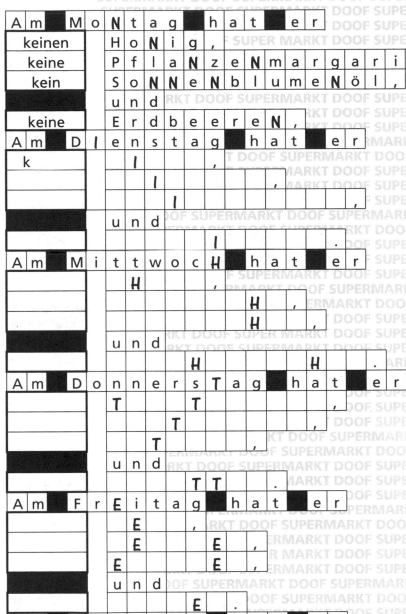

Herr Doof

Now test yourself 3

Leider stimmt das nicht ganz ... Ergänze!

der Supermarkt (-̈e) – the supermarket
das stimmt (nicht) – that's (not) right
ganz – quite

Info+

Vorlieben: Eine Umfrage unter Schülern in Fellbach und Weyhe

Lieblingsspeisen
Pizza 19 (darunter türkische Pizza 1); Spaghetti und Nudeln 19 (darunter Lasagne 4, Spätzle 4, Makkaroniauflauf 3, Tortellini 1); Kartoffeln 14 (darunter Pommes frites 8, Kartoffelpuffer 1, Kartoffelauflauf 1, Stampfkartoffeln 1); Steak 5; Pfannkuchen und Crêpes 4; Hähnchen 3; Fisch 3 (darunter Fischstäbchen 1, Muscheln 1); Hamburger 2; Suppen 2; Salat 2; Grünkohl 2; Schnitzel 2; Linsen 1; Spargel 1; Obst 1; Würstchen 1; Milchreis 1; Chilli 1; Waffeln 1; Kotelett 1; Souvlaki 1; falscher Hase 1.

Lieblingsgetränke
Sprudel 49 (darunter (Coca) Cola 26; Fanta 9, Sprite 6, Mineralwasser 4); Saft 13 (darunter Orangensaft 6, Multivitaminensaft 4, Apfelsaft 1, Traubensaft 1, Zitronensaft 1); Tee 3; Milch 3 (darunter warme Milch mit Honig 1); Wasser 2; Bananen-Shake 2; Wein 1.

die Vorliebe (-n) – the preference
lecker! – tasty!
die Lieblingsspeise (-n) – the favourite food
Nudeln – noodles
Spätzle – a kind of noodles
der Auflauf (ːe) – the soufflé
der Kartoffelpuffer (-) – the potato pancake
Stampfkartoffeln – mashed potatoes

das Hähnchen (-) – the chicken
Muscheln – mussels
der Pfannkuchen (-) – the pancake
der Grünkohl – the curly kale
das Schnitzel (-) – the escalope
Linsen – lentils
der Spargel – asparagus
das Würstchen (-) – the (little) sausage
der Milchreis – the rice pudding

die Waffel (-n) – the waffle
das Kotelett (-s) – the chop
falscher Hase – ('false hare') – meatloaf
der Sprudel (-) – the fizzy drink
der Saft (-e) – the juice
der Multivitaminsaft – the multi vitamin juice
die Traube (-n) – the grape
die Zitrone (-n) – the lemon
das Wasser – water

Das stimmt nicht! G34, 76

1 Frau Braun geht in *den Blumenladen*, um einen Kuchen zu kaufen.
2 Sie geht in *die Metzgerei*, um Brot zu kaufen.
3 Sie geht in *das Lebensmittelgeschäft*, um Muscheln zu kaufen.
4 Sie geht in *den Fischladen*, um verschiedene Lebensmittel zu kaufen.
5 Sie geht in *die Konditorei*, um Rosen zu kaufen.
6 Sie geht in *den Obst- und Gemüseladen*, um ein Steak zu kaufen.
7 Sie geht in *die Bäckerei*, um Pfirsiche und Zwiebeln zu kaufen.

Now test yourself 4

Verbessere die Sätze. Beispiel: Frau Braun geht in *die Konditorei*, um einen Kuchen zu kaufen.

Buying food and drink

verbessern – to correct

Was kosten die ....? DM .... das Kilo.
…kauft eine Packung Fischstäbchen/eine Dose Erdnüsse/
ein Glas Rotkohl/eine Tube Tomatenmark/einen Liter Milch/
einen Beutel Chips/einen Becher Eiskrem/eine Flasche Essig.
Er/sie bezahlt DM …
Ich habe keinen Honig/keine Margarine/kein Öl/keine Erdbeeren.
Sie geht in den Fischladen, um Muscheln zu kaufen.

*T*est: Bei einem deutschen Freund

*H*ow to...

- Check your progress by...
  - writing to arrange a visit to Germany
  - saying the right things to your hosts
  - having a chat about lots of things
  - reading about Steffi's hobbies

Kais Brief G71

Im Sommer fährt Kai nach England, um da drei Wochen bei seinem englischen Brieffreund Michael zu verbringen. Er schreibt Michael einen Brief:

Wuppertal, den 21. Mai

Lieber Michael,

Ich sende Dir in diesem Brief Näheres über meine Reise nach England, am Dienstag dem 6 Juli.

Mein Vater bringt mich zuerst mit dem Auto zum Bahnhof in Wuppertal-Barmen und dann nehme ich um 8.35 Uhr den Zug nach Seebrügge. Da habe ich Zeit, etwas zu essen. Mein Boot fährt um 12.00 Uhr ab und kommt um 17.45 Uhr in Felixstowe an. (Ich fliege nicht mit dem Flugzeug, sondern fahre mit dem Boot, weil das Flugzeug zu teuer ist).

In Felixstowe nehme ich um 18.15 Uhr den Bus nach Leeds und ich komme um 21.39 Uhr in Leeds an.

Kannst Du mich vom Busbahnhof in Leeds abholen?

Es grüßt Dich,

Dein Freund

Kai

Now test yourself 1

1 1 What's happening on Tuesday 6th July?
  2 Where exactly is Kai going first?
  3 How will he get there?
  4 What's happening at 8.35?
  5 What has he time to do in Seebrugge?
  6 What happens at 12.00?
  7 At 17.45?
  8 Why isn't he flying?
  9 What happens at 18.15?
  10 At 21.39?
  11 What does he ask Michael?

2 Write a letter in German to your pen-friend Kai or Christina about your journey to see him or her. Your trip is on Monday the 12th April. Your mum is going to take you by car first to the bus station in Leeds, where your coach for London leaves at 8.05. It arrives in London (Heathrow) at 12.20. (You're taking the coach to London because the train is too expensive). At Heathrow you have time to have something to eat: you're taking the plane at 13.30. It arrives in Düsseldorf at 14.45. There you're taking the 16.00 train to Wuppertal-Barmen, arriving at 17.50. Can your pen-friend pick you up at the station there? NB: lieber Kai!/liebe Christina!

---

der Brief (-e) – the letter	**die Reise** (-n) – the journey, trip, voyage	**teuer** – dear, expensive
lieber/liebe – dear		**der Busbahnhof** (¨e) – the bus station
Dir – (to) you	**das Boot** (-e) – the boat	
Näheres – details	**an/kommen** – to arrive	**es grüßt Dich** – with greetings from

Otto auf Besuch

Wie du siehst, sind Ottos Antworten nicht immer höflich ...

Höre die Kassette. Du bist in Deutschland und man stellt dir dieselben Fragen. Was antwortest du? (A–H)

A — Gerne. Wo ist das Badezimmer, bitte?

B — Danke schön. Darf ich meine Eltern anrufen?

C — Ein bißchen. Ich hätte gern ein Glas Wasser, bitte.

D — Entschuldigen Sie, ich habe keine Zahnpasta.

E — Das Meer war ein bißchen unruhig!

F — Das ist sehr nett. Ein Butterbrot, vielleicht.

G — Gerne. Wo ist mein Zimmer, bitte?

H — Gut, danke! Und Ihnen?

---

auf Besuch – on a visit
wie du siehst – as you see
höflich – polite
erschöpft – exhausted
wie geht's? – how are you?
welche dumme Frage! – what a stupid question!
hast du Durst? – are you thirsty?
natürlich – of course
wie wär's mit...? – how about...?
der Sekt – champagne
baden – to have a bath

duschen – to have a shower
ein Bad einlaufen lassen – to run a bath
die Zahnpasta – tooth-paste
fehlt dir etwas? – do you need anything?
die Seife (-n) – soap
das Handtuch (¨-er) – the towel
telefonieren – to telephone
sich aus/ruhen – to rest
an/rufen – to telephone

dieselben – the same
gerne – willingly
danke schön – thank you
an/rufen – to call
ich hätte gern – I'd like

unruhig – choppy
das Butterbrot (-e) – the sandwich
und Ihnen? – and (how about) you?

Lea

Auf diesem Zettel findest du Information über
Lea, Schülerin in Fellbach.

Name: Lea.
Familienname: Schwarz.
Alter: 13.
Adresse: Karlstraße 16, 70736 Fellbach.
    (Großes Haus).
Geburtstag: 29. März.
Geburtsort: Stuttgart.
Vater: Bernd, Betriebswirt.
Mutter: Elisabeth, Kaufmännische
    Angestellte.
Bruder: Philipp (19).
Schwester: Lisa (10).
Tiere: 3 Hasen (Cola, 6, Fritzchen, 5, Roger,
    1 Jahr; immer hungrig).
Schule: Friedrich-Schiller-Gymnasium.
    (Gern, zu Fuß, 3 Minuten).
Lieblingsfächer: Englisch, Mathematik.
Lieblingsspeise: Spaghetti/Pizza.
Lieblingsgetränk: Cola.
Lieblingsgruppe: Pot Shot Boys.
Lieblingsfarbe: Blau
Hobbies: Tanzen (montags); Schwimmen
    (dienstags).

LEA

Auf einer Party lernst du Lea kennen.
Du willst alles über sie wissen.
Hier sind deine Fragen und Leas Antworten.

Wie heißt du?
– Ich heiße Lea Schwarz.

– Wie alt bist du, Lea?
– Dreizehn Jahre alt. Mein Geburtstag ist am
  neunundzwanzigsten März.

– Wie heißt dein Vater?
– Bernd. Er ist Betriebswirt.
– Und deine Mutter?
– Sie ist Kaufmännische Angestellte.
  Sie heißt Elisabeth.

– Hast du einen Bruder?
– Ja. Er heißt Philipp. Er ist neunzehn Jahre alt.
  Ich habe auch eine Schwester, Lisa.
  Sie ist zehn.

– Hast du ein Haustier?
– Drei! Ich habe drei Hasen – Cola, sechs Jahre
  alt, Fitzchen, fünf, und Roger, ein Jahr.
  Sie sind immer hungrig!

– Wie heißt deine Schule?
– Friedrich-Schiller-Gymnasium, Fellbach.
– Gehst du gern zur Schule?
– Ja, sehr gerne.
– Wie gehst du zur Schule?
– Zu Fuß. Das dauert drei Minuten.
– Hast du ein Lieblingsfach?
– Ja: Englisch und Mathematik.

– Was ißt du am liebsten?
– Spaghetti und Pizza!
– Hast du ein Lieblingsgetränk?
– Cola!
– Eine Lieblingsgruppe?
– The Pot Shot Boys!

– Hast du Hobbies?
– Ja. Ich tanze gern. Einmal in der Woche. Und
  ich gehe dienstags zum Schwimmen.

Now test yourself 3

1 Schreibe in deinen Ordner einen Artikel
(auf Englisch) über 'Lea Schwarz'.

2 Schreibe einen Zettel, wie der Zettel oben
links, mit Information über dich.

3 Auf derselben Party will Lea alles über
dich wissen. Was fragt sie? Was
antwortest du? Erfinde das Gespräch
zwischen ihr und dir.

die Information – information
der Betriebswirt (-e) – the business manager
der/die kaufmännische Angestellte (-n)
  – the clerk
die Party (-s) – the party
kennen/lernen – to get to know
alles – everything
wissen – to know
zwischen ihr und dir – between her and you

Now test yourself 4

Ein Kreuzworträtsel

SENKRECHT

1 old	12 (lady) teacher
2 list	13 are
4 unfortunately	14 animal
6 bathroom	15 police
8 Italian	19 tin, box
11 evening meal	20 nephew

WAAGERECHT

2 tasty, (yum-yum!)	17 honey
3 pullover	18 to, after, past
5 dear (but not	21 then
expensive!)	22 mostly
7 several	23 (school) subject
9 family tree	24 she, her, it, they, them
10 town centre	25 bicycle
12 food, provisions	26 stairs, staircase
16 not	27 also, as well

das Kreuzworträtsel (-) – the crossword-puzzle   **waagerecht** – horizontal   **senkrecht** – vertical

Now test yourself 5

Lektüre: Meine Hobbies – Steffi.

Ich fange mal an mit meinem Kaninchen. Ich beschäftige mich sehr viel mit ihm, da ich Tiere sehr gerne mag. Im Sommer übe ich sogar mit ihm Kunststücke oder ich lasse ihn im Garten laufen. Ich mag ihn sehr.

Außerdem habe ich jede Woche zweimal Volleyballtraining, was mir sehr viel Spaß macht. Am Wochenende haben wir dann meistens ein Spiel. In den Ferien und an Wochenenden fahren wir auch zu Turnieren.

Jeden Dienstag fahre ich dann noch zum Babysitten. Ich passe auf einen kleinen Jungen auf, der Jonas heißt. Er ist 1 Jahr alt. Ich gehe öfters raus mit ihm oder spiele mit ihm im Haus. Die Eltern sind total süß. Wir fahren mal in die Stadt zum Bummel.

Ich treffe mich unter anderem auch mit meinen Freunden und fahre mit ihnen in die Eislaufhalle oder ins Kino. Öfter aber in die Eislaufhalle. (Wir lernen dort immer voll nette Jungen kennen).

Dies sind meine Hobbies. Ich mag sie mehr als Hausaufgaben

die Lektüre – something to read	**das Training** – training	**total** – totally
sich beschäftigen mit – to busy oneself with	**das Turnier** (-e) – the tournament	**der Bummel** – stroll
ihm – him	**noch** – as well	**sich treffen mit** – to meet
da – since, as	**das Babysitten** – babysitting	**unter anderem** – amongst other things
ich mag < mögen – to like	**auf/passen auf** – to look after, to keep an eye on	**ihnen** – them
üben – to practise	**der Junge** (-n) – the boy	**die Eislaufhalle** (-n) – the skating rink
das Kunststück (-e) – the trick	**öfter** – now and then	**dort** – there **voll** – a lot
lassen (ä) – to let	**raus** – out	

Blauer Teil Ende

EINHEIT 21

Eine Schule stellt sich vor

How to...

- Tell people about your school
- Say when you have various subjects
- Say how much (or little) you like them and how good (or bad) you are
- Give some opinions of your school

KGS-WEYHE G26

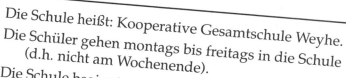

Die Schule heißt: Kooperative Gesamtschule Weyhe.

Die Schüler gehen montags bis freitags in die Schule (d.h. nicht am Wochenende).

Die Schule beginnt um 8.00 Uhr.

Es gibt sechs Stunden von je 45 Minuten.

Nach jeder Stunde kommt entweder eine kleine Pause (5 Minuten) oder eine große Pause (15 Minuten).

Zwischen 9.35 – 9.50 und zwischen 11.25 – 11.40 ist große Pause.

Die Schule ist um 13.15 Uhr zu Ende.

Nachmittags gibt es keinen Unterricht, aber es gibt Arbeitsgemeinschaften.

Ferien: 2 Wochen zu Weihnachten; 3 Wochen zu Ostern; 9 Tage zu Pfingsten: 6 Wochen im Sommer; 2 Wochen Herbstferien.

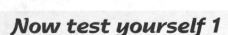

Now test yourself 1

1 Du bist Schüler(in) an der KGS Weyhe. Schreibe einen Brief (auf Englisch) in deinen Ordner, um einem Freund (einer Freundin) den Schultag und das Schuljahr zu erklären.

> Wie heißt deine Schule?

> Geht ihr jeden Tag in die Schule?

> Um wieviel Uhr beginnt sie?

> Wieviele Stunden habt ihr am Tag?

> Habt ihr eine Pause? Wie lange?

> Habt ihr nachmittags Unterricht?

> Wie lange dauern die Stunden?

> Um wieviel Uhr ist die Schule zu Ende?

> Wann habt ihr Ferien? Wie lange?

THOMAS

MELANIE

2 Deine deutschen Freunde möchten alles über deine Schule wissen. Was antwortest du auf ihre Fragen?

---

sich vor/stellen – to introduce oneself
d.h. < das heißt – i.e.
entweder ... oder ... – either ... or ...
nachmittags – in the afternoons

der Unterricht – school, lessons
Weihnachten – Christmas
Ostern – Easter
Pfingsten – Whitsun

der Herbst – autumn
der Schultag (-e) – the school day

Hagens Stundenplan G43

Name: Hagen
Klasse: 5P (Pötter)

ZEIT		MONTAG	DIENSTAG	MITTWOCH	DONNERSTAG	FREITAG	SAMSTAG
8,00	1	Deutsch		Mathe	Deutsch		
8,50	2		Englisch	Deutsch	Englisch		
9,35		—	Große	Pause	————		
9,50	3	Physik		Physik	Mathe	Deutsch	
10,40	4		Biologie	Mathe	Musik	Mathe	
11,25		————	Große Pause	————			
11,40	5			Englisch		WUK	
12,30	6	Religion				Sport	

Pfiffig der Hamster rät:
Kauf beim Fachmann
Qualität

STEEG
geb. van den Bergh
gegr. im Jahre 1900

Düsseldorf, Friedrichstr. 2
u. Oberkassel, Belsenplatz

Deutsch hat Hagen *montags* in der *ersten* Stunde.
Englisch hat er *dienstags* in der *zweiten* Stunde.
Physik hat er *mittwochs* in der *dritten* Stunde.
Musik hat er *donnerstags* in der *vierten* Stunde.
WUK hat er *freitags* in der *fünften* Stunde.
Religion hat er *montags* in der *sechsten* Stunde.

Hagen

Now test yourself 2

1 Wie du siehst, ist Hagens Stundenplan nicht völlig ausgefüllt. Höre die Kassette: Hagen erklärt, an welchen Tagen und in welchen Stunden er verschiedene Fächer hat. Fülle seinen Stundenplan aus.

2 Bitte einen Freund/eine Freundin, einen imaginären Stundenplan zu schreiben. Frage ihn/sie, an welchen Tagen und in welchen Stunden er/sie seine/ihre verschiedenen Fächer hat. Schreibe seinen/ihren Stundenplan in deinen Ordner.
Beispiel:
Du: Wann hast du Deutsch?
Freund(in): Montags in der ersten Stunde ...

Montag/Dienstag
1. Deut

WUK = Welt-Umwelt-Kunde – environmental studies
die Stunde (-n) – the lesson (also: the hour)

die vierte/fünfte/sechste Stunde – the fourth/fifth/sixth lesson
völlig – completely
ausgefüllt – filled in

aus/füllen – to fill in
bitten – to ask (someone to do something)
imaginär – imaginary

Henrike und Jannes G49–50

Was denkt Henrike von ihren Schulfächern?

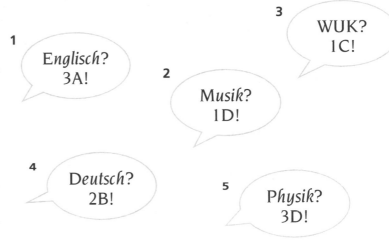

Henrike

Was bedeutet das?

1 = In ... bin ich gut.
2 = In ... bin ich durchschnittlich.
3 = In ... bin ich schlecht.

A = ... es ist mein Lieblingsfach.
B = ... ich lerne es gerne.
C = ... ich lerne es ungerne.
D = ... ich hasse es.

Was sagt Henrike?

1 In Englisch bin ich (3) schlecht, aber (A) es ist mein Lieblingsfach!
2 In Musik bin ich (1) gut, aber (D) ich hasse es!
3 In WUK bin ich (1) gut, aber (C) ich lerne es ungerne!
4 In Deutsch bin ich (2) durchschnittlich, aber (B) ich lerne es gerne!
5 In Physik bin ich (3) schlecht, und (D) ich hasse es!

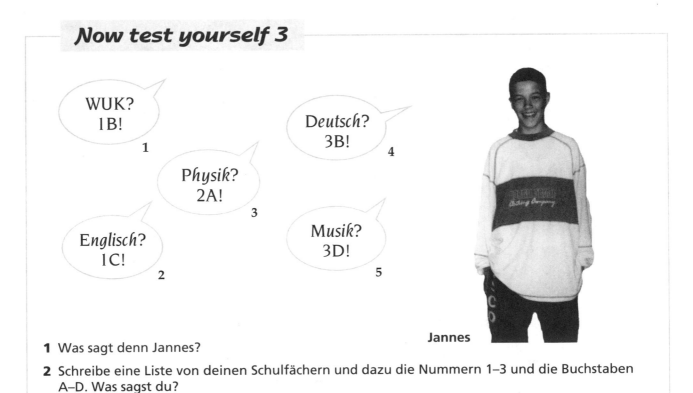

Now test yourself 3

Jannes

1 Was sagt denn Jannes?

2 Schreibe eine Liste von deinen Schulfächern und dazu die Nummern 1–3 und die Buchstaben A–D. Was sagst du?

was bedeutet das? – what does that mean?
ich lerne es ungerne – I don't like doing (learning) it
hassen – to hate

aber – but
und – and
durchschnittlich – average

Info+

Was denkt ihr von der Schule?

Schüler in Weyhe und in Fellbach antworten.

Was denkst du von deinem Stundenplan?

Ich bin mit meinem Stundenplan zufrieden oder sehr zufrieden 30
Ich bin mit meinem Stundenplan nicht zufrieden 10

Warum bist du mit deinem Stundenplan zufrieden?

Weil die Fächer gut über die Woche verteilt sind 16

Warum bist du mit deinem Stundenplan nicht zufrieden?

Zu viele Stunden 2

Beginnt die Schule zu früh?

Die Schule beginnt zu früh 33
Die Schule beginnt genau richtig 12
Die Schule beginnt zu spät 1

Wie hältst du von deinen Hausaufgaben?

Ich habe genug Hausaufgaben 45
Ich habe zu viele Hausaufgaben 7
Ich habe nicht genug Hausaufgaben 1

Was hältst du von der Disziplin in der Schule?

Zu streng 10
Genau richtig 10
Nicht zu streng 5
Nicht streng genug 3
Streng genug 1
Nicht sehr streng 1

Wie oft verstößt du dagegen?

Nicht sehr oft 37
Nie 14
Oft 1
Nicht sehr oft. Normalerweise 1
Sehr, sehr, sehr, sehr oft 1

leise – quiet
blöd – stupid
ich würde – I would
etwas länger – a bit longer
aus/rasten – to lose one's cool
schlimm – bad

Was denkst du davon?

> *Zu streng. Bei manchen Lehrern muß man sehr leise sein. Das ist blöd.*
>
> **Tanja**

> *Ich bin nicht zufrieden, weil unsere Klasse über 10 verschiedene Räume hat.*
>
> **Martin**

> *Zu früh. Ich würde gerne etwas länger schlafen.*
>
> **Steffi**

> *Nicht zu streng. Manchmal rasten die Lehrer aus, aber das ist nicht so schlimm.*
>
> **Antje**

> *Ich bin zufrieden, weil wir keine Nachmittagsschule haben.*
>
> **Sebastian**

Now test yourself 4

1 Who…
1 … is happy with the time-table? Why?
2 … thinks discipline is too strict? Why?
3 … thinks school starts too early? Why?
4 … isn't happy with the timetable? Why?
5 … thinks discipline isn't too strict? What isn't so bad?

2 Antworte:
Was hältst du von deinem Stundenplan?
Beginnt deine Schule zu früh?
Was hältst du von deinen Hausaufgaben?
Was hältst du von der Disziplin?
Wie oft verstößt du dagegen?

verteilt – distributed
früh – early
genau – exactly
richtig – right, correct
spät – late
halten von (ä) – to think of
genug – enough
die Disziplin – discipline

streng – strict
verstoßen gegen (ö) – to infringe, break (rules)
nie – never
normalerweise – normally
halten von (ä) – to think of

Talking about your school

Die Schule { beginnt / ist } um … Uhr zu Ende.

| Deutsch / Englisch / Mathe | habe ich / haben wir / hat er/sie | montags / dienstags / mittwochs | in der { ersten / zweiten / dritten } Stunde. |

In { Biologie / Sport / Musik } bin ich { gut, / durchschnittlich, / schlecht, } { und / aber } { es ist mein Lieblingsfach. / ich lerne es (un)gerne. / ich hasse es. }

EINHEIT 22

*T*aschengeld

How to...

- **Say what pocket money you get, and what for**
- **Say what you earn besides, and how**
- **Say what you do with it**

Wieviel? G30–1, 37

Unten siehst du das Taschengeld von: Axel, Christina, Hagen, Heiko, Holger, Job-Jan, Kathrin, Rebecca und Sonja. Aber wer bekommt was?

Now test yourself 1

1 Höre die Kassette. Schreibe unter jedes Bild
a) wessen Taschengeld es ist;
b) ob er/sie es pro Woche oder pro Monat bekommt;
c) was er/sie tun muß, um das Taschengeld zu verdienen: *auf seine Eltern hören; die Waschbecken sauber machen; gute Zensuren haben; ihrer Mutter helfen; nichts Besonderes machen; im Haushalt mithelfen; manchmal abwaschen; lieb sein; sein Zimmer aufräumen).*

1 *Sonja*
bekommt
sieben DM
pro *Woche*
Dafür muß sie
im Haushalt
mithelfen

2 ....
bekommt
.... DM
pro ....
Dafür muß er
....
....

3 ....
bekommt
.... DM
pro ....
Dafür muß sie
....
....

4 ....
bekommt
.... DM
pro ....
Dafür muß sie
....
....

5 ....
bekommt
.... DM
pro ....
Dafür muß sie
....
....

6 ....
bekommt
.... DM
pro ....
Dafür muß er
....
....

7 ....
bekommt
.... DM
pro ....
Dafür muß sie
....
....

8 ....
bekommt
.... DM
pro ....
Dafür muß er
....
....

9 ....
bekommt
.... DM
pro ....
Dafür muß er
....
....

2 Ergänze:
Ich bekomme .... DM   Dafür muß ich ....

---

das Taschengeld – the pocket-money
bekommen – to get, receive
wessen – whose
ob – whether
pro Woche – per week
pro Monat – per month

verdienen – to earn
hören auf – to listen to
sauber machen – to clean
gute Zensuren – good (school)marks
der Haushalt (-e) – the house(hold)

mit/helfen – to help
lieb – nice
nichts Besonderes – nothing special
auf/räumen – to tidy up

Hast du einen Job? G13, 87

Axel, Christina, Hagen, Heiko, Holger, Job-Jan, Kathrin, Rebecca und Sonja haben alle einen Job, um ein bißchen Geld zu verdienen.

Sie arbeiten *in einer Apotheke, in einer Bäckerei, in einem Blumenladen, in einer Café-Konditorei, in einem Gasthof, in einem Lebensmittelgeschäft, in einem Obstladen, in einem Schuhgeschäft* und *für einen Zeitungshändler*. Aber wo arbeitet jeder?

Now test yourself 2

1 Entscheide: wer arbeitet wo? Beispiel: Axel arbeitet in einem THEMS FLEET C GÄBLE TINS. Axel arbeitet in einem LEBENSMITTELGESCHÄFT.

Axel arbeitet in einem THEMS FLEET C GÄBLE TINS.	Christina arbeitet in einem CHEF CHUGS HÄTS.	Hagen arbeitet in einer O-I DONT FAKE RICE.
Er verkauft einem Mann *sein Zimmer*.	Sie zeigt einem Kunden *einen Apfel*.	Er bringt einem Fräulein *Kopfschmerztabletten*.
Heiko arbeitet in einem BE LOST DAN.	Holger arbeitet für einen HED NUT SIGN LÄZER.	Job-Jan arbeitet in einem FOG HATS.
Er verkauft einem Kind *ein Bier*.	Er übergibt einer Kundin *eine Dose Linsen*.	Er zeigt einem Feriengast *ein Weißbrot*.
Kathrin arbeitet in einem LEND MEL A BUN.	Rebecca arbeitet in einer RÄCE BIKE.	Sonja arbeitet in einer A HOT PEEK.
Sie zeigt einer Dame *eine Zeitschrift*.	Sie verkauft einer Dame *ein Paar Stiefel*.	Sie verkauft einer Frau *einen Strauß Rosen*.

2 'Axel verkauft einem Mann sein Zimmer' ist Unsinn. Entscheide: was macht jeder an der Arbeitsstelle?

Beispiel: Axel verkauft *einem Mann eine Dose Linsen*.

---

der Job (-s) – the job
das Lebensmittelgeschäft (-e) – the food shop
der Obstladen (-) – the fruit shop
das Schuhgeschäft (-e) – the shoe shop
der Zeitungshändler (-) – the newsagent

verkaufen – to sell
der Unsinn – nonsense
die Arbeitsstelle (-n) – the place of work
der Apfel (-) – the apple
das Fräulein (-) – the young lady, miss
die Kopfschmerztablette (-n) – the headache tablet

übergeben (i) – to hand over
der Feriengast (¨-e) – the holidaymaker
der Stiefel (-) – the boot
der Strauß (¨-e) – the bunch, bouquet
die Rose (-n) – the rose

Kosten G79

Was machen die jungen Leute mit ihrem Geld?
Sonja kauft sich Extrasachen und Krimskrams.

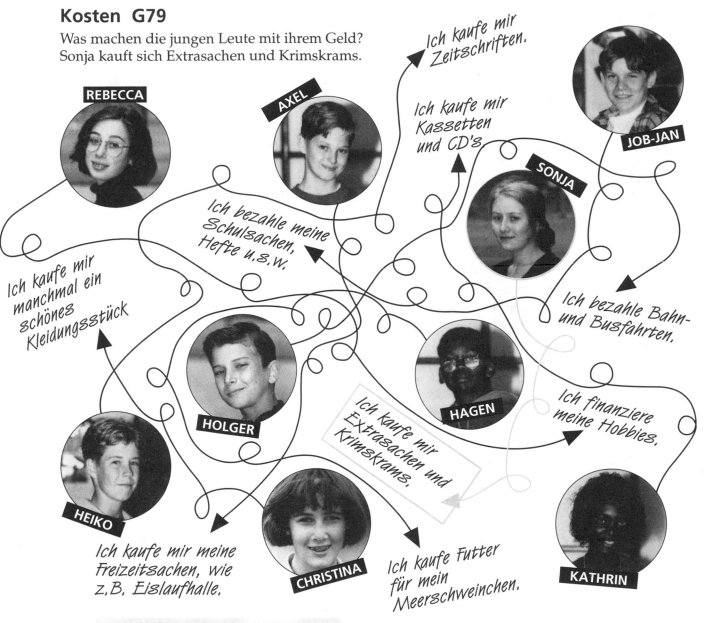

REBECCA

AXEL

JOB-JAN

SONJA

HAGEN

HOLGER

HEIKO

CHRISTINA

KATHRIN

Ich kaufe mir Zeitschriften.

Ich kaufe mir Kassetten und CD's.

Ich bezahle meine Schulsachen, Hefte u.s.w.

Ich kaufe mir manchmal ein schönes Kleidungsstück

Ich bezahle Bahn- und Busfahrten.

Ich finanziere meine Hobbies.

Ich kaufe mir Extrasachen und Krimskrams.

Ich kaufe mir meine Freizeitsachen, wie z.B. Eislaufhalle.

Ich kaufe Futter für mein Meerschweinchen.

Now test yourself 3

1 Was machen die anderen mit ihrem Geld?

Was wir von Sonja wissen:
Sonja bekommt sieben DM pro Woche Taschengeld. Dafür muß sie im Haushalt mithelfen. Um mehr Geld zu verdienen, arbeitet sie in einer Apotheke. Davon kauft sie sich Extrasachen und Krimskrams.

2 Schreibe etwas über Axel, Christina, Hagen, Heiko, Holger, Job-Jan, Kathrin und Rebecca in deinen Ordner – wieviel Taschengeld sie bekommen, was sie dafür tun müssen, wo sie arbeiten, um mehr Geld zu verdienen, und was sie mit ihrem Geld machen.

3 Und du?

die Kosten – the expenses
sich – for herself, himself
die Sache (-n) – the thing
Extrasachen – extras
ich kaufe mir – I buy myself
Schulsachen – school things
die Fahrt (-en) – the journey, travel, trip

die Bahnfahrt (-en) – rail travel i.e. train fares
die Busfahrt (-en) – bus travel i.e. bus fares
das Kleidungsstück (-e) – the garment, something to wear
finanzieren – to finance

die Eislaufhalle (-n) – the ice-rink
das Futter – the (animal) food
mehr – more
damit – with it

Lutz sucht einen Job – ein Telefongespräch

Geschäftsführer: Hallo?

Lutz: Tankstelle Ohrnberger?

Geschäftsführer: Ja.

Lutz: Brauchen Sie immer noch einen Tankwart?

Geschäftsführer: Ja. Interessiert Sie die Stelle?

Lutz: Wieviel bezahlen Sie?

Geschäftsführer: DM10,- pro Stunde.

Lutz: Wie ist die Arbeitszeit, bitte?

Geschäftsführer: Abends, zwischen neunzehn Uhr und zweiundzwanzig Uhr. Geht das?

Lutz: Ja, aber nur drei Tage pro Woche – donnerstags, freitags und samstags.

Geschäftsführer: Kein Problem. Ihr Name, bitte?

Lutz: Meyer, Lutz.

Geschäftsführer: Und Ihre Telefonnummer?

Lutz: 44 60 01.

Geschäftsführer: Können Sie schon nächsten Donnerstag beginnen?

Now test yourself 4

Though you can work only two days a week — Saturdays and Sundays — you are interested in a job as a cashier (Kassierer/Kassiererin) at the local Plaza supermarket. You ring up about it, and discover it's in the mornings (morgens), between 9–12, and the pay is DM 4,50 an hour. The manageress (Geschäftsführerin) asks you for your personal details, and whether you can start next Saturday. Make up the conversation, and record it with a partner.

das Telefongespräch (-e) – the telephone conversation

der Geschäftsführer (-) – the manager

der Tankwart (¨e) – the filling station attendant

interessieren – to interest

das Problem (-e) – the problem

morgens – in the mornings

die Geschäftsführerin (-nen) – the manageress

immer noch – still

die Stelle (-n) – the post, job

die Arbeitszeit – the hours

nur – only

Info+

Währungen

~ 770 vor Christus: die älteste Währung – chinesische Münzen.

~ 369-399: die größte Banknote – 1 yuan (China), 22,8 x 33cm.

~ 1664: die schwerste Münze – eine 10-daler Münze (Schweden, 19 kilo).

~ 1685: ein Franzose, Jacques de Meulle, bezahlt seine Soldaten mit Spielkarten.

~ 1798: Ägypten. Man bezahlt Händler mit Knöpfen von den Uniformen französischer Soldaten.

~ Im neunzehnten Jahrhundert bezahlte man Arbeiter in Yucatan mit Kakao.

~ 1920-21: die kleinste Banknote – eine 3-Pfennig-Note. (Passau. 18 mm x 18,5 mm).

vor Christus – B.C.
Ägypten – Egypt
chinesisch – Chinese
China – China
schwer – heavy
man bezahlte – they paid

die schwerste Münze – the heaviest coin
der Franzose (-n) – the Frenchman
der Soldat (-en) – the soldier
die Spielkarte (-n) – the playing card
der Händler (-) – the trader, shopkeeper
die älteste Währung – the oldest currency

der Knopf (¨e) – the button
das Jahrhundert (-e) – the century
der Arbeiter (-) – the worker
der Kakao – cocoa
die kleinste Banknote – the smallest banknote

Talking about pocket money

Ich bekomme / Er/sie bekommt — ... DM Taschengeld pro — Woche. / Monat.

Dafür muß — ich / er/sie — im Haushalt mithelfen. / gute Zensuren haben.

Er / Sie — arbeitet — in einem Obstladen. / in einer Bäckerei. / in einem Café. — Er / Sie — zeigt / verkauft / bringt — einem Mann / einer Dame / einem Fräulein — einen Apfel. / ein Brot. / ein Bier.

Mit — meinem / seinem / ihrem — Taschengeld bezahle — ich / kauft — er / sie — sich — meine / seine / ihre — Freizeitsachen. / Schulsachen.

EINHEIT 23

Ein Ausflug in Deutschland

Wie ist das Wetter? G43

How to...

- Say what the weather's like
- Say what you'd like to do on a trip in Germany

1 ☐ *Das Wetter ist schön*

2 ☒ *Die Sonne scheint*

3 ☐ *Es ist warm*

4 ☐ *Das Wetter ist schlecht*

5 ☐ *Es regnet*

6 ☐ *Es schneit*

7 ☐ *Es ist kalt*

8 ☐ *Es ist windig*

9 ☐ *Es ist neblig*

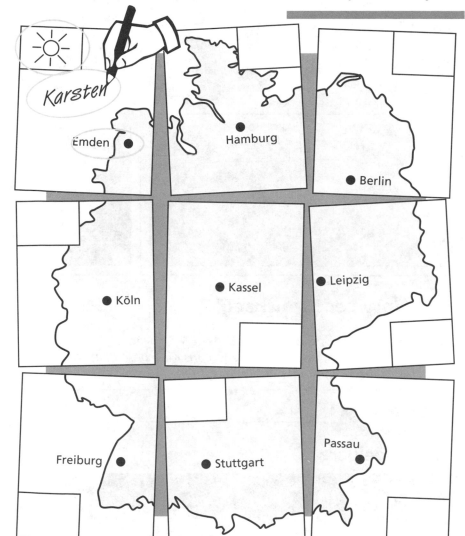

Now test yourself 1

1 Zeichne Symbole 1–9, um zu zeigen, wie das Wetter ist.
Beispiel: Nummer 2: Die Sonne scheint.

2 Höre die Kassette.
Brigitte, Herr Mark, Karim, Karsten, Herr Laskaris, Frau Nagel, Nina, Fräulein Rauer und Simone sagen:
a) wo sie sind und **b)** wie das Wetter ist.

Oben auf der Landkarte, trage ihre Namen ein, um zu zeigen, wo sie sind, und zeichne Symbole, um zu zeigen, wie das Wetter ist. Schreibe einen Satz über jede Person in deinen Ordner.
Beispiel: Karsten ist in Emden. Da scheint die Sonne.

---

der Ausflug (¨e) – the excursion, trip
die Sonne (-n) – the sun
scheinen – to shine

warm – warm
es regnet – it's raining
es schneit – it's snowing
kalt – cold

windig – windy
neblig – foggy
oben – above
die Landkarte (-n) – the map

Steffis Familie im Urlaub G76

Diese Bilder (1–8) zeigen, was Steffis Familie im Urlaub tun will. Steffi sagt z.B. (Nummer 1) 'Wir wollen in den Zoo gehen'.

Now test yourself 2

Was sagt Steffi über die anderen Bilder (2–8)? Wähle:
in die Berge gehen, ins Freibad gehen, ins Kino gehen, ins Museum gehen, in den Park gehen, in die Stadt fahren, auf den Tegelberg fahren.

Info+

Der Tegelberg

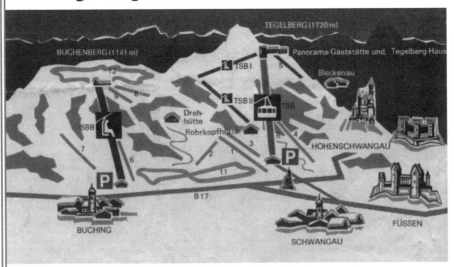

Anlagen
TBB = Kabinenbahn
SB = Sesselbahn
1–7 = Skilifte
11+12 = Skiwanderloipen
R = Rodelgelegenheit

Drachenfliegen
Startrampe nächst
Kabinenbahn-Bergstation
Landeplatz
am Parkplatz-
Talstation

die Hütte (-n) – the hut
die Anlage (-n) – the facility
die Kabinenbahn (-en) – the cableway
die Sesselbahn (-en) – the chair-lift

der Skilift (-e) – the ski-lift
die Skiwanderloipe (-n) – the cross-country ski-course
die Rodelgelegenheit (-en) – the toboggan-run
nächst – near

die Startrampe (-n) – the starting ramp
der Landeplatz (-̈e) – the landing-place
das Tal (-̈er) – the valley

Projekte G47–8, 52

Was man im Urlaub macht, hängt oft vom Wetter ab!

Steffi sagt z.B. (Nummer 1): 'Wenn es *kalt* ist, wollen wir *ins Kino* gehen', und (Nummer 2) 'Wenn es nicht *kalt* ist, wollen wir *ins Freibad* gehen'.

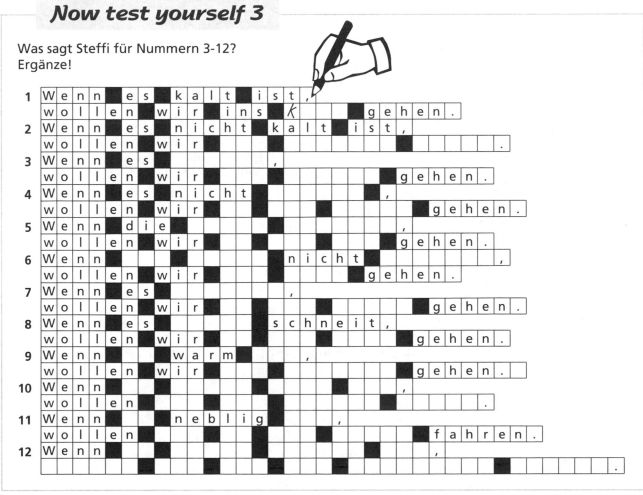

Now test yourself 3

Was sagt Steffi für Nummern 3-12?
Ergänze!

ab/hängen – to depend   **wenn** – if, when

Tips, Termine und Treffpunkte

Einige Veranstaltungen in der Stadt Wuppertal:

SPORT
Sonntag, 8. August 15.00 Uhr. WSV - Schwarz-Weiß Essen. Im Stadion am Zoo. (Tel. 44.34.72).

THEATER
Montag, 9. August 19.30 Uhr. Der Sturm (W. Shakespeare). Im Schauspielhaus. (Tel. 30.62.41).

TANZ
Dienstag, 10. August 11.30 Uhr. Indianische Tänze mit Mariposa Azul. Im Heydt-Museum. (Tel. 30.85.94)

OPER
Mittwoch, 11. August 20.00 Uhr. Die Hochzeit des Figaro (W.A. Mozart). Im Opernhaus. (Tel. 46.11.66)

DISCO
Donnerstag, 12. August 17.00 Uhr. Frühlingsdisco. Im Haus der Jugend. (Tel. 45.20.97)

FILM
Freitag, 13. August 21.00 Uhr. Das Imperium schlägt zurück. In der Gesamtschule Ronsdorf. (Tel. 46.39.70)

MUSIK
Samstag, 14. August 19.45 Uhr. Sinfoniekonzert. (Werke von Brahms, Beethoven, Mozart). In der Stadthalle. (Tel. 30.55.32)

Now test yourself 4

1 Information, please!
1 Which opera are they doing? What's the telephone number of the opera house?
2 Who's WSV (Wuppertaler Sport-Verein) playing against? Where's the stadium?
3 What's the film called? Where's it on?
4 What kind of dances? Where?
5 What's the play called? What time does it start?
6 Is there anything on Saturday evening? Whose works?
7 What's on at the Youth Centre? What day?

2 Ein Telefongespräch.
– An welchem Tag findet die Disco statt?
– Am Donnerstag.
– Dem zwölften August?
– Ja.
– Und wo?
– Im Haus der Jugend.
– Um wieviel Uhr?
– Um siebzehn Uhr.
– Hast du die Telefonnummer?
– Fünfundvierzig zwanzig siebenundneunzig.

Am Telefon besprichst du mit einem Freund/einer Freundin, wann und wo das Fußballspiel stattfindet. Erfinde das Gespräch.

der **Tip** (-s) – the tip
der **Termin** (-e) – the date
der **Treffpunkt** (-e) – the meeting-place
die **Veranstaltung** (-en) – the event
der **Sturm** (⁻e) – the storm, tempest
das **Schauspielhaus** (⁻er) – the playhouse

der **Tanz** (⁻e) – the dance, dancing
indianisch – Indian
die **Oper** (-n) – the opera
die **Hochzeit** (-en) – the marriage, wedding
das **Opernhaus** (⁻er) – the opera-house
der **Frühling** – spring
die **Jugend** – youth

das **Imperium** – the empire
zurück/schlagen (ä) – to strike back
das **Sinfoniekonzert** (-e) – the symphony concert
das **Werk** (-e) – the work
die **Stadthalle** (-n) – the civic hall
das **Fußballspiel** (-e) – the football match

Talking about the weather and events

Das Wetter ist schön/schlecht.
Es ist kalt/warm/neblig/windig.
Es schneit/regnet.
Die Sonne scheint.
Da scheint die Sonne.
Wenn das Wetter (nicht) schön ist, wollen wir in den Park gehen.
Das Fußballspiel findet am Sonntag, dem achten August statt.

EINHEIT 24

Unterkunft

How to...

- **Check in at a hotel, campsite or youth-hostel**
- **Say what you need**

Ankunft

Man hat die Wahl: Hotel, Campingplatz oder Jugendherberge.

1 Die Familie Nagel

> **HOTEL-RESTAURANT „ZUM KAPUZINER"**
> 8958 Füssen
> Schwangauer Straße 20
> Telefon (0 83 62) 77 45
> Gemütliches Haus direkt am Lech.
> Gut eingerichtete Gästezimmer mit
> Dusche/Bad.
> – Bekannt gute Küche –
> Bes. F... Lotter
> Ortsp...

1 night

2 Die Familie Kranzke

> **CAMPINGPLATZ AUGUSTA**
> An der Autobahn-Ausfahrt Augsburg-Ost
> Ausfahrt Richtung Neuburg – Pöttmes
> ganzjährig geöffnet
> Badesee · Caravan-Service · Hotel-Restaurant
> Gas-Tankstelle
> Freizeitmöglichkeiten:
> ● Wohnwagen-
>   vermietung
> ● Segeln
> ● Trampolin
> Tel. (0821) 70 75 75
> **Achtung! Campingfreunde!**
> Wenn Sie auf der Autobahn...
> **von München** kommen, nach der Aus-
> fahrt Augsburg-Ost 250 m in Rich...
> burg und ... von ...
> burg/Pö...
> in Richt...

3 Die Familie Holzner

4 Die Familie Kempinski

> **Campingplatz Bannwaldsee**
> 8959 Schwangau/Allgäu · Inh.: Josef Helmer · Tel. 08362/81001
> Der landschaftlich herrlich gelegene Platz grenzt direkt an den Bannwaldsee zu Füßen
> der berühmten Königsschlösser im größten Naturschutzgebiet Bayerns.
> Zu erreichen auf der B.17 zwischen Buching und Schwangau. Neues Campinggebäude
> mit modernen Anlagen. – Im Sommer herrlicher Badestrand, großes Wanderwegenetz. –
> Im Winter der ideale Caravanplatz! – Langlaufloipe bis zum Platz. Tegelberg-Skistation
> nur 1 km entfernt. Ganzjährig geöffnet. 600 Stellplätze.

5 Die Familie Aygün

6 Die Familie Clausen

Now test yourself 1

Bei der Ankunft muß man sagen:

a) wie viele Personen es in der Gruppe gibt.

b) wie viele Nächte man bleiben will.

z.B. In der Familie Nagel (Nummer 1) gibt es 3 Erwachsene und ein Kind. Sie wollen eine Nacht bleiben.

Höre die Kassette. Eine Gruppe kommt in jedem Ort an (1–6). Zeichne für jede Familie ein, wie viele Erwachsene und wie viele Kinder es gibt. Schreibe wie viele Nächte sie im Ort bleiben wollen.

die Unterkunft – the accommodation
die Wahl (-en) – the choice

bei der Ankunft – on arrival
die Gruppe (-n) – the group

die Nacht (¨e) – the night
ein/zeichnen – to draw in

Im Hotel

Die Familie Nagel im Hotel zum Kapuziner.

Herr Nagel	Haben Sie Zimmer frei, bitte?
Empfangsdame	Ja, natürlich. Was für Zimmer brauchen Sie?
Herr Nagel	Wir sind drei Erwachsene und ein Kind. Wir brauchen ein Doppelzimmer mit Badezimmer und zwei Einzelzimmer mit Dusche.
Empfangsdame	Für wie viele Nächte, bitte?
Herr Nagel	Eine Nacht.
Empfangsdame	Kein Problem!
Herr Nagel	Was kosten die Zimmer?
Empfangsdame	Ein Einzelzimmer kostet fünfzig Mark und ein Doppelzimmer kostet neunzig Mark.
Herr Nagel	Ist das Frühstück inbegriffen?
Empfangsdame	Ja, das Frühstück ist im Preis inbegriffen. Ihr Name, bitte?

Info+

Ankünfte in Deutschland 1992

aus Europa	10,451,100
darunter:	
aus den Niederlanden	1,846,100
aus Großbritannien	1,322,900
aus Schweden	943,400
aus Italien	898,800
aus Frankreich	804,400
aus der Schweiz	756,400
aus Belgien-Luxemburg	630,400
aus Dänemark	614,100
aus Österreich	594,200
aus Spanien	289,900
aus Norwegen	262,700
aus Polen	234,800
aus der ehemaligen Tschechoslowakei	177,500
aus dem ehemaligen Jugoslawien	174,800
aus der ehemaligen Sowjetunion	160,700
aus Ungarn	134,400
aus Griechenland	104,300
aus Portugal	49,800
aus Irland	41,400
aus Afrika	145,400
aus Amerika	2,123,500
(darunter aus den Vereinigten Staaten	1,743,500)
aus Asien	1,311,100
(darunter aus Japan	746,000)
aus Australien	138,400

die Niederlande – the Netherlands
Belgien – Belgium
Luxemburg – Luxembourg
Dänemark – Denmark
Norwegen – Norway
Polen – Poland
ehemalig – former

die Tschechaslowakei – Czechoslovakia
die Sowjetunion – the USSR
die Vereinigten Staaten – the USA
Asien – Asia
Japan – Japan
Australien – Australia

Now test yourself 2

1 Invent the dialogue when the Clausen family (see page 101) arrive at the Hotel Allgäu. (Single rooms DM 65,- double rooms DM 120,-). They want 2 double rooms with a shower and 1 double room with a bath.

2 Imagine the dialogue when you and your family, or a group of friends, arrive at a hotel in Germany.

frei – free, available
die Empfangsdame (-n) – the receptionist
was für – what kind

das Doppelzimmer (-) – the double room
das Einzelzimmer (-) – the single room
inbegriffen – included

Auf dem Campingplatz G44

Die Familie Kranzke auf dem Campingplatz Augusta

Frau Kranzke	Guten Abend!
Platzwart	Guten Abend!
Frau Kranzke	Haben Sie bitte Platz frei?
Platzwart	Jawohl. Für wie viele Personen?
Frau Kranzke	Vier Personen: zwei Erwachsene und zwei Kinder.
Platzwart	Geht schon. Für wie viele Nächte?
Frau Kranzke	Fünf Nächte.
Platzwart	Haben Sie einen Wohnwagen oder ein Zelt?
Frau Kranzke	Wir haben einen Wohnwagen und ein Zelt. Und das Auto, natürlich.
Platzwart	Wollen Sie Strom?
Frau Kranzke	Ja, bitte. Wo sind die Toiletten?
Platzwart	Gehen Sie geradeaus und nehmen Sie den zweiten Weg links.
Frau Kranzke	Haben Sie ein Lebensmittelgeschäft?
Platzwart	Nehmen Sie den ersten Weg rechts.

Now test yourself 3

The Kempinski family (see page 101) arrive at the Bannwaldsee campsite. They have 2 caravans and 2 tents. They don't want electricity. They are told that the toilets are straight on and then the third path on the right. When they ask if there's a restaurant, the warden tells them to take the fourth path on the left. Make up the dialogue.

guten Abend – good evening
der Platzwart (¨e) – the warden
der Platz (¨e) – the space

geht schon – all right
der Wohnwagen (-) – the caravan
das Zelt (-e) – the tent

der Strom – the electricity
der Weg (-e) – the path

CAMPINGPLATZ AUGUSTA

ganzjährig geöffnet
Badesee · Wohnwagen-Service · Hotel-Restaurant · Gastankstelle

280 Stellplätze Wohnwagenvermietung
Fließendes Kalt- und Warmwasser
Freizeitmöglichkeiten:
Segeln Trampolin Tischtennis

Achtung! Campingfreunde!

Wenn Sie auf der Autobahn…

…von München kommen, nach der Ausfahrt Augsburg-Ost 250 m in Richtung Neuburg fahren und rechts abbiegen.

…von Stuttgart kommen, die Ausfahrt Neuburg-Pöttmes benutzen, dann nach 250 m in Richtung Neuburg rechts abbiegen.

Campingplatz Augusta, 8900 Augsburg.
Tel. (0821) 70 75 75

Now test yourself 4

Wie bitte?

1 How many sites are there?
2 Is it possible to swim?
3 What other 3 leisure activities are mentioned?
4 Can you hire a caravan?
5 What other 4 facilities are mentioned?
6 How do you get there, coming from Munich?
7 How do you get there, coming from Stuttgart?

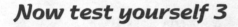

wie bitte? – pardon?
der Badesee (-n) – the bathing lake
das Gas (-e) – the gas
die Tankstelle (-n) – the petrol station
der Stellplatz (¨e) – the site

die Vermietung – hire
fließendes Wasser – running water
das Trampolin (-e) – the trampoline

Achtung! – attention!
die Richtung (-en) – the direction
benutzen – to use

In der Jugendherberge G9–12

Die Familie Holzner in der Jugendherberge Ludwigsburg.

Herbergsvater Guten Abend!
Herr Holzner Guten Abend! Haben Sie noch Platz für heute abend?
Herbergsvater Für wie viele Personen?
Herr Holzner Wir sind fünf. Meine Frau und ich, und unsere drei Kinder – zwei Mädchen und ein Junge.
Herbergsvater Insgesamt fünf? Für wie viele Nächte?
Herr Holzner Vier. Geht das?
Herbergsvater Ja. Möchten Sie auch Frühstück?
Herr Holzner Ja, bitte.
Herbergsvater Und Abendessen?
Herr Holzner Was kostet es?
Herbergsvater Sieben Mark.
Herr Holzner Danke, nein… Können wir Schlafsäcke mieten?

Now test yourself 5

Mr and Mrs Aygün, and their son Ali, (see page 101) arrive at the Ludwigsburg youth hostel. Ali does the talking. They don't want breakfast, but they'd like the evening meal, which costs 12 Marks. They'd also like to know if they can hire bicycles. How does the conversation go?

der Herbergsvater (⸚) – the warden
heute abend – this evening
insgesamt – all together, in all
mieten – to hire
der Schlafsack (⸚e) – the sleeping bag
geht das? – is that OK?

Now test yourself 6

Ein Mitgliedsausweis

Den Ausweis ausfüllen!

der Mitgliedsausweis (-e) – the membership card
die Mitgliedsgruppe (-n) – the membership group
die Hausnummer (-n) – the number of the house
der Wohnort (-e) – the place of residence
die Unterschrift (-en) – the signature
das Datum (-en) – the date
die Jahresmarke (-n) – the annual stamp
ein/kleben – to stick in
der Stempel (-) – the stamp
die Ausgabestelle (-n) – the place of issue
aus/füllen – to fill in

Booking into accommodation

Haben Sie { Zimmer frei? Für { eine Nacht. Für … Personen.
{ (noch) Platz? { zwei Nächte.

Wir brauchen { ein Einzelzimmer } mit { Dusche.
{ zwei Doppelzimmer } { Bad.

Wir sind { ein Erwachsener } (eine Erwachsene) und { ein Kind.
{ zwei Erwachsene } { zwei Kinder.

Wir haben { einen Wohnwagen } und { ein Zelt.
{ zwei Wohnwagen } { zwei Zelte.

Wir möchten { Frühstück / Abendessen.
{ Schlafsäcke / Fahrräder mieten.

Das große Los

Axels Traum G53–5

Wenn er das große Los gewinnt, wird Axel jeden Tag bei McDoof essen.
Er sagt:

> Ich werde am Montag einen McOmelettburger essen!

> Ich werde am Dienstag einen McBeefburger essen!

> Ich werde am Donnerstag einen McFischburger essen!

> Ich werde am Mittwoch einen McPommesfrites burger essen!

> Ich werde am Freitag einen McWurstburger essen!

> Ich werde am Sonntag einen McHamburger-burger essen!

> Ich werde am Samstag einen McKäseburger essen!

How to...

- Say what's going to happen
- Say what you're going to eat
- Say where you're going to live
- Say what you're going to buy

McDoof SPEISEKARTE

MONTAG
McKäseburger

DIENSTAG
McWurstburger

MITTWOCH
McFischburger

DONNERSTAG
McBeefburger

FREITAG
McPommes-fritesburger

SAMSTAG
McHamburger-burger

MONTAG
McOmelettburger

Now test yourself 1

Aber wie du siehst, gibt es montags bei McDoof keine McOmelettburger – es gibt montags nur McKäseburger. Axel sollte sagen: 'Ich werde am Montag einen McKäseburger essen.' Schreibe in deinen Ordner, was er an den anderen Tagen sagen sollte.

das große Los – the jackpot
der Traum (¨e) – the dream
er wird ... essen – he's going to eat
bei McDoof – at McDoof's
er sollte – he ought to

Du hast die Wahl! G52, 55

Wenn du das große Los gewinnst -

1

Wo wirst du wohnen?

A In einem großen Haus in England?

B Auf einer Ranch in Amerika?

C In einem Schloß in Deutschland?

2

Wohin wirst du fahren?

A Nach Amerika?

B Nach Afrika?

C Zum Mond?

3

Was wirst du dir kaufen?

A Ein großes Auto?

B Modische Kleidung?

C Millionen von CDs?

Now test yourself 2

1 Höre die Kassette. Aktar, Janosch, Kai, Kerstin und Martina antworten auf dieselben Fragen. Notiere ihre Antworten.

	Aktar	Janosch	Kai	Kerstin	Martina
1	B				
2	B				
3	A				

2 Wenn er das große Los gewinnt, wird Aktar auf einer Ranch in Amerika wohnen; er wird nach Afrika fahren; und er wird sich ein großes Auto kaufen. Schreibe einen Satz über Janosch, Kai, Kerstin und Martina.

3 Stelle deinen Freunden dieselben Fragen. Notiere ihre Antworten.

4 Schreibe in deinen Ordner *deine* Antworten auf diese Fragen.
Beginne: 'Wenn ich das große Los gewinne, werde ich …'
NB: 'Ich werde *mir* … kaufen'.

	Derrick	Rajinder	Mark
1			
2			
3			

die Ranch (-es) – the ranch
der Mond (-e) – the moon

modisch – fashionable
die Kleidung – clothes

Now test yourself 3

Ein Horoskop G55

Frage deine Freunde
  a) an welchem Datum und
  b) an welchem Tag sie geboren sind. Beispiel:

Du:　　　An welchem Datum bist du geboren?
Freund(in): Am siebzehnten März.
Du:　　　An welchem Tag?
Freund(in): Mittwoch.

Du siehst das Horoskop an:
den 17. März = Fische. Fische + Mittwoch = 3.

Du liest das Horoskop vor:
Du: 'Dein Lehrer wird dir eine Schularbeit zurückgeben.
  Du wirst eine Überraschung erleben!'

> Ich bin am siebzehten März geboren!

> Du wirst eine Überraschung erleben!

HOROSKOP

		MONTAG	DIENSTAG	MITTWOCH	DONNERSTAG	FREITAG	SAMSTAG	SONNTAG
WIDDER	(21. März – 20. April)	2	3	1	4	6	7	5
STIER	(21. April – 20 Mai)	3	2	6	5	4	1	7
ZWILLINGE	(21. Mai – 21. Juni)	6	5	7	3	1	4	2
KREBS	(22. Juni – 22. Juli)	4	7	5	2	3	6	1
LÖWE	(23. Juli – 23. August)	1	4	2	7	5	3	6
JUNGFRAU	(24. August – 23. September)	5	2	1	3	4	6	7
WAAGE	(23. September – 22. Oktober)	6	4	2	5	7	1	3
SKORPION	(23. Oktober – 22. November)	3	1	6	7	2	5	4
SCHÜTZE	(23. November – 21. Dezember)	2	6	7	1	3	4	5
STEINBOCK	(22. Dezember – 19. Januar)	4	3	5	6	1	7	2
WASSERMANN	(20. Januar – 19. Februar)	5	1	4	6	7	2	3
FISCHE	(20. Februar – 20. März)	7	6	3	1	2	5	4

1 Du wirst dich auf deine Arbeit in der Schule konzentrieren! Sonst wird die nächste Woche sehr unangenehm sein!

2 Du wirst Glück haben! Dein liebstes Vorhaben wird dir gelingen!

3 Dein Lehrer wird dir eine Klassenarbeit zurückgeben. Du wirst eine Überraschung erleben!

4 Die Tage werden nicht lang genug sein, um alles zu machen, was du zu tun haben wirst.

5 Jemand in der Schule wird versuchen, dich zu ärgern. Du wirst cool bleiben!

6 Die Arbeit in der Schule wird dich, wie immer, entzücken. Deine Lehrer werden super-cool bleiben!

7 Dein(e) Deutschlehrer(in) wird eine Überraschung erleben: Du wirst für ihn/sie eine ausgezeichnete Klassenarbeit schreiben!

---

das Horoskop (-e) – the horoscope
sie sind geboren – they were born
du bist geboren – you were born
an/sehen (ie) – to look at
Fische – Pisces
vor/lesen (ie) – to read out loud
die Klassenarbeit (-en) – the test
die Schularbeit – schoolwork
zurück/geben (i) – to give back
die Überraschung (-en) – the surprise
erleben – to experience
der Widder (-) – the ram, Aries
der Stier (-e) – the bull, Taurus
der Zwilling (-e) – the twin

Zwillinge – Gemini
der Krebs (-e) – the crab, Cancer
der Löwe (-n) – the lion, Leo
die Jungfrau (-en) – the virgin, Virgo
die Waage (-n) – the scales, Libra
der Skorpion (-e) – the scorpion, Scorpio
der Schütze (-n) – the marksman, Sagittarius
der Steinbock (¨e) – the goat, Capricorn
der Wassermann (¨er) – the water-carrier, Aquarius
unangenehm – unpleasant

sich konzentrieren auf – to concentrate on
das Glück – good luck
liebst – dearest
das Vorhaben (-) – the project
gelingen – to be successful
jemand – somebody
versuchen – to try
cool – cool, unruffled
entzücken – to delight
der Deutschlehrer (-)/**die Deutschlehrerin** (-nen) – the German teacher
ausgezeichnet – excellent
ärgern – to annoy

Info+

Dominiks Vorhaben

Wenn ich das große Los gewinne, werde ich mir ein großes Haus mit drei Stockwerken kaufen. Ich werde mein Geld in Häuser und Grundstücke anlegen; ich werde Firmen und vielleicht ein Hotel kaufen. Ich werde mir auch einen Supercomputer kaufen (einen PC 486 DX50) mit allem, was es dazu gibt; ich werde mir eine Jacht und einen Hund kaufen; ich werde einen privaten Karatelehrer einstellen; ich werde einen kleinen Privatzoo, eine Sauna, eine Schönheitsfarm, ein Schwimmbad, ein Fußballstadion und eine Basketballhalle bauen lassen.

Ich werde auch jeden Tag (nach den Hausaufgaben) machen, was ich will. Ich werde in meine Sauna oder meine Schönheitsfarm gehen, in mein Hotel fahren, in meinem Schwimmbad schwimmen, an meinen Computer gehen, Basketball oder Fußball spielen, mit meinem Hund spielen und ich werde immer Geld haben, wenn ich es brauche.

Ich werde auch Häuser verkaufen, Grundstücke verkaufen und mit meinen Firmen und meinem Hotel Geld machen. Ich werde auch viel Geld für später anlegen. Ich werde auch viel Geld für Kinder in Not, arme Leute in Jugoslawien, in Rußland, in Asien, in Afrika und in der Dritten Welt spenden. Ich werde auch Geld für meine Eltern anlegen und ich werde mir eine kleine Insel kaufen. Ich werde auch eine Weltreise mit dem Flugzeug machen – in jedes Land der Welt.

Now test yourself 4

Die Sternzeichen

Neben jedes Sternzeichen, schreibe seinen Namen!

1 _____

2 _____

3 _____

4 _____

5 _____

6 _____

7 *Wid* _____

8 _____

9 _____

10 _____

11 _____

12 _____

das Sternzeichen (-) – the sign of the Zodiac

Now test yourself 5

Richard und das große Los G55

If Richard wins the jackpot, he will…

…get a surprise

…buy a McCheeseburger

…live in a castle in America

…travel to Germany

…buy a little car

…donate money for children in the Third World

…have a big house built for his parents

…employ a private German teacher

…concentrate on his schoolwork

…remain cool!

What does he say? (In German, of course!)

---

das Stockwerk (-e) – the storey

das Grundstück (-e) – the piece of land

an/legen – to invest

die Firma (-en) – the firm

mit allem, was es dazu gibt – with everything that goes with it

die Jacht (-en) – the yacht

privat – private

der Karatelehrer (-) – the karate teacher

ein/stellen – to employ

die Sauna (-s) – the sauna

die Schönheitsfarm (-en) – the health farm

die Halle (-n) – the hall

bauen lassen – to have built

die Not (:e) – the need, emergency

spenden – to donate, give

die Insel (-n) – the island

die Weltreise (-n) – the trip round the world

Talking about the future

Ich werde	einen Hamburger essen
Du wirst	das große Los gewinnen.
Er } wird	eine Überraschung erleben.
Sie }	in Amerika wohnen.

Wenn ich das große Los gewinne, werde ich mir ein großes Haus kaufen.

Gesundheit und Krankheit

How to...

- Tell a doctor what's wrong with you
- Say which part of you hurts
- Say what you do to keep healthy

Es tut weh! G14

Die Fotos A–P zeigen die Teile des Körpers.

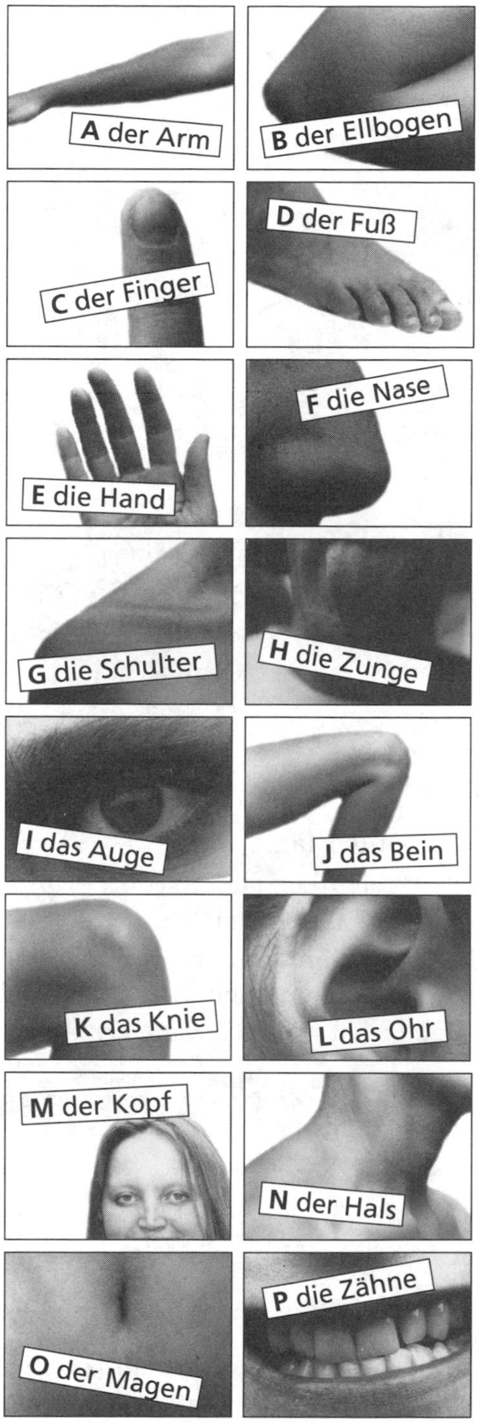

A der Arm
B der Ellbogen
C der Finger
D der Fuß
E die Hand
F die Nase
G die Schulter
H die Zunge
I das Auge
J das Bein
K das Knie
L das Ohr
M der Kopf
N der Hals
O der Magen
P die Zähne

Now test yourself 1

1 Schneide die Figur eines Mannes oder einer Frau aus einer Zeitschrift aus. (Oder zeichne die Figur selbst). Klebe sie in deinen Ordner ein. Beschrifte die Teile des Körpers.

2 Beim Arzt will die Person auf Bild 'A' eigentlich sagen: 'Der ARM tut mir weh!' Sie ist aber so nervös, daß sie sagt: 'Der RAM tut mir weh!'
Was wollen die folgenden Personen (1–12) eigentlich zum Arzt sagen?
  1 'Der RAM tut mir weh!'
  2 'Die SUCHLERT tut mir weh!'
  3 'Der RINFEG tut mir weh!'
  4 'Das NIKE tut mir weh!'
  5 'Die DAHN tut mir weh!'
  6 'Das AGUE tut mir weh!'
  7 'Die ZEGUN tut mir weh!'
  8 'Das NEIB tut mir weh!'
  9 'Der ßUF tut mir weh!'
  10 'Das ROH tut mir weh!'
  11 'Die SANE tut mir weh!'
  12 'Der BONELLEG tut mir weh!'

3 Die Person auf Bild 'N' hat HALSSCHMERZEN, sagt aber zum Arzt: 'Ich habe MASSCHERZHELN!' Erfinde komische Namen für KOPFSCHMERZEN ('M'), MAGENSCHMERZEN ('O') und ZAHNSCHMERZEN ('P')!

---

die Gesundheit – (good) health
die Krankheit (-en) – the sickness, disease
(es) tut (mir) weh – (it) hurts (me)
der Körper (-) – the (human) body
die Figur (-en) – the figure
aus/schneiden – to cut out
der Körper (-) – the body
der Arzt (-̈e) – the doctor
eigentlich – actually

nervös – nervous
Halsschmerzen – sore throat
Kopfschmerzen – headache
Magenschmerzen – stomach ache
Zahnschmerzen – toothache
der Arm (-e) – the arm
der Ellbogen (-) – the elbow
der Finger (-) – the finger
der Fuß (-̈e) – the foot
die Hand (-̈e) – the Hand

die Nase (n) – the nose
die Schulter (-n) – the shoulder
die Zunge (-n) – the tongue
das Bein (-e) – the leg
das Knie (-) – the knee
der Kopf (-̈e) – the head
der Hals (-̈e) – the neck
der Magen (-) – the stomach
der Zahn (-̈e) – the tooth

Beim Arzt

Arzt: Guten Tag!

Di: Guten Tag, Herr Doktor! Mein Vater ist krank.

Arzt: Ah? Was hat er denn?

Du: Die Ohren tun ihm weh. Er hat Halsschmerzen. Und er hat Fieber.

Arzt: Er hat vielleicht eine Erkältung.

Now test yourself 2

1 Tell the doctor that your friend is poorly. Say his/her eyes hurt and he/she has a headache. The doctor thinks it might be a sunstroke.
   NB: (*his*) … tun ihm weh/(*her*) … tun ihr weh

2 This time say your mum's poorly. When the doctor asks you what the matter is, say she's got stomach-ache and diarrhoea. The doctor suggests it might be indigestion.

das Fieber – the (high) temperature
die Erkältung (-en) – the head cold
der Durchfall – diarrhoea
die Magenverstimmung (-en) – indigestion
der Sonnenstich (-e) – sunstroke
krank – sick, poorly
was hat er denn? – what's the matter with him?

Now test yourself 3

Der Facharzt

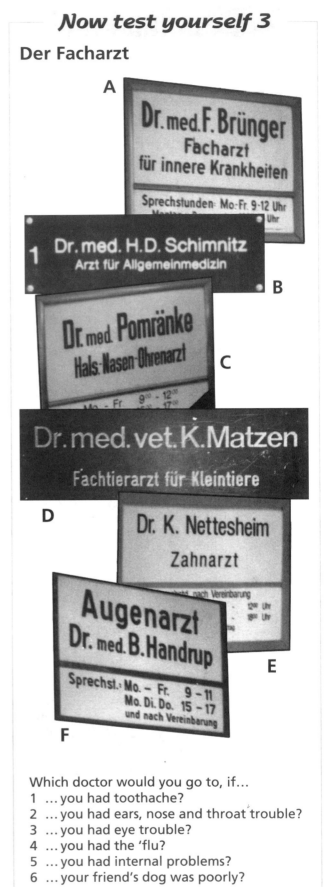

Which doctor would you go to, if…

1 … you had toothache?
2 … you had ears, nose and throat trouble?
3 … you had eye trouble?
4 … you had the 'flu?
5 … you had internal problems?
6 … your friend's dog was poorly?

der Facharzt (¨e) – the specialist
inner – internal
die Allgemeinmedizin – general medicine

Now test yourself 4

In der Apotheke G75

1 Zeichne eine Linie von jeder Frage (A–D) bis zu dem geeigneten Medikament (1–4). Achtung! Für Halsschmerzen benutzt man nicht Heftpflaster!

A

Haben Sie etwas gegen Halsschmerzen?

eine Creme

C

Haben Sie etwas gegen eine Blase am Fuß?

Hustensaft

B

Haben Sie etwas gegen Durchfall?

Pillen

D

Haben Sie etwas gegen einen Wespenstich?

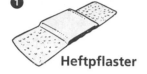

Heftpflaster

2 Ergänze:

Kranker/Kranke 1: Haben Sie etwas gegen ....?
Apotheker(in):   Ja, Sie brauchen nur dieses Heftpflaster anzulegen.

Kranker/Kranke 2: Haben Sie etwas gegen ....?
Apotheker(in):   Ja, Sie brauchen nur diese Creme aufzutragen.

Kranker/Kranke 3: Haben Sie etwas gegen ....?
Apotheker(in):   Ja, Sie brauchen nur diese Pillen einzunehmen.

Kranker/Kranke 4: Haben Sie etwas gegen ....?
Apotheker(in):   Ja, Sie brauchen nur diesen Hustensaft einzunehmen.

---

geeignet – suitable
das Medikament (-e) – the medicament
das Heftpflaster (-) – the sticking plaster
gegen – for, against
die Blase (-n) – the blister
der Wespenstich (-e) – the wasp sting
die Creme (-n) – the cream
die Pille (-n) – the pill

der Hustensaft (ِe) – the cough syrup
der/die Kranke (-n) – the patient
der Apotheker (-), **die Apothekerin** (-nen)
  – the pharmacist
an/legen – to put on (a bandage)
auf/tragen (ä) – to put on (a cream)
ein/nehmen (i) – to take (a pill, medicine)

Now test yourself 5

Was haben Sie denn?

Play the Cassette. Wolfgang, Gaby, Herr Kaiser and Frau Rutschke are either at the doctor's or at the pharmacy. In each box 'A' note in English his or her symptoms; in each box 'B' note the doctor's or the pharmacists's diagnosis; and in each box 'C' give his or her prescription.

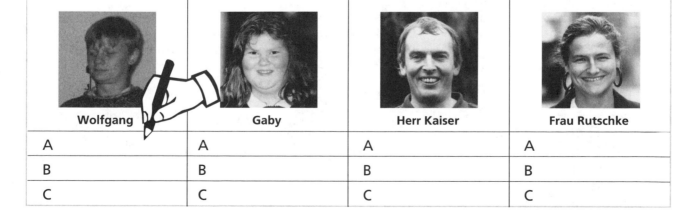

Wolfgang	Gaby	Herr Kaiser	Frau Rutschke
A	A	A	A
B	B	B	B
C	C	C	C

Now test yourself 6

Bist du gesund?

Für jede Frage, notiere a, b oder c.

1 Ich esse am liebsten a) einen Hamburger b) Pommes frites c) gegrilltes Fleisch.

2 Ich esse Molkereiprodukte (Butter, Käse, Joghurt) a) jeden Tag b) von Zeit zu Zeit c) nie.

3 a) Obst esse ich lieber roh b) Obst esse ich lieber gekocht c) Obst esse ich nie.

4 Süßes (Torten, Kuchen, Bonbons) esse ich a) oft b) nie c) von Zeit zu Zeit.

5 Ich trinke am liebsten a) Limonade b) Wasser c) Alkohol.

6 Ich gehe zum Zahnarzt a) wenn ich Zahnschmerzen habe b) nie c) alle sechs Monate.

7 Ich putze mir die Zähne a) dreimal am Tag b) nie c) einmal am Tag.

8 Ich trinke a) weniger als sechs Tassen Kaffee am Tag b) mehr als sechs Tassen Kaffee am Tag c) keinen Kaffee.

9 a) Ich treibe keinen Sport b) Ich treibe Sport mehrmals in der Woche c) Ich treibe Sport einmal in der Woche.

10 Normalerweise gehe ich a) vor 22 Uhr b) zwischen 22–24 Uhr c) nach Mitternacht schlafen.

Antworten: rechne deine Punkte zusammen.

1: a – 1, b – 0, c – 2   **2**: a – 2, b – 1, c – 0   **3**: a – 2, b – 1, c – 0   **4**: a – 0, b – 2, c – 1

5: a – 1, b – 2, c – 0   **6**: a – 1, b – 0, c – 2   **7**: a – 2, b – 0, c – 1   **8**: a – 1, b – 0, c – 2

9: a – 0, b – 2, c – 1   **10**: a – 2, b – 1, c – 0

14–20 Punkte: Bravo! Du bist gesund!
8–13 Punkte: Achtung!
0–7 Punkte: Oh je, wie schade!

gesund – healthy
gegrillt – grilled
Molkereiprodukte – dairy produce
der Joghurt – the yoghurt
roh – raw
gekocht – cooked
Süßes – sweet things

die Torte (-n) the tart
der Bonbon (-s) – the sweet
die Limonade (-n) – the lemonade
der Alkohol – the alcohol
der Zahnarzt (¨e) – the dentist
alle sechs Monate – every six months

sich die Zähne putzen – to brush one's teeth
dreimal – three times
mehrmals – several times
schlafen gehen – to go to bed
ach je, wie schade! – oh, what a pity!

Info+

Das Gesundheitswesen in Deutschland

~ Ärzte (1991) 251 877; Zahnärzte 56 342; Tierärzte 12 876; Apotheker 42 369; Krankenhäuser 2 411; Betten 665 565

~ Der Körper eines Menschen enthält 60% Wasser. Gewicht der Körperteile: der Muskeln und des Fleisches – 52,5 kg; des Kopfes – 7 kg; der Arme – 7 kg; der Beine – 11 kg; des Gehirns – 1,6 kg

das Gesundheitswesen – the health system
der Tierarzt (¨e) – the vet

enthalten (ä) – to contain
das Krankenhaus (¨er) – the hospital
das Gewicht (-e) – the weight

der Muskel (-n) – the muscle
das Fleisch – the flesh
das Gehirn (-e) – the brain

Talking about sickness and health

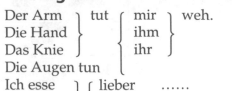

Der Arm } tut { mir } weh.
Die Hand }   { ihm }
Das Knie }   { ihr }
Die Augen tun {

Ich habe   } { Kopfschmerzen.
Er/sie hat } { eine Erkältung.
Haben Sie etwas gegen Halsschmerzen?

Ich esse } { lieber   ......
Ich trinke } { am liebsten ......

EINHEIT 27

Das Auto

How to...

- Say what you want at the filling-station
- Take good advice when driving (and walking)
- Call for help when you need it

An der Tankstelle

An einer SB-Tankstelle gibt es kein Problem, wenn man Benzin will.
(SB = Selbstbedienung)
Aber nicht alle Tankstellen sind SB-Tankstellen!

Now test yourself 1

1 Note down in your Dossier (in English) what each car driver (1–3) is asking for.
2 Play the cassette. Note down what a) Frau König, b) Herr Eilers and c) Rolf are asking for.
3 What do you say if:
   a) You want the attendant to fill up your car with unleaded petrol, and check your tyres?
   b) You want him or her to give you thirty litres of diesel, and tell you whether this is the way to Bensdorf?
   c) You want him or her to give you twenty litres of four-star petrol, and check your oil?

das Benzin – petrol
die Selbstbedienung – self-service
belifrei – unleaded

der Ölstand – the (state of the) oil
prüfen – to check
volltanken – to fill up

Super – 4-star petrol
der Diesel – diesel oil
der Reifen (-) – the tyre

Schnelle Hilfe G42

Auf dem 7000 Kilometer langen Autobahnnetz kann die Polizei nicht überall sein. Deshalb ist das Wissen über die Notrufsäulen wichtig, die im Abstand von zwei Kilometern am Rande der Autobahn stehen. Bei einem Unfall oder einer anderen Notfallsituation:

1 Das Warnblinklicht (A) einschalten.

2 Das Warndreieck (B) aufstellen (in mindestens 100 Metern Entfernung, bei Kurven und Hügeln in noch größerer Entfernung).

3 Am nächsten Leitpfosten (C) (am Rande der Autobahn) weist ein schwarzer Pfeil (D) im oberen weißen Feld den Weg zur nächstgelegenen Notrufsäule (E).

4 Die Klappe (F) des Autobahntelefons aufheben. Die nächste Autobahnmeisterei wird sich melden. Knapp und klar melden:
1 … seinen Namen.
2 … den Unfallort.
3 … die Zahl der Verletzten.
4 … wie schwer die Verletzungen sind.

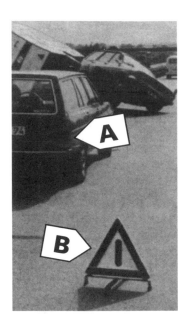

Now test yourself 2

1 How long is the German motorway network?
2 Why is it said to be important to know about the emergency phones?
3 How far are they apart?
4 What's the first thing to do if you have an accident or break down?
5 At what distance should you set up your warning triangle?
6 Under what circumstances should this be increased?
7 How do you know where to look for the nearest telephone?
8 What do you do to make a call?
9 How are you asked to express yourself?
10 What 4 pieces of information are you to give?

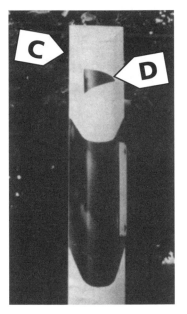

schnell – fast, quick
die Hilfe – the help, assistance
lang – long
das Autobahnnetz (-e) – the motorway network
deshalb – for that reason
das Wissen – the knowledge
die Notrufsäule (-n) – the emergency telephone
wichtig – important
der Abstand (-̈e) – the distance
der Rand (-̈er) – the edge
der Unfall (-̈e) – the accident
die Panne (-n) – the breakdown
das Warnblinklicht (-er) – the hazard warning light
ein/schalten – to switch on
das Warndreieck (-e) – the warning triangle
auf/stellen – to set up
mindestens – at least
entfernt – away
die Kurve (-n) – the bend
der Hügel (-) – the hill

entfernt – away
die Entfernung (-en) – the distance
nächst – nearest
der Leitpfosten (-) – the direction post
weisen – to show
der Pfeil (-e) – the arrow
ober – upper
das Feld (-er) – the area
nächstgelegen – nearest
die Klappe (-n) – the flap
auf/heben – to lift up
die Autobahnmeisterei (-en) – the motorway supervision post
(sich) melden – to make (oneself) known
knapp – concisely
klar – clearly
melden – to report
der Unfallort (-e) – the place of the accident
der/die Verletzte (-n) – the injured person
die Verletzung (-en) – the injury

Pannen

Ich habe eine Reifenpanne!

Die Windschutzscheibe ist kaputt!

Ich habe kein Benzin!

Der Motor wird heiß!

Der Motor springt nicht an!

Ein Telefongespräch

Mechaniker: Was für eine Panne haben Sie?
Autofahrer: Ich habe eine Reifenpanne.
Mechaniker: Was für ein Auto ist es?
Autofahrer: Ein weißer Volkswagen.
Mechaniker: Die Nummer, bitte?
Autofahrer: M – HV 3713.
Mechaniker: Wo sind Sie?
Autofahrer: Auf der A 7, 20 Kilometer nördlich von Hamburg.

```
          NÖRDLICH
             ↑
SÜDLICH ←─── ○ ───→ ÖSTLICH
             ↓
          WESTLICH
```

Now test yourself 3

Four drivers telephone for help. Make up the dialogues.

	Car	Reg.	Problem	Where?
1	Red Mercedes	W – EL 586	overheating	A 57, 25 km N of Cologne
2	Yellow Opel	B – GP 703	no petrol	B 64, 10 km W of Paderborn
3	Black Porsche	HH – DR 450	broken windscreen	B 505, 25 km E of Bamberg
4	Green Ford	S – JB 5529	won't start	B 247, 20 km S of Suhl

die Windschutzscheibe (-n) – the windscreen
kaputt – broken
die Reifenpanne (-n) – the puncture

der Motor (-en) – the engine
heiß werden – to (over)heat
an/springen – to start
der Mechaniker (-) – the mechanic

der Autofahrer (-) – the car driver
nördlich von – to the north of
westlich von – to the west of
östlich von – to the east of
südlich von – to the south of

Now test yourself 4

Ihr Auto und Sie!

Some advice from the Wuppertal police:

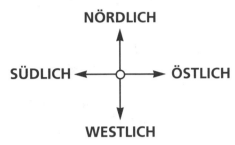

1 VERSCHLIESSEN SIE Ihr Auto sorgfältig: Fenster, Türen, Schiebedach und Kofferraum! Antenne einziehen!
2 LASSEN SIE keine Wertsachen im Auto: Kameras, Taschen, Pelze, Schlüssel!
3 LASSEN SIE keine Papiere im Auto: Führerschein, Fahrzeugschein, Schecks!
4 NOTIEREN SIE die Gerätenummern Ihres Autoradios, und -telefons. Markieren Sie die Geräte mit einem persönlichen Kennzeichen!

This cartoon shows one way of securing your vehicle! Draw cartoons to illustrate some of the advice on the left.

verschließen – to lock
sorgfältig – carefully
das Schiebedach (¨er) – the opening roof
der Kofferraum (¨e) – the boot
die Antenne (-n) – the aerial
ein/ziehen – to push in
lassen (ä) – to leave

die Wertsache (-n) – the valuable
die Kamera (-s) – the camera
die Tasche (-n) – the bag
der Pelz (-e) – the fur
der Schlüssel (-) – the key
das Papier (-e) – the paper
der Führerschein (-e) – the driving licence

der Fahrzeugschein (-e) – the log-book
der Scheck (-s) – the cheque
das Gerät (-e) – the apparatus
markieren – to mark
persönlich – personal
das Kennzeichen (-) – the mark

Gelbe Karte!

BEDENKEN SIE:
im Straßenverkehr werden mehr Menschen getötet und verletzt als bei Kriminaldelikten. **Als Fußgänger leben Sie ganz besonders gefährlich.**

Der Blutzoll der Fußgänger (letztes Jahr) in den Städten

	Wuppertal	Remscheid	Solingen
Tote	11	3	3
Schwerverletzte	190	68	57
Leichtverletzte	274	92	98

Beachten Sie deshalb zukünftig die Verkehrsregeln, denn sie sind auch zu Ihrem Schutz vorhanden.

Seien Sie Vorbild, besonders für Kinder!

Danke!

Now test yourself 5

1 Who's the yellow card for?
2 You're asked what?
3 What are you asked to consider?
4 How are pedestrians said to live?
5 How many people were
   a) badly injured in Remscheid last year?
   b) killed in Solingen?
   c) slightly injured in Wuppertal?
6 What are you asked to do? Why?
7 For whom are you asked to be an example?
8 Who gave this card to whom, do you think, and why?

---

die Karte (-n) – the card
der Fußgänger (-) – the pedestrian
doch – surely
lebensmüde – tired of life
überreicht – offered
von – by
bedenken – to think something over
der Straßenverkehr – the traffic
werden … getötet – are killed
werden … verletzt – are injured

das Kriminaldelikt (-e) – the criminal offence
leben – to live
besonders – specially
gefährlich – dangerous(ly)
ganz – quiet
der Blutzoll – toll of lives
letzt – last
tot – dead
schwerverletzt – badly injured
leichtverletzt – slightly injured

beachten – to take into account
zukünftig – in the future
die Verkehrsregeln – the traffic rules
denn – for
der Schutz – the protection
vorhanden – there, available
seien Sie! – be!
das Vorbild (-er) – the example, model
deshalb – so, therefore

Info+

Drei deutsche Ingenieure

~ Karl Benz (1824–1929 : Konstrukteur von einem der ersten Autos (1885).
~ Rudolph Diesel (1858–1913) : Erfinder des Dieselmotors.
~ Ferdinand Porsche (1875–1951): Konstrukteur des ersten Volkswagens und des Porsche-Sportautos.

der Ingenieur (-e) – the engineer   **der Konstrukteur** (-e) – the designer   **der Erfinder** (-) – the inventor

---

Talking about motoring

Volltanken, } bitte. { Bleifrei.
… Liter, }   { Super.
        { Diesel.
Ist das der Weg nach ……?

Ich habe { eine Reifenpanne.
        { kein Benzin.
Der Motor { wird heiß.
        { springt nicht an.
Die Windschutzscheibe ist kaputt.

Kontakte

How to...

- Write a letter about yourself
- Write to book holiday accommodation
- Get the stamps you need

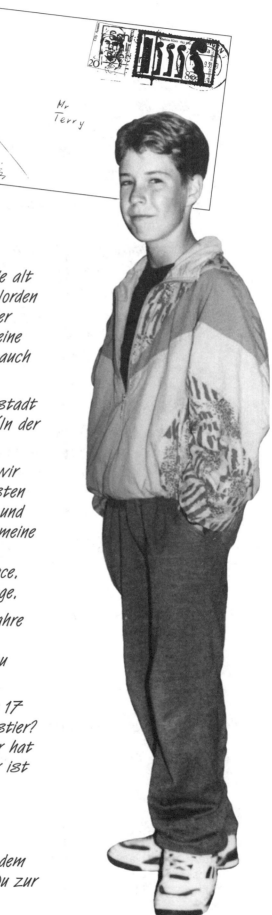

Ein Brief G71

Lieber Brieffreund!/Liebe Brieffreundin!

Ich heiße Christoph. Ich bin 14 Jahre alt. Mein Geburtstag ist am siebzehnten März. Und Du? Wie alt bist Du? Wo wohnst Du? Ich wohne in Leeste im Norden von Deutschland. Leeste ist eine kleine Stadt bei der Großstadt Bremen. Da gibt es einen Supermarkt, eine Bäckerei, und eine Apotheke aber kein Kino. Es gibt auch eine Pizzeria.

Ich wohne gern da, weil ich nicht gern in einer Großstadt wohne, weil ich auf dem Lande besser reiten kann. (In der Gegend gibt es auch einen Reitverein).

Wir haben ein kleines Haus. Im Erdgeschoß haben wir das Wohnzimmer, die Küche und den Flur, und im ersten Stock gibt es vier Schlafzimmer, das Badezimmer und die Toilette. In meinem Zimmer habe ich mein Bett, meine Stereoanlage und meinen Computer. An den Wänden hängen Poster von meiner Lieblingsgruppe, Ace of Lace. Wir haben auch einen kleinen Garten aber keine Garage.

Ich habe zwei Brüder, Rolf und Lutz. Rolf ist 17 Jahre alt. Und Lutz ist 10 Jahre alt. Ich habe auch eine Schwester, Simone. Sie ist 18 Jahre alt. Hast Du Geschwister?

Ich habe eine kleine Katze. Sie heißt Fritzi. Sie ist 17 Jahre alt. Sie ist immer hungrig. Hast Du ein Haustier? Mein Vater heißt Hartmut. Er ist ziemlich klein. Er hat blonde Haare und einen Bart und blaue Augen. Leider ist er arbeitslos.

Mutti hat lange Haare und sie arbeitet in einem Supermarkt in Bremen.

Meine Schule heißt die KSG-Weyhe. Ich fahre mit dem Bus dahin. Das dauert 15 Minuten. Wie kommst Du zur Schule?

Ein Brief – Fortsetzung

Ich gehe gern in die Schule. Und Du? In der Schule habe ich Biologie, Deutsch, Mathe, Englisch, Religion, Französisch, Sozialkunde, Erdkunde, Musik, Kunst, Sport und Physik. Mein Lieblingsfach ist Sport. Mathe lerne ich auch gern aber ich bin schlecht. Ich hasse Erdkunde. In Musik bin ich gut. Und Du? Wie lange habt Ihr Schulferien? Wir haben sechs Wochen im Sommer. Welche Schulfächer hast Du? Bist Du mit Deinem Stundenplan zufrieden? Ich glaube, daß die Schule zu früh am Tage beginnt! (8 Uhr).

Und Deine Lehrer? Sind sie geduldig oder zu streng? Gibt es Klubs an Deiner Schule? Ich gehöre dem Turnverein an. Zweimal in der Woche gehe ich auch schwimmen.

Hast Du viele Hausaufgaben? In welchen Fächern? Manchmal haben wir zu viele und manchmal nur sehr wenige.

Ich möchte gerne meine Ferien auf einem Campingplatz am Meer verbringen. Aber wenn ich das große Los gewinne, werde ich meine Ferien im Hotel in Euro-Disney verbringen!

In der Freizeit spiele ich Tennis und Basketball, und wenn das Wetter schön ist, gehe ich gern wandern. Ich lese gern und höre gern Musik. Was machst Du gern in der Freizeit?

Hast Du ein Lieblingsgetränk? Ich trinke am liebsten Coca-Cola. Was ißt Du gern? Ich esse am liebsten Pizza und Nudeln und Pommes frites.

Ich bekomme 8 Mark pro Woche Taschengeld. Und Du? Dafür muß ich aber mein Bett machen und abends abwaschen. Hast Du einen Job? Ich arbeite von Zeit zu Zeit als Tankwart an einer Tankstelle in Leeste. Ich verdiene 10 Mark pro Stunde. Mit dem Geld, das ich verdiene, kaufe ich mir CDs, oder manchmal auch ein Kleidungsstück. Ich muß auch meine Hobbies finanzieren. Und Du?

Meine Lieblingsfarbe ist rot.

Schreibe mir bald bitte!

Es grüßt Dich,
Dein deutscher Brieffreund
Christoph

Now test yourself 1

1 Imagine you have to give a talk to your schoolfriends ALL about your German pen-friend Christoph. In your Dossier, write notes in English to help you.

2 Write a letter back to Christoph, in German, giving similar information about yourself.

der Kontakt (-) – the contact
der Geburtstag (-e) – the birthday
besser – better
die Gegend (-en) – the area

das Geschwister – brothers and sisters
arbeitslos – out of work
bitte wenden – PTO
Sozialkunde – Social Studies

die Fortsetzung (-en) – the continuation
glauben – to believe
bald – soon

Die Post G30–1

Es ist nicht schwierig, einen Brief abzuschicken:

Ich möchte diesen Brief nach England schicken

Und wenn du sonst etwas abschicken willst?

einen Brief   **eine Postkarte**   **ein Paket**

Now test yourself 2

1 Ein Spiel. (Du kannst alleine oder mit anderen spielen).

Ich möchte…

1 diesen Brief	1 England
2 diese Briefe	2 Frankreich
3 diese Postkarte	3 Italien
4 diese Postkarten	4 Belgien
5 dieses Paket	5 Österreich
6 diese Pakete	6 Schweden

… schicken.

Du würfelst mit zwei Würfeln. Du bekommst z.B. eine 3 und eine 5. Du sagst: 'Ich möchte (3) diese Postkarte nach (5) Österreich schicken!'

2 You'd like to send
  a these postcards to Sweden
  b this letter to France
  c this parcel to England
  What do you say?

(ab/)schicken – to send (off)
sonst etwas – something else
die Postkarte (-n) – the postcard
das Paket (-e) – the parcel
der Würfel (-) – the dice

Now test yourself 3

Briefmarken

a   b   c   d

e   f   g

h   i   j

1 Ergänze!

  a eine Briefmarke zu zehn Pfennig
  b eine Briefmarke zu zwanzig Pfennig
  c ....
  d ....
  e ....
  f ....
  g eine Briefmarke zu einer Mark (100 Pf)
  h zwei Briefmarken zu zehn Pfennig
  i ....
  j ....

2 Höre die Kassette. Silke, Frau Linden und Werner kaufen Briefmarken. Schreibe ihre Namen neben die Briefmarken, die sie kaufen.

k _____

l _____

m _____

---

zu 10 Pfennig – at 10 Pfennigs
die Briefmarken, die sie kaufen – the stamps that they buy

Drei Briefe

York, den 14. April

Hotel Astor, Freiburg

Sehr geehrte Damen und Herren,

Ich möchte vom achten bis zum zwölften Juni in Ihrem Hotel zwei Doppelzimmer mit Bad reservieren. Bitte bestätigen Sie unsere Buchung und teilen Sie uns die Preise der Zimmer mit. Ich möchte auch wissen, ob das Frühstück im Preis enthalten ist.

Hochachtungsvoll,

Cardiff, den 25. Mai

Campingplatz Ludwigshof, Mühlhausen

Sehr geehrte Damen und Herren,

Bitte reservieren Sie uns einen Platz für einen Wohnwagen und einen Zeltplatz vom dreizehnten bis zum siebzehnten Juli. Wir sind vier Personen (zwei Erwachsene und zwei Kinder) mit Auto. Bitte bestätigen Sie die Buchung und teilen Sie die Preise der Plätze mit. Ich möchte auch wissen, ob es auf dem Campingplatz ein Lebensmittelgeschäft gibt.

Mit freundlichen Grüßen,

Ashford, den 15. April

Jugendherberge beim Pfaffenkeller, Kassel

Sehr geehrte Damen und Herren,

Können Sie uns bitte vom fünften bis zum siebenten September Plätze in Ihrer Jugendherberge reservieren? Wir sind drei Erwachsene (zwei Herren und eine Dame) und vier Kinder (zwei Mädchen und zwei Jungen). Ich möchte wissen, was die Plätze kosten, ob man Schlafsäcke mieten kann, und ob das Abendessen erhältlich ist.

Mit freundlichen Grüßen,

Now test yourself 4

1 Write a letter to reserve 1 single and 1 double room, both with shower, in the Hotel Friedegg, Aeschi, from the 10–15 October. Ask for the booking to be confirmed and whether breakfast is included.

2 Write a letter to the Neustadt camping site, Freiburg, to reserve space for 3 tents from 30 May to 3 June (3 adults and 2 children). Ask the price, and whether there's a restaurant.

3 Write a letter to the Veitsburg youth hostel, Ravensburg to reserve accommodation for 2 adults (one man and one woman) and 4 children (one girl and 3 boys) from the 23–28 August. Ask whether breakfast is available, and whether you can hire bikes.

---

sehr geehrte Damen und Herren – dear Sir or Madam
reservieren – to reserve
bestätigen – to confirm

die Buchung (-en) – the booking
mit/teilen – to inform
ob – whether
hochachtungsvoll – yours faithfully

der Zeltplatz (⁒e) – the tent-space
erhältlich – available
mit freundlichen Grüßen – yours sincerely

Info+

Die deutsche Bundespost

~ Anzahl der Postämter: 25 918
~ Anzahl der Briefmarkenautomaten: 29 280
~ Anzahl der Postbriefkästen: 150 817
~ Anzahl der Briefsendungen: 15 564 000 000
  (ins Inland 13 502 000 000, ins Ausland 369 000 000)
~ Anzahl der Mitarbeiter: 396 152
  (28% Teilzeitmitarbeiter, 48 % weibliche Mitarbeiter)

die Bundespost – the federal post office
die Anzahl (-en) – the (total) number

der Briefmarkenautomat (-en) – the stamp-machine
die Briefsendung (-en) – the letter-delivery

das Inland – inland
das Ausland – abroad
der Mitarbeiter (-) – the employee

About writing letters

(Informal) Lieber Christoph,/Liebe Christina,
            Es grüßt Dich, ……

(Formal)   Sehr geehrter Herr (name),/Sehr geehrte Frau (name), Sehr geehrte Damen und Herren,
            Mit freundlichen Grüßen/Hochachtungsvoll

Ich möchte { … Zimmer/Plätze vom … bis zum … reservieren.
            { … Briefmarken zu … Pfennig/Mark .
            { diesen Brief/diese Postkarte/dieses Paket abschicken.

usik

Die Hitparade

Hier ist die Hitparade für den siebzehnten Februar

1	Aber Hallo!: Traffic School
2	Verstehst du Spaß?: Karin Kessler
3	Immer wieder Montag: Marijka de Mol
4	Schweigende Lippen: Linda Amado
5	Die letzte Chance: Laura Pesch
6	Schöner, fremder Mann: Gaby Pausini
7	Tanz-Aktion: Wim Wum und Wendelin
8	Na und? Heino Hagen
9	Geh aufs Ganze!: The Soul
10	Get Set: Conny Butterfly
11	Ausgerechnet Du!: Nina
12	Vorsicht, Falle: Detlef
13	Pia Collins live: Pia Collins
14	Unplugged: Niels Kershore
15	Liebe ist …: the metropolis
16	Dream Girl: Vox Bruno
17	Weiß noch nicht: Torsten Nesweda
18	Die Glocken von Ulm: Heiko Matthäus
19	Der letzte Kuß: Billy Miguel
20	Total happy: Jens Wassermann

How to...

- Say what instruments you (and others) play
- Invite someone to a concert
- Talk about the top twenty

In der folgenden Woche geschieht folgendes:
Marijka de Mol steigt an die erste Stelle. Niels Kershore steigt um fünf Plätze. 'Schweigende Lippen' ist an dritter Stelle. Heino Hagen bewegt sich nicht. Conny Butterfly ist fünf Plätze niedriger. 'Geh aufs Ganze' ist drei Plätze höher. An siebzehnter Stelle ist die Gruppe SpeedWagon, mit 'Let's dance tonight'. Detlef ist immer noch an zwölfter Stelle. Die Gruppe Traffic School ist drei Plätze niedriger. 'Die letzte Chance' ist zwischen 'Geh aufs Ganze!' und 'Na und?' Jens Wassermanns 'Total Happy' verschwindet. Heiko Matthäus bewegt sich nicht. Torsten Nesweda steigt sechs Plätze. 'Schöner, fremder Mann' ist zwischen 'Get set' und 'Let's dance tonight'. The metropolis verschwindet. Billy Miguel ist immer noch an neunzehnter Stelle. Vox Bruno ist drei Plätze höher. An zwanzigster Stelle ist die Gruppe Break Machine, mit 'Opus'. 'Tanz-Aktion' ist um zwei Plätze höher. Karin Kessler bewegt sich nicht. Nina ist zwischen Niels Kershore und Torsten Nesweda. Pia Collins ist an vierzehnter Stelle.

Now test yourself 1

Schreibe in deinen Ordner die Hitparade für den vierundzwanzigsten Februar.

---

die Hitparade (-n) – the hit parade, Top Twenty
in der folgenden Woche - in the following week
geschehen (ie) – to happen

folgendes – the following
steigen – to climb
die Stelle (-n) – the position, place
um 5 Plätze – by 5 places

sich bewegen – to move
niedriger – lower
höher - higher
zwischen – between
verschwinden – to disappear

Now test yourself 2

Konzerte

1 Beschrifte die Konzerte (c): *Kinderkonzert, Popkonzert, Rockkonzert, Straußkonzert.*

2 Beschrifte die Treffpunkte (f): *am Busbahnhof, vor der Bank, bei McDonald's, vor dem Museum.*

3 Höre die Kassette. Du wirst Otto, Rainer, Trude und Frank hören. Jede Person lädt einen Freund oder eine Freundin zu einem Konzert ein. Zeichne Linien, um folgendes zu zeigen:

a) wer gibt die Einladung?   **d)** um wieviel Uhr beginnt das Konzert?
b) wer bekommt die Einladung?   **e)** um wieviel Uhr treffen sie sich?
c) zu welchem Konzert?   **f)** wo?

Z.B. Otto lädt Karl zu einem Rockkonzert ein, das um 20.30 Uhr beginnt. Sie treffen sich um 20.15 Uhr am Busbahnhof.

a	OTTO	FRANK	TRUDE	RAINER

b	LUISE	HORST	KARL	BIRGIT

c

d	20.00	20.15	20.30	19.00

e	19.45	19.00	20.15	18.45

f

Otto lädt Karl zum Rockkonzert ein:
Otto: Karl, hast du Lust, heute abend zu einem Rockkonzert zu gehen? *Karl*: Ja gerne. Um wieviel Uhr beginnt es? *Otto*: Um halb neun. Um wieviel Uhr treffen wir uns? *Karl*: Um viertel nach acht? Wo? *Otto*: Am Busbahnhof?

4 Frank, Trude und Rainer geben ihre Einladungen. Erfinde die Dialoge.

das Konzert (-e) – the concert
das Kinderkonzert (-e) – the children's concert
das Popkonzert (-e) – the pop concert

das Rockkonzert (-e) – the rock concert
das Straußkonzert (-e) – the concert of music by Strauß

ein/laden (ä) – to invite
die Einladung (-en) - the invitation

Ein Orchester G72

Now test yourself 3

1 Aus den Buchstaben im Namen jedes Musikers kannst du sein Instrument bilden.

z.B.: OSU PANE = POSAUNE..

Die Instrumente sind: ein AKKORDEON, ein FAGOTT, eine FLÖTE, eine GITARRE, eine HARFE, eine KLARINETTE, ein KLAVIER, ein KONTRABAß, eine LAUTE, eine MUNDHARMONIKA, eine POSAUNE, ein SAXOPHON, eine TROMPETE, eine TUBA und eine VIOLINE.

Schreibe einen Satz über jeden Musiker in deinen Ordner, z.B. 'OSU PANE spielt POSAUNE'.

2 Klebe Fotos von berühmten Musikern in deinen Ordner ein. Schreibe einen Satz über jeden.

z.B. Paul McCartney spielt Gitarre.

der Musiker (-) – the musician
das Instrument (-e) – the instrument
bilden – to form
die Posaune (-n) – the trombone
das Akkordeon (-s) – the accordion
das Fagott (-e) – the bassoon
die Flöte (-n) – the flute

die Gitarre (-n) – the guitar
die Harfe (-n) – the harp
die Klarinette (-n) - the clarinet
das Klavier (-e) – the piano
der Kontrabaß (¨e) – the double bass
die Laute (-n) – the lute

die Mundharmonika (-s) – the mouth-organ
das Saxophon (-e) – the saxophone
die Trompete (-n) – the trumpet
die Tuba (-en) – the tuba
die Violine (-n) – the violin
berühmt – famous

Now test yourself 3 (continued)

3 1 Der Herr, der Posaune spielt, heißt Osu Pane.
2 Die Dame, die Klarinette spielt, heißt Tina Kleert.
3 Das Fräulein, das Violine spielt, heißt Vi Enlio.

Ergänze:

4 Der Herr, der .... spielt, heißt A. Tub.

5 Die Dame, die .... spielt, heißt Lu Tea.

6 Der ...., der Kontrabaß spielt, heißt Rab Tankoß.

7 Das Fräulein, das Harfe ...., heißt H. Fera.

8 Der Herr, ... Akkordeon ...., heißt Ken Dorako.

9 Die Dame, die .... spielt, ... Monika Murhand.

10 Der ...., der .... spielt, ... Reg Rati.

11 Der Herr, ... Fagott ...., heißt ....

12 Das Fräulein, ... Saxophon ...., heißt ....

13 Der ...., ... Trompete ...., ...

14 ...., ... Klavier ...., ...

15 Die ...., ... Flöte ...., ...

Info+

~ 1956 – Eurovision: der erste
  Songwettbewerb
~ Gewinner (Länder):
  sechsmal: Irland
   fünfmal: Frankreich, Luxemburg
   viermal: Großbritannien,
       Niederlande
   dreimal: Schweden
   zweimal: Israel, Italien, Schweiz,
       Spanien
    einmal: Belgien, Dänemark,
       Deutschland, Jugoslawien,
       Österreich, Monaco,
       Norwegen
~ Gewinner (Songs)
  A-ba-ni-bi (1978)
  Boom-bang-a-bang (1969)
  Diggi-doo-diggi-ley (1984)
  Dinge-donge-dong (1975)
  La-la-la (1984)

~ weltberühmte deutsche Komponisten
  Johann Sebastian Bach (1685-1750)
  Ludwig van Beethoven (1770-1837)
  Johannes Brahms (1833-1897)
  Felix Mendelssohn (1809-1947)
  Karlheinz Stockhausen (1928-)
  Richard Wagner (1813-1883)
  Robert Schumann (1810-1856)
  Carl Maria von Weber (1786-1826)
~ weltberühmte österreichische Komponisten
  Wolfgang Amadeus Mozart (1765-1791)
  Franz Schubert (1797-1828)

der Songwettbewerb (-e) – the song-contest
der Gewinner (-e) – the winner
sechsmal – six times   **fünfmal** – five times
viermal – four times   **der Song** (-s) – the song
weltberühmt – world-famous
der Komponist (-en) – the composer
österreichisch – Austrian

Talking about music

Marijka ist an erster Stelle.
Hast du Lust, heute abend zu einem Konzert zu gehen?
Es gibt ein Rockkonzert, das um 20.30 Uhr beginnt.
Sie treffen sich um 20.15 Uhr am Busbahnhof.

Ich spiele } { Flöte.
Er/sie spielt } { Klavier.

Der Herr, der } { Posaune } spielt, heißt ......
Die Dame, die } { Klarinette }
Das Fräulein, das } { Violine }

EINHEIT 30

_T_est: Ein Wochenende in Deutschland

_H_ow to...

Was wir am Wochenende machen

- Check your progress by...
  – listening to, and reading about, what others say they're going to do
  – discussing what you'd like to do yourself, including watching TV

"
CLAUDIA
Ich gehe jedes Wochenende in unser Stadthallenbad. Dort habe ich Training. Meine Trainerin ist sehr nett. Ich nehme auch gern an Wettkämpfen teil. Obgleich ich nur einmal in der Woche schwimmen gehe, bin ich eigentlich ganz schnell.
"

"
TIMO UND MARINKO
Wing Tsun (WT) ist eine Form des Kung Fu und stammt aus China. Wir betreiben WT in Bremen-Huchting in dem Fitness-Center. Unser Trainer heißt Nils, und er ist sehr nett. Es ist jeden Samstag von 14.30 bis 16.00 Uhr. Danach ist man immer ziemlich kaputt.
"

"
ROBJA
Ich habe jeden Samstag Elektrogitarre-Unterricht. Das Lernen ist zwar nicht einfach, aber es macht riesig Spaß. Ich träume davon, irgendwann einmal mit einer Band aufzutreten, die wirklich gut und bekannt ist, so zum Beispiel wie 'Guns n' Roses'.
"

"
JANKA
Am Wochenende fährt mich meine Mutter zum Bauernhof. Ich hole mein Pferd, Eliot, aus dem Stall, führe es auf die Stallgasse und beginne es zu putzen. Dazu muß ich noch sagen, daß Eliot nur mein Pflegepferd ist. Das heißt, ich bezahle 80 DM im Monat, und kann dafür so oft reiten, wie ich will.
"

Now test yourself 1

Join up the halves correctly:
1 Wing Tsun is ...
2 Although she trains only once a week, Claudia is actually ...
3 Eliot is ...
4 After Kung Fu training, you are ...
5 Besides her swimming training, Claudia also likes to ...
6 Janka is taken to the farm by ...
7 Nils is the name of ...
8 For 80 Marks a month, Janka can ...
9 Every weekend, Claudia goes to ...
10 Robja is ...
11 When she's fetched it out of its box, Janka begins to ...
12 WT takes place in ...
13 Although learning the electric guitar isn't easy, it's ...

a ... Janka's horse.
b ... a lot of fun.
c ... a kind of Kung Fu.
d ... dreaming of one day appearing in a band.
e ... ride Eliot as often as she likes.
f ... the Kung Fu trainer.
g ... the Fitness Center.
h ... groom her horse.
i ... her mother.
j ... fairly worn out.
k ... take part in competitions.
l ... the (Municipal) swimming pool.
m ... quite quick.

---

das Stadthallenbad (¨er) – the municipal (indoor) swimming pool
die Trainerin (-nen) – the (lady) trainer
teil/nehmen (i) **an** – to take part in
obgleich – although
das Lernen – learning
zwar – of course
einfach – easy
riesig – enormous

träumen – to dream
irgendwann – at some time or other, one day
die Band (-s) – the band
auf/treten (i) – to appear
wirklich – really
so ... wie – such as
die Form (-en) – the kind
stammen aus – to come from
betreiben – to do
der Trainer (-) – the (man) trainer

danach – after that
kaputt – broken down, worn out
fahren (ä) – to drive
der Bauernhof (¨e) - the farm
der Stall (¨e) – the box, stable
putzen – to clean, groom
das Pflegepferd – the 'foster-horse'
so ... oft wie – as often as

Now test yourself 2

Wer wird was machen? G55

Höre die Kassette. Du wirst Steffi, Peter, Christina, Volker, Karsten, Anna, Dominik und Karim hören, die dir sagen werden, was sie am Wochenende tun werden. Schreibe ihre Namen in die geeigneten Kästchen: Z. B. *Steffi* wird *radfahren* und *zeichnen*.

Ergänze:

Peter, Karsten und Karim
....
werden mit Videospielen spielen.

....
werden fernsehen.

....
werden radfahren.

....
werden ihre Hausaufgaben machen.

....
werden fischen gehen.

....
werden zeichnen.

....
werden Musik hören.

das Kästchen (-) – the box
rad/fahren (ä) – to go cycling
das Videospiel (-e) – the video game
fern/sehen (ie) – to watch

Hagens Wochenende G51

Was werden Hagen und sein Freund Jan am Wochenende machen?

> *Vielleicht werden wir Musik hören,…*

> *…wenn wir Vatis Kassette benutzen dürfen!*

Absichten

Vielleicht …
… werden wir Musik hören,
… werden wir zeichnen,
… werden wir radfahren,
… werden wir unsere Hausaufgaben machen,
… werden wir mit Videospielen spielen,
… werden wir fernsehen,
… werden wir fischen gehen,

Bedingungen

… wenn Vati uns seinen Computer leiht.
… wenn ich meine Angelrute finden kann.
… wenn wir etwas Gutes im Fernsehprogramm finden können.
… wenn Mutti uns Papier und Bleistifte gibt.
… wenn wir Jans Fahrrad reparieren können.
… wenn wir Vatis Kassette benutzen dürfen.
… wenn wir Zeit haben.

Now test yourself 3

Für jede Absicht, schreibe in deinen Ordner eine geeignete Bedingung.

Z. B. Vielleicht werden wir Musik hören, wenn wir Vatis Kassette benutzen dürfen.

vielleicht – perhaps
dürfen – to be allowed to
die Absicht (-en) – the intention
die Bedingung (-en) – the condition
leihen – to lend
die Angelrute (-n) – the fishing rod
etwas Gutes – something good
das Fernsehprogramm – the TV programme
der Bleistift (-e) - the pencil
reparieren – to repair
benutzen – to use

Fernsehen

Einige Sendungen für Samstag:

	ARD	ZDF	RTL
12.30	Das Glücksrad (Spiel)		
13.45		Nachbarn (Seifenoper)	
14.00	Tiere vor der Kamera (Dokumentarfilm)		
15.55			Hawaii 5-0 (Krimiserie)
18.30	Raumschiff Enterprise (Science-Fiction-Film)		
18.50			Popeye (Trickfilm)
20.00	Die Schlagerparade (Popmusiksendung)	Die Rundschau (Nachrichten)	
20.30			Benny Hill (Show)
20.35		Rebellion (Fernsehfilm)	
22.15	Robin Hood, Rebell (Spielfilm)		
23.25			Hallo Schwester (Comedyserie)
23.45		Die Sport-Reportage (Sportsendung)	

Susan ist bei ihrer Brieffreundin Simone. Sie besprechen das Fernsehprogramm für Samstag.

Simone: Was für Sendungen siehst du gern, Susan?
Susan: Am liebsten sehe ich Trickfilme.
Simone: Es gibt 'Popeye'.
Susan: Auf welchem Kanal?
Simone: RTL.
Susan: Um wieviel Uhr?
Simone: Um achtzehn Uhr fünfzig.
Susan: Und du, Simone? Was für Sendungen siehst du gern?
Simone: Am liebsten sehe ich Seifenopern.
Susan: Es gibt 'Nachbarn'.
Simone: Auf welchem Kanal?
Susan: ZDF.
Simone: Um wieviel Uhr?
Susan: Um dreizehn Uhr fünfundvierzig.

Now test yourself 4

Erfinde Dialoge:
1 Zwischen Lubos, der am liebsten Krimiserien sieht, und Sabrina, die am liebsten Spielfilme sieht.
2 Zwischen anderen Paaren. Wähle: *Alexander (Popmusiksendungen); Axel (Fernsehfilme); Janin (Science-Fiction-Filme); Christoph (Spiele); Lea (Comedyserien): Heiko (die Nachrichten); Holger (Sportsendungen); Silke (Dokumentarfilme); (Sebastian (Shows); und du!*

das Fernsehen – television
die Sendung (-en) – the programme
die Seifenoper (-n) – the soap opera
der Dokumentarfilm (-e) – the documentary film
die Krimiserie (-n) – the police series
der Trickfilm (-e) – the cartoon
die Popmusiksendung (-en) – the pop music programme

die Nachrichten – the news
die Show (-s) – the variety show
der Fernsehfilm (-e) – the TV film
der Spielfilm (-e) – the (cinema) film
die Comedyserie (-n) – the comedy series
die Sportsendung (-en) the sports programme
der Kanal (¨e) – the channel

Ein besonderes Wochenende! G55

Next weekend is Julia's birthday. Here's how she imagines it will be.

Samstag morgen werde ich bestimmt sehr früh aufwachen. Meine Eltern werden runter gehen und die Kerzen vom Kuchen anzünden und werden mich dann runter rufen. Sie werden ein Geburtstagslied singen und dann werde ich die Geschenke auspacken. Danach werden wir frühstücken. Später werden dann meine Freunde mit Geschenken kommen, und wir werden dann zusammen meinen Geburtstag mit Musik und anderem feiern.

Abends werde ich mit meinen Eltern und meiner Schwester noch ein bißchen feiern, obwohl abends dann noch die ganzen Omas, Opas, Onkel, Tanten und Cousinen anrufen werden, um mir zu gratulieren. Meine Verwandten werden mir auch vielleicht ein Paket oder eine Karte mit Geld schicken oder sie werden am Sonntag zu Besuch kommen und mir ein Geschenk mitbringen.

Wenn mein Geburtstag zu Ende ist, bin ich immer traurig. Aber ich freue mich dann schon auf meinen nächsten Geburtstag, wo ich wieder ein Jahr älter bin und Geschenke bekomme!

Now test yourself 5

1 When will Julia wake up on Saturday?
2 What will her parents do first when they go downstairs?
3 What will they do after they've called Julia down?
4 What will Julia then do?
5 How will Julia celebrate her birthday with her friends?

6 Who will celebrate in the evening?
7 Who does she expect telephone calls from?
8 What might they send her?
9 What might they do on Sunday?
10 How does Julia say she feels when her birthday is over?

---

besonder – special
bestimmt – certainly
auf/wachen – to wake up
runter - downstairs
die Kerze (-n) – the candle
an/zünden – to light
rufen – to call
das Geschenk (-e) - the present

das Geburtstagslied (-er) – the birthday song
aus/packen – to unpack
frühstücken – to have breakfast
mit anderem – with other things
feiern – to celebrate
obwohl – although
Oma - grandma

Opa – grandpa
gratulieren – to congratulate
zu Besuch kommen - to come on a visit
mit/bringen – to bring with them
traurig – sad
sich freuen auf – to look forward to

Info+

Geräte für das Wochenende

97,6% von deutschen Haushalten haben ein Fernsehgerät (1992). 87,6% einen Fotoapparat; 83,4% ein Radio (Mono); 61,4% einen Kassettenrecorder oder ein Tonbandgerät; 52,8% eine Stereoanlage; 49,9% ein Radio (Stereo); 48,4% einen Videorecorder; 42,9% einen Diaprojektor; 41,0% – einen Plattenspieler; 31,2% einen Heimcomputer; 19,7% ein Campingzelt; 13,6% eine Videokamera.

das Tonbandgerät (-) – the tape-recorder
der Diaprojektor (-en) – the slide projector
der Plattenspieler (-) – the record-player

der Heimcomputer (-) – the home computer
die Videokamera (-s) – the video camera

Talking about the weekend

Am Wochenende
Vielleicht

werde ich
wird { er
         sie
werden { wir
           sie

Musik hören.
fernsehen.
fischen gehen.
radfahren.
zeichnen.

Wir werden Musik hören, wenn wir Vatis Kassette benutzen dürfen.
Am liebsten sehe ich Trickfilme.
Es gibt 'Popeye'. Um 18.50 Uhr. Im RTL.

Gelber Teil Ende

EINHEIT 31

*D*as hab' ich gemacht!

Ferien 1 G53–4, 56–8

How to...

- Say what you have done, or did recently
- Describe a holiday you've just had
- Say where you went and what you did

A Ich habe Gartenschach gespielt.

B Ich

Jedes Foto (A–I) illustriert einen der folgenden Sätze:

1 'Ich habe Tennis gespielt.'
2 'Ich habe im See geangelt.'
3 'Ich habe eine Kutschfahrt gemacht.'
4 'Ich habe ein Fahrrad gemietet.'
5 'Ich habe Volksmusik gehört.'
6 'Ich habe an einem Tag gekegelt.'
7 'Ich habe Gartenschach gespielt.'
8 'Ich habe eine Rundfahrt mit dem Motorboot gemacht.'
9 'Ich habe abends getanzt.'

Now test yourself 1

Schreibe jeden Satz in die geeignete Sprechblase.

---

das hab' ich gemacht – I've done it, I did it
illustrieren – to illustrate
die Kutschfahrt (-en) – the carriage-trip

die Volksmusik – folk-music
eines Tages – one day
kegeln – to play skittles
das Gartenschach – open-air chess

das Motorboot (-e) – the motor boat
die Rundfahrt (-en) – the tour

Igitt! G56–9

Herr Igitt hat eine BRATWURST gegessen. Er hat KAFFEE getrunken.

Now test yourself 2

Was haben Frau Igitt, Inge Igitt und Ingo Igitt gegessen und getrunken?
(APFELSAFT, GULASCHSUPPE, HAMBURGER, MINERALWASSER, ORANGENSAFT und
SCHINKENBROT).

Frau Igitt hat ein .... gegessen.   Sie hat .... getrunken.

Inge Igitt hat .... gegessen.   Sie hat .... getrunken.

Ingo Igitt hat einen .... gegessen.   Er hat .... getrunken.

igitt – ugh! yuk!

Now test yourself 3

Wohin? G56, 60

Jede Person (1–6) ist in den Ferien ins Ausland gefahren. Aber wohin?
Herr Jördens ist nach England gefahren.
Wohin sind die anderen gefahren?

Now test yourself 4

Ferien (2) G56–60

1 Höre die Kassette.
Angelika, Bernd, Jan, Kurt,
Karin, Helmut, Gisela und
Annegret sagen, was sie in
den Ferien gemacht haben.
Z. B. Angelika hat getanzt;
sie hat Minigolf gespielt;
und sie hat eine
Kutschfahrt gemacht.
Kreuze an, was jede Person
gemacht hat. (Tabelle A).

TABELLE A	1 Angelsport	2 Bootsvermietung	3 Kegeln	4 Minigolf	5 Radvermietung	6 Tanzen	7 Tennis	8 Volksmusik	9 Gartenschach	10 Kutschfahrten	11 Motorbootrundfahrten	12 Theater
Angelika				✔		✔				✔		
Bernd												
Jan												
Kurt												
Karin												
Helmut												
Gisela												
Annegret												

2 Tabelle B zeigt, was man in den drei Ferienorten Füssen, Hopfen und Weißensee machen kann.
Entscheide: Wohin ist jede Person gefahren? z. B. Angelika hat getanzt, Minigolf gespielt und
eine Kutschfahrt gemacht: nur in Füssen kann man alle drei machen. *Angelika ist nach Füssen
gefahren.*

TABELLE B			
Angelsport	Füssen	Hopfen	Weißensee
Bootsvermietung		Hopfen	Weißensee
Gartenschach			Weißensee
Kegeln	Füssen	Hopfen	
Kutschfahrten	Füssen		
Motorbootrundfahrten	Füssen		
Minigolf	Füssen	Hopfen	
Radvermietung		Hopfen	Weißensee
Tanzen	Füssen	Hopfen	
Tennis	Füssen	Hopfen	
Theater	Füssen		
Volksmusik		Hopfen	Weißensee

3 Schreibe in deinen
Ordner einen Satz über
jede Person: z. B. In den
Ferien ist Angelika nach
Füssen gefahren. Da hat
sie getanzt, Minigolf
gespielt und eine
Kutschfahrt gemacht.
N.B. .... *ist*
ins Theater gegangen.

an/kreuzen – to tick
das Minigolf – crazy golf
bezeichnen – to indicate

die Tabelle (-n) – the table
der Angelsport – fishing

die Bootsvermietung (-en) – the boat-hire
die Radvermietung (-en) – the bike-hire
der Ferienort (-e) – the holiday resort

Info+

Antje, Christin und Sonja G61–2

Antje

~ Am Freitag habe ich mit mehreren anderen Mädchen bei einer Freundin Fasching gefeiert. Wir haben Musik gehört, getanzt und uns mit Essen vollgestopft. Wir haben fast zwei Stunden das Spiel 'Buuh' gespielt. Wir haben alle dort übernachtet, außer Anne. Am nächsten Morgen sind wir erst um 10.30 Uhr aufgestanden und haben dann gefrühstückt. Dann sind wir mit dem Bus nach Hause gefahren und sind um 12.20 Uhr da angekommen.

Christin

~ Vor einem Jahr hat mein Vater sich ein Wohnmobil ausgebaut. In den letzten Sommerferien sind wir, mein Vater, meine Schwester und ich das erste Mal damit auf Tour gefahren. Wir sind schon um 8.00 Uhr abgefahren. Wir sind zuerst nach St. Peter gefahren. Das liegt an der Nordsee in Schleswig Holstein. Dort haben wir zwei Nächte übernachtet. Dann hat es geregnet. Deshalb sind wir weiter nach Norden gefahren. Eine Nacht haben wir in einem Feld geschlafen!

Sonja

~ Gestern bin ich sehr früh aufgestanden. Ich bin dann aus dem Bett gesprungen und in das Badezimmer gegangen und habe mich gewaschen. In meinem Zimmer habe ich mich dann angezogen. Dann bin ich in die Küche gegangen. Nachdem ich gefrühstückt habe, bin ich zum Strand gegangen. Nach dem Schwimmen habe ich gegessen. Danach habe ich mit meinem Bruder Karten gespielt.

der Fasching – carnival	**aus/bauen** – to convert	**weiter** – further
das Essen – the food	**die Sommerferien** – the summer holidays	**das Feld** (-er) – the field
voll/stopfen – to stuff full		**gestern** – yesterday
übernachten – to spend the night	**die Tour** (-en) – the tour	**springen** – to jump
erst – only	**abgefahren < ab/fahren** (ä) – to set out, leave	**der Strand** (ːe) – the beach
angekommen < an/kommen – to arrive		**das Schwimmen** – swimming
das Wohnmobil (-e) – the motor caravan	**die Nordsee** – the North Sea	

Talking about what you've done

Ich	habe	Tennis gespielt.
Er	hat	ein Wohnmobil ausgebaut.
Sie		da übernachtet.
Wir	haben	Kaffee getrunken.
Ich	bin	ins Theater gegangen.
Er	ist	nach Deutschland gefahren.
Sie		um 10.30 Uhr aufgestanden.
Wir	sind	um 12.20 Uhr angekommen.

Beziehungen

How to...

- **Say how well you get on with your parents, and others**
- **Say what they're like with you**
- **Say when they get annoyed**

Eltern G70, 74

Wir haben eine Gruppe von jungen Leuten gefragt:

1 'Wie kommst du mit deinem Vater aus?'
2 'Wie kommst du mit deiner Mutter aus?'
3 'Wie ist dein Vater zu dir?'
4 'Wie ist deine Mutter zu dir?'

Hier sind die Ergebnisse unserer Umfrage:

1 'Wie kommst du mit deinem Vater aus?'	
'Ich komme mit ihm sehr gut aus'	27%
'Ich komme mit ihm ziemlich gut aus'	48%
'Ich komme mit ihm nicht sehr gut aus'	8%
'Ich komme mit ihm sehr schlecht aus'	5%
'Ich habe keinen Vater'	12%

2 'Wie kommst du mit deiner Mutter aus?'	
'Ich komme mit ihr sehr gut aus'	33%
'Ich komme mit ihr ziemlich gut aus'	46%
'Ich komme mit ihr nicht sehr gut aus'	7%
'Ich komme mit ihr sehr schlecht aus'	6%
'Ich habe keine Mutter'	8%

3 'Wie ist dein Vater zu dir?'	
'Er ist lieb zu mir'	21%
'Er ist freundlich zu mir'	25%
'Er ist geduldig mit mir'	19%
'Er ist ungeduldig mit mir'	20%
'Er ist zu streng mit mir'	11%
'Er ist gemein zu mir'	4%

4 'Wie ist deine Mutter zu dir?'	
'Sie ist lieb zu mir'	27%
'Sie ist freundlich zu mir'	21%
'Sie ist geduldig mit mir'	32%
'Sie ist ungeduldig mit mir'	6%
'Sie ist zu streng mit mir'	12%
'Sie ist gemein zu mir'	2%

Now test yourself 1

1 In your Dossier, note what percentage of the interviewees said they ...

1 got on very well with their father?
2 got on fairly well with their mother?
3 got on very badly with their mother?
4 didn't get on very well with their father?
5 got on very well with their mother?
6 didn't get on very well with their mother?
7 got on fairly well with their father?
8 got on very badly with their father?
9 didn't have a father?
10 didn't have a mother?

What percentage said that ...

11 their father was impatient with them?
12 their mother was patient with them?
13 their father was kind to them?
14 their father was nasty to them?
15 their mother was impatient with them?
16 their father was too strict with them?
17 their mother was nice to them?
18 their mother was nasty to them?
19 their father was nice to them?
20 their mother was kind to them?
21 their mother was too strict with them?
22 their father was patient with them?

2 Ask your friends the same questions – in German, of course!

---

die Beziehung (en) (-se) – the relationship
aus/kommen mit – to get on with

jung – young
freundlich – kind, friendly

ungeduldig – impatient
gemein – nasty

Now test yourself 2

Höre die Kassette.
Paul, Ute, Manfred und Jutta sagen, wie sie mit ihren Eltern auskommen.
Ergänze die Sätze (rechts) mit:

sehr gut, ziemlich gut, nicht sehr gut, sehr schlecht, lieb, freundlich, geduldig, ungeduldig, zu streng, gemein.

Wie kommst du mit deinen Eltern aus?

Mit seinem Vater kommt Paul .... aus. Er findet ihn .... aber ....

Mit seiner Mutter kommt er .... aus. Er findet sie .... und ....

Mit ihrem Vater kommt Ute .... aus. Sie findet ihn .... und ....

Mit ihrer Mutter kommt sie auch .... aus. Sie findet sie .... und ....

Mit seinem Vater kommt Manfred .... aus. Er findet ihn .... und ....

Mit seiner Mutter kommt er .... aus. Er findet sie .... und ....

Mit ihrem Vater kommt Jutta .... aus. Sie findet ihn .... aber ....

Mit ihrer Mutter kommt sie .... aus. Sie findet sie .... und ....

Und du:

Mit meinem Vater komme ich .... aus. Ich finde ihn .... und/aber ....

Mit meiner Mutter komme ich .... aus. Ich finde sie .... und/aber ....

Sei nicht böse! G36–7

Von Zeit zu Zeit sind Eltern böse auf ihre Kinder.

Now test yourself 3

1 Welcher von den folgenden Sätzen (A–I) paßt zu welcher Zeichnung (1–9) links?
A Ich sehe den ganzen Tag fern.
B Ich räume mein Zimmer nicht auf.
C Ich ärgere meine Schwester.
D Ich bekomme eine schlechte Note.
E Ich esse mein Essen nicht auf.
F Ich komme abends zu spät nach Hause.
G Ich verhaue meinen Bruder.
H Ich höre nicht auf sie.
I Ich borge mir seine Kleidung.

2 Kopiere die Zeichnungen in deinen Ordner.

3 Schreibe unter jede Zeichnung einen wenn-Satz.
z.B. (Nummer 1): Meine Eltern sind böse auf mich, wenn ich eine schlechte Note bekomme.

sei! – be!	**auf/essen** (i) – to eat up	**kopieren** – to copy
böse (auf) – angry (with)	**verhauen** – to beat up	**der wenn-Satz** (-e) – the sentence
die Note (-n) – the mark	**sich borgen** – to borrow	including 'wenn'

Now test yourself 4

Die Seufzerspalte

Ein Spiel für zwei Personen. Ihr braucht einen Würfel und 2 Spielmarken.
Spieler A setzt seine Marke auf START A.
Spieler B setzt seine Marke auf START B.
Spieler A würfelt, geht mit seiner Marke vor, und liest sein Problem

vor, z.B. 'Mein Lehrer ärgert sich über meine schlechten Noten. Eine Lösung, bitte!'
Dann würfelt Spieler B, geht mit seiner Marke vor und liest die Lösung
vor, z.B., 'Ärgere ihn nicht! Er hat weniger Geld als du!'

> Mein Lehrer ärgert sich über mich über meine schlechten Noten!

> Ärgere ihn nicht! Er hat weniger Geld als du!

PROBLEME

START A ▼

Eine Krise! Meine Kusine (5) verhaut mich die ganze Zeit! Was tun?	Mein Vater wird böse auf mich, wenn ich ihn um mehr Taschengeld bitte!
Ein unlösbares Problem! Mein(e) Freund(in) will nicht mehr mit mir ausgehen!	Meine Großmutter will ihr Essen nicht aufessen. Hilfe, bitte!
Helfen Sie mir, bitte! Mein Großvater (99) will mir sein Fahrrad nicht leihen!	Mein Bruder ärgert sich, wenn ich ihn verhaue. Geben Sie mir einen Rat!
Meine Mutter sieht die ganze Zeit fern, anstatt mein Zimmer aufzuräumen!	Eine Katastrophe! Mein Vater wird böse auf mich, wenn ich nachts um 2.00 Uhr nach Hause komme!
Oh je! Mein Lehrer ärgert sich über meine schlechten Noten! Eine Lösung, bitte!	Eine kleine Krise! Mein Onkel will mir seine Kleidung nicht leihen!

LÖSUNGEN

START B ▼

Es gibt kein Problem! Bleibe zu Hause und mache deine Hausaufgaben!	Konzentriere dich auf deine Arbeit in der Schule!
Gehe nicht mehr mit ihm/ihr aus! In seinem /ihrem Alter braucht er/sie Zeit, um sich auszuruhen!	Versuche ihn/sie nicht zu verhauen! Er/sie ist stärker als du!
Ärgere ihn/sie nicht! Er/sie hat weniger Geld als du!	Sei geduldig! Ärgere ihn/sie nicht!
Sei nett! Klaue ihm/ihr die Kleidung weniger oft. Er/sie hat nicht viel!	Vergiß nicht! Er/sie ist viel älter als du!
Ich verstehe! Aber vergiß nicht - er/sie hat auch Probleme!	Die Lösung ist einfach. Iß alles auf, was du auf dem Teller findest!

---

die Seufzerspalte (-n) – the agony column
die (Spiel)marke (-n) – the counter
vor/gehen – to move forwards
sich ärgern über – to get annoyed about
die Lösung (-en) – the solution
die Krise (-n) – the crisis

was tun? – what shall I do?
unlösbar – insoluble
nicht mehr – no longer
aus/gehen – to go out
anstatt zu – instead of
die Katastrophe (-n) – the catastrophe

nachts – at night
der Rat – the advice
bitten um – to ask for
klauen – to 'pinch'
vergessen (i) – to forget
der Teller (-) – the plate
stärker – stronger

Meine Eltern und ich

Udo schreibt über seine Beziehung zu seinen Eltern

'Mit meinem Vater komme ich ziemlich gut aus. Er ist zu streng mit mir, aber er ist nett. Er wird böse auf mich, wenn ich schlechte Noten bekomme oder wenn ich ihm mein Zimmer nicht aufräume. Mit meiner Mutter komme ich nicht sehr gut aus. Sie ist nett, aber sie ist sehr ungeduldig. Sie wird böse auf mich, wenn ich mein Essen nicht aufesse oder wenn ich den ganzen Tag fernsehe'.

Now test yourself 5

Schreibe 60–70 Wörter über 'Meine Eltern und ich' in deinen Ordner.

Info+

Freunde

Ich habe mehrere Freunde und Freundinnen, doch ich rede nur mit meinen besten Freundinnen über meine Geheimnisse. Ich kann mit ihnen über alles sprechen, egal ob Schule, Jungs oder Familie. Auch unsere Probleme besprechen wir untereinander. Ich kann mir ein Leben ohne Freunde und Freundinnen nicht vorstellen.

Natürlich streiten wir uns auch und haben Meinungsverschiedenheiten, aber wer hat die nicht?

Manchmal treffen wir uns auch nachmittags, um schwimmen zu gehen. Die meiste Zeit aber sehen wir uns in der Schule.

Wenn ich mich mit meiner Freundin zum Lernen verabrede, kommen wir oft nicht dazu, da wir die Zeit zum Reden benutzen! Doch es macht Spaß, und es gibt immer viel zu lachen. In die Stadt fahren wir auch zusammen, um uns Klamotten zu kaufen, dann beraten wir uns immer gegenseitig. Ins Kino gehen wir natürlich auch.

Die Meinung meiner Freunde ist mir total wichtig. Insgesamt sind wir uns ziemlich ähnlich, ich meine mit unseren Ansichten. Ich glaube, keiner von uns würde den anderen im Stich lassen. Am allerwichtigsten ist, daß man sich vertrauen kann.

Anne-Kathrin.

doch – yet, but	**die Meinungsverschiedenheit** (-en) – the difference of opinion	**die Meinung** (-en) – the opinion
reden – to talk		**sich beraten** (ä) – to advise each other
best – best	**die meiste Zeit** – most of the time	
das Geheimnis (-se) – the secret		**ähnlich** – similar
egal ob – no matter whether	**sich verabreden** – to arrange to meet	**die Ansicht** (-en) – the opinion
der Junge (-n/Jungs) – the boy		**würde** – would
untereinander – amongst ourselves	**wir kommen nicht dazu** – we don't manage it	**im Stich lassen** – to let down
das Leben – the life	**das Reden** – talking	**am allerwichtigsten** – most important of all
ohne – without	**lachen** – to laugh	**sich vertrauen** – to trust each other
sich streiten – to quarrel	**die Klamotte** (-n) – stuff, gear	

Talking about relationships

Ich komme mit meinem Vater	sehr gut aus.	Ich finde	ihn	nett.
Er kommt mit seiner Mutter	ziemlich gut aus.	Er findet	sie	zu streng.
Sie kommt mit ihren Eltern	nicht sehr gut aus.	Sie		

Mein Vater	ist böse auf mich, wenn ich	den ganzen Tag fernsehe.
Meine Mutter		mein Zimmer nicht aufräume.

EINHEIT 33

*H*ilfe!

Im Fundbüro G56, 59, 62

Auf den Bildern (1-8) unten sind: eine Armbanduhr, eine Brille, ein Fahrrad, ein Fotoapparat, Handschuhe, ein Paß, Schlüssel und ein T-Shirt.

How to...

- Say what you've lost or had stolen
- Give an idea of when and where it happened
- Describe the items in question
- Get things repaired and cleaned

MONTAG ① auf der Straße	**DONNERSTAG** ② im Autobus
SONNTAG ③ am Supermarkt	**FREITAG** ④ in der Bank
DIENSTAG ⑤ auf dem Campingplatz	**SONNTAG** ⑥ am Bahnhof
SAMSTAG ⑦ im Freibad	**MITTWOCH** ⑧ auf der Post

Now test yourself 1

1 Ergänze:

Auf Bild 1 ist der.....*Fo*.....................

Auf Bild 2 ist die.................................

Auf Bild 3 ist das.................................

Auf Bild 4 sind die...............................

Auf Bild 5 ist der ....

Auf Bild 6 ist das ....

Auf Bild 7 ist die ....

Auf Bild 8 sind die ....

Dialog im Fundbüro:
- Ich habe meinen Fotoapparat verloren!
- Wo denn?
- Auf der Straße.
- Und wann?
- Am Montag.

2 Erfinde ähnliche Dialoge für die Gegenstände 2–7.

3 *Your dad's unlucky! You tell a German friend*: 'Am Montag hat er auf dem Campingplatz seinen Paß verloren!' *Unfortunately, he's also lost (1) his glasses (in the bank on Tuesday); (2) his gloves (on the bus on Sunday); (3) his camera (at the post-office on Thursday; and (4) his bike (in the street on Tuesday). What do you tell your German friend?*

---

das Fundbüro (-s) – the lost-property office
die Armbanduhr (-en) – the wrist-watch

verloren < verlieren – to lose
der Gegenstand (¨e) – the object, thing

Haltet den Dieb!

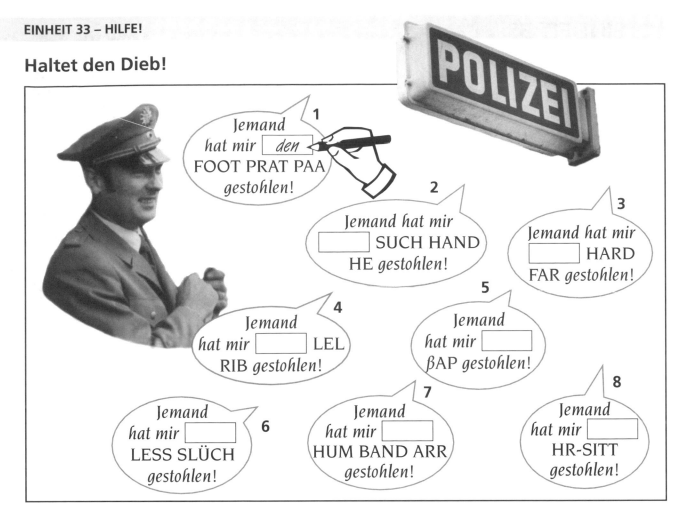

1 = Jemand hat mir den FOTOAPPARAT gestohlen!

Now test yourself 2

Was sagen eigentlich die anderen (2–8)?

haltet den Dieb! – stop thief!   **gestohlen < stehlen** (ie) – to

Beschreibungen

Wenn du etwas verloren hast oder wenn man dir etwas gestohlen hat, mußt du es beschreiben. Hier sind Beschreibungen von acht Gegenständen. Nummer 1, z. B. = die Handschuhe.

1 Braun. Aus Leder.
2 Weiß. Aus Baumwolle.
3 Ein BMX.
4 Für meine Wohnung und mein Auto.
5 Digital.
6 Englische Staatsangehörigkeit.
7 Mit Plastikrahmen.
8 Yashica. 35 mm.

Now test yourself 3

Und die anderen (2–8)?

die Leder – leather   **der Baumwolle** – cotton   **der Plastikrahmen** (-) – the plastic frame

Kaputt! G63, 70

– Mein Kassettenrecorder ist kaputt.
– Seit wann?
– Seit zwei Tagen. Können Sie ihn in Ordnung bringen?
– Ich werde es versuchen.
– Wann kann ich ihn abholen?
– In einer Woche.

– Meine Armbanduhr ist kaputt.
– Seit wann?
– Seit gestern. Können Sie sie in Ordnung bringen?
– Ich werde es versuchen.
– Wann kann ich sie abholen?
– Heute nachmittag.

– Mein Fahrrad ist kaputt.
– Seit wann?
– Seit Samstag. Können Sie es in Ordnung bringen?
– Ich werde es versuchen.
– Wann kann ich es abholen?
– Morgen.

seit einem Monat

in einigen Tagen

1

seit vorgestern

seit den Ferien

nächsten Montag 2

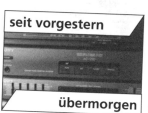

übermorgen 3

Now test yourself 4

Dein Radio (1), dein Fotoapparat (2) und deine Stereoanlage (3) sind auch kaputt. Erfinde Dialoge.

seit wann? – since when?
wann? – when?
heute nachmittag – this afternoon
morgen – tomorrow
vorgestern – the day before yesterday
übermorgen – the day after tomorrow

Die Reinigung G32, 86

– Ich möchte diesen Pulli reinigen lassen.
– Ja. Bis wann?
– Morgen. Ist das möglich?
– Natürlich.
– Was wird es kosten?
– Drei Mark.

Now test yourself 5

You want to have cleaned:
1 – a dress (for this afternoon);
2 – a jacket (for tomorrow);
3 – an overcoat (for next Monday);
4 – a pair of trousers (for the day after tomorrow); and
5 – a skirt (for next Wednesday).
Make up the dialogues at the dry-cleaner's.

die Reinigung – the (dry-)cleaner's
reinigen lassen – to have cleaned
bis wann? – by when?

Now test yourself 6

Probleme G32

Listening to the Cassette, note down in your Dossier the answers to the following questions:

1 What has Andrea had stolen?
2 Where?
3 When?
4 Describe two of its features.
5 What has Mrs Gabriel lost?
6 Describe two of its features.

7 What has Sean broken?
8 How long has it been broken?
9 When can he come to collect it?
10 What does Mr Thompson want to have cleaned?
11 For when?
12 What will it cost?

Info+

Etwas machen lassen G32

etwas machen lassen – to have something done   reparieren – to repair   entwickeln – to develop

Talking about your problems

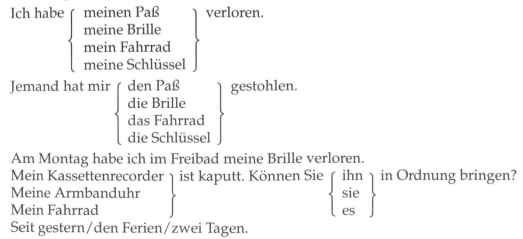

Ich habe { meinen Paß / meine Brille / mein Fahrrad / meine Schlüssel } verloren.

Jemand hat mir { den Paß / die Brille / das Fahrrad / die Schlüssel } gestohlen.

Am Montag habe ich im Freibad meine Brille verloren.
Mein Kassettenrecorder } ist kaputt. Können Sie { ihn } in Ordnung bringen?
Meine Armbanduhr } { sie }
Mein Fahrrad } { es }
Seit gestern/den Ferien/zwei Tagen.

EINHEIT 34

*T*opfit

How to...

- **Talk about sport and what you do to keep fit**
- **Find out about swimming**

Was machst du, um fit zu bleiben?

Fitneß G63

Ich spiele Fußball	Ich turne	Ich spiele Handball	Ich betreibe Taekwon-Do
Ich laufe Schlittschuh	Ich spiele Volleyball	Ich betreibe Gewichtheben	Ich laufe Rollschuh

Armed with the following information, we interviewed some young people about how they kept fit: asking them what they did, how often (and on what days), and how long they'd been doing it.

Participant	Activity	Day(s)	How long?
Simone	Ice-skating	Mon, Wed	3 years
Timo	Volleyball	Tue, Fri, Sat	6 months
Sonja	Gymnastics	Sun	4 years
Karsten	Taekwon-Do	Mon, Thu	10 months

Ein Interview mit Simone

Interviewer: Simone – was machst du, um fit zu bleiben?
Simone: Ich laufe Schlittschuh.
Interviewer: Wie oft?
Simone: Zweimal in der Woche – jeden Montag und jeden Mittwoch.
Interviewer: Seit wann läufst du Schlittschuh?
Simone: Seit drei Jahren.

Now test yourself 1

1 Make up interviews with Timo, Sonja, and Karsten.

2 Listen to the Cassette, and fill in the grid below (in English) about what Henrike, Holger, Tanja and Sebastian do to keep fit.

Participant	Activity	Day(s)	How long?
Henrike			
Holger			
Tanja			
Sebastian			

topfit – on top form
fit – fit
die Fitneß – fitness

turnen – to do gymnastics
betreiben – to do, go in for
Schlittschuh laufen (äu) – to ice-skate

das Gewichtheben – weightlifting
Rollschuh laufen (äu) – to roller-skate

Schwimmen G77

Städtisches
Hallenbad Füssen
(Robert-Schmid-Bad)
Feistlestraße 5
8958 Füssen
Telefon 08362-7124

Öffnungszeiten: Schwimmen	
Montag	geschlossen
Dienstag	6.45 – 22.00 Uhr
Mittwoch	13.00 – 22.00 Uhr
Donnerstag	13.00 – 22.00 Uhr
Freitag	13.00 – 24.00 Uhr
Samstag	10.00 – 18.00 Uhr
Sonntag	10.00 – 18.00 Uhr
Feiertage	10.00 – 18.00 Uhr

Öffnungzeiten: Sauna		
Damen:	Dienstag	10.00 – 22.00 Uhr
	Mittwoch	18.00 – 22.00 Uhr
Herren:	Donnerstag	14.00 – 22.00 Uhr
Gemischt:	Mittwoch	14.00 – 18.00 Uhr
	Freitag	20.30 – 24.00 Uhr
	Samstag	10.00 – 18.00 Uhr
	Sonntag	10.00 – 18.00 Uhr
	Feiertage	10.00 – 18.00 Uhr
Familie:	Freitag	14.00 – 20.30 Uhr

Während der Schulferien (Ostern, Pfingsten, Weihnachten), vom 1.7. bis 20.9 und an allen anderen schulfreien Tagen sind alle Anlagen bereits ab 10.00 Uhr geöffnet.

Eintrittspreise:	Erwachsene und Jugendliche ab 16 Jahren	Kinder und Jugendliche bis 16 Jahre
Einzelpreis	5,00	4,00
10 Bäder	45,00	35,00
Sauna einzeln	10,00	
Sauna 10 Bäder	85,00	
Solarium	5,00	

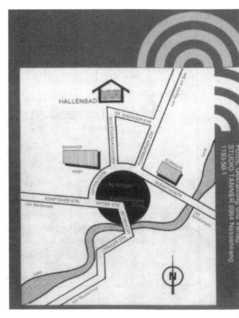

– Kinder bis zum 6. Lebensjahr haben freien Eintritt.
– Jahreskarten – Verkauf im Rathaus.
– Verlorene Schlüssel für Garderobenschrank : DM 30,-
– Bademützen sind vorgeschrieben.

Sonstige Informationen
Wassertemperatur: 28 °C. Lufttemperatur: 31 °C.
Schwimmbecken: 25m x 12,5m. Tiefe: 1,30m – 12,5m.
Sprungturm: 1 – 3m. Badezeit: Schwimmen – 3 Stunden. Sauna – keine zeitliche Begrenzung.

Schwimmverein
Training des Schwimmvereins: Dienstag von 17.30 bis 19.30 Uhr, Mittwoch + Freitag von 17.30 bis 19.45 Uhr.

Now test yourself 2

Das Hallenbad

1 At what times of the year is the pool open every day (except Monday) at 10 p.m.?

2 Between what hours can you swim on a Thursday?

3 How long a) can you swim for? b) stop in the sauna?

4 On what day is the pool closed?

5 On what days can you swim between 10 a.m. and 6 p.m.?

6 What can you buy in the town-hall?

7 What is obligatory?

8 What measures a) 1 – 3m? b) 1,30m – 12,5m? c) 25m x 12,5m? d) 28 C? e) 31 C?

9 What happens between 5.30 pm and 7.30 on a Wednesday?

10 When would you have to pay 30 DM?

11 Who gets what for a) 4.00 DM? b) 45.00 DM? c) 10.00 DM? d) nothing?

12 Who's the sauna for a) on Thursday? b) on Tuesday? c) from 2 p.m. to 8.30 p.m. on Friday? d) after 8.30 on Friday?

Mach mit – leb' mit

das Hallenbad (¨er) – the indoor swimming-pool
städtisch – municipal
der Feiertag (-e) – the public holiday
geschlossen – closed
gemischt – mixed
während – during
die Schulferien – the school-holidays
ein schulfreier Tag – a day when schools are closed
bereits – already
der/die Jugendliche (-n) – the young person

der Einzelpreis (-e) – the single ticket
einzeln – single
bis zum 6. Lebensjahr – up to the age of 6
der Eintritt – admission
die Jahreskarte (-n) – the annual ticket
der Verkauf – the sale
der Garderobenschrank (¨) – the (clothes) locker
die Bademütze (-n) – the swimming cap
vorgeschrieben – obligatory
sonstig – other

die Temperatur – the temperature
die Luft – the air
das Schwimmbecken (-) – the pool
die Tiefe (-n) – the depth
der Sprungturm (¨e) – the diving board
die Badezeit (-en) – the time for swimming
die zeitliche Begrenzung (-en) – the time-limit
der Schwimmverein (-e) – the swimming-club

Ulis Nachricht

Eine verschlüsselte Nachricht

01 02	03 04 05 06 07 03	08 01	09 10 11 07 09 11 12 13
U M	T O P F I T Z	B L E	N ,

10 14 01 06 11	07 15 16	17 15 16 10 07 03 03 17 15 16 01 16 18	07 12
A	C H	S	

19 11 20	17 03 14 19 03	16 14 09 11 12	21 07 20	11 07 12
D R			W	

17 15 16 22 12 11 17   17 05 04 20 03 08 11 12 03 20 01 02 13   01 12 19
Ö

19 14 16 07 12   23 11 16 11   07 15 16   08 21 11 07 02 14 10   07 12
G

19 11 20   21 04 15 16 11   24   25 11 19 11 12   02 07 03 03 21 04 15 16
- J

01 12 19   25 11 19 11 12   17 14 02 17 03 14 23 18   19 14 17

02 14 15 16 11   07 15 16   17 11 07 03   08 21 11 07

25 14 16 20 11 12 18

Now test yourself 3

1 Entschlüssele Ulis Nachricht.

2 Schreibe in deinen Ordner 25–30 Wörter darüber, wie *du* fit bleibst.

verschlüsselt – in code
die Nachricht (-en) – the message, piece of news

entschlüsseln – to decode
schreibe darüber, wie… – write about how you…

Info+

Mitglieder von deutschen Sportvereinen

Fußball	5 328 748	Schwimmen	617 776	Segeln	177 823	Rudern	76 501
Turnen	4 336 284	Sportfischer	605 811	Golf	163 222	Hockey	58 255
Tennis	2 307 851	Lebensrettung	510 784	Eissport	155 032	Amateurboxen	51 840
Schützen	1 425 883	Volleyball	444 208	Radsport	146 889	Taekwondo	41 293
Handball	821 160	Judo	290 516	Basketball	137 456	Squash	26 511
Leichtathletik	850 810	Kegeln	286 028	Karate	122 529	Fechten	26 489
Tischtennis	761 751	Tanzsport	224 308	Kanu	111 371	Billard	26 482
Skisport	684 282	Behindertensport	207 704	Schach	97 624	Rollsport	22 430
Reiten	620 520	Badminton	184 774	Ringen	77 436		

der Verein (-e) – the club
Schützen – rifle club
die Lebensrettung – life-saving

der/die Behinderte (-n) – the
  handicapped person
das Ringen – wrestling

das Rudern – rowing
das Fechten – fencing

Talking about sport and keeping fit

Um fit zu bleiben, { spiele ich Fußball.
                  betreibe ich Gewichtheben.
                  laufe ich Schlittschuh.

Das mache ich { einmal/zweimal/ dreimal in der Woche.
               seit { einem Monat, einem Jahr.
                     zwei Monaten, zwei Jahren.

Arbeit und Berufe

How to...

- Say what people do at work, and where
- Say what their jobs are called
- Say what you'd like to do, and why

Berufe G17, 72

Reg Nuinie ist Ingenieur. (Aus den Buchstaben im Namen REG NUINIE kannst du den Beruf INGENIEUR machen).

Reg Nuinie ist Ingenieur!

Er arbeitet in einer Fabrik mit Maschinen!

Now test yourself 1

1 Welche Berufe haben die Personen A–I, unten? (Elektriker, Fleischer, Gärtner, Ingenieur, Krankenschwester, Lehrerin, Postangstellte, Putzfrau, Sekretärin).

A Reg Nuinie	**B** Leni Herr	**C** Ches Friel
D Petal Songsleett	**E** Ritä Snerke	**F** Ike Errketl
G Zufa Prut	**H** Karen Shweckstern	**I** Reg Tärn

2 Wenn man nicht weiß, wie ein Beruf heißt, kann man sagen, wo jemand arbeitet oder was er/sie macht. Welche Definition (1–9) beschreibt welchen Beruf (A–I)? z.B. 5 = A.

❶ *Er verkauft Fleisch.*

❷ *Sie sorgt für kranke Leute.*

❸ *Sie arbeitet in einem Büro.*

❹ *Er arbeitet mit Strom und Lampen.*

❺ *Er arbeitet in einer Fabrik mit Maschinen.*

❻ *Sie macht Häuser sauber.*

❼ *Er pflanzt Blumen und Bäume.*

❽ *Sie arbeitet in einer Schule mit Kindern.*

❾ *Sie verkauft Briefmarken!*

3 Schreibe in deinen Ordner einen Satz über jeden Beruf A–I.
z.B. Ein Ingenieur ist ein Mann, der in einer Fabrik mit Maschinen arbeitet.

---

der Elektriker (-) – the electrician
der Fleischer (-) – the butcher
der Gärtner (-) – the gardener
die Krankenschwester (-n) – the nurse
die Postangestellte (-n) – the (lady) post-office worker

die Putzfrau (-en) – the cleaning-lady
die Sekretärin (-nen) – the (lady) secretary
weiß < wissen – to know
die Definition (-en) – the definition

die Fabrik (-en) – the factory
die Maschine (-n) – the machine
sorgen für – to look after
das Büro (-s) – the office
pflanzen – to plant
die Pflanze (-n) – the plant

Karrieren G5, 33

Name	Was ist dein Vater von Beruf?	Was ist deine Mutter von Beruf?	'A' Welchen Beruf möchtest du ergreifen?	Warum?
Udo	Elektriker	Postangestellte	Fu	Ich finde kleine Kinder süß.
Gisela	Bankangestellter	Krankenschwester		Ich schreibe gern Geschichten.
Lina	Polizist	Hausfrau		Ich will in alten Pyramiden herumlaufen.
Rudi	Büroangestellter	Altenpflegerin		Ich will viel von der Welt sehen.
Gerda	Arbeitslos	Kosmetikerin		Ich will für Tiere sorgen.
Helga	Architekt	Hausfrau		Ich will anderen helfen.
Hans	Zahnarzt	Sekretärin		Ich will viel Geld verdienen.
Jürgen	Elektriker	Putzfrau		Ich will mit anderen zusammen sein.
Ursula	Lehrer	Lehrerin		Ich habe Spaß daran, Entwürfe zu machen.
Karl-Heinz	Werkzeugmacher	Polizistin		Ich will viele Menschen kennenlernen.

Now test yourself 2

1 Höre die Kassette. Schreibe in Spalte 'A', welchen Beruf jede Person ergreifen möchte. (Archäologin, Autorin, Dolmetscher, Fußballer, Ingenieur, Kinderärztin, Pilot, Schauspielerin, Sozialarbeiterin, Tierarzt). z.B. Udo will Fußballer werden.

Zeichne eine Linie, um zu zeigen, warum jede Person den Beruf ergreifen möchte.
z.B. (Udo) Ich will viel Geld verdienen.

Now test yourself 2 (continued)

2 Answer the following questions, in English, in your Dossier.
1 Why does Udo want to be a footballer? 2 What does his mother do? 3 What does Helga want to be? 4 Why? 5 Whose parents are both teachers? 6 What reason does she give for going in for her career? 7 Whose father works in an office? 8 What does his mother do? 9 Whose father is a toolmaker? 10 What does he want to do himself? 11 Who wants to be a children's doctor? 12 Why? 13 Whose parents are a bank official and a nurse? 14 What does she want to do? 15 Who wants to be a vet? 16 What's his mother's job? 17 Who wants to get to know a lot of people? 18 What career does she want to have? 19 Who likes designing things? 20 What's his father's job?

3 Ein Interview mit Udo:

Interviewer:	Udo – was ist dein Vater von Beruf?
Udo:	Er ist Elektriker.
Interviewer:	Und deine Mutter?
Udo:	Sie ist Postangestellte.
Interviewer:	Welchen Beruf hoffst du zu ergreifen?
Udo:	Ich hoffe, Fußballer zu werden.
Interviewer:	Warum?
Udo:	Weil ich viel Geld verdienen will!

Erfinde Interviews mit Gisela, zwei anderen, und mit dir selbst!

---

die Karriere (-n) – the career
was ist dein Vater von Beruf? – what is your father's job?
ergreifen – to take up
der/die Bankangestellte (-n) – the bank official
die Geschichte (-n) – the story
der Polizist (-en) – the policeman
die Hausfrau (-en) – the housewife
die Pyramide (-n) – the pyramid
herum/laufen (äu) – to run around
der/die Büroangestellte (-n) – the office-worker

die Altenpflegerin (-nen) – the geriatric nurse
die Kosmetikerin (-nen) – the beautician
der Architekt (-en) – the architect)
ich habe Spaß daran – I enjoy
der Entwurf (¨e) – the design
der Werkzeugmacher (-) – the toolmaker
die Polizistin (-nen) – the lady police-officer
die Spalte (-n) – the column
die Archäologin (-nen) – the lady archeologist

die Autorin (-nen) – the authoress
der Dolmetscher (-) – the interpreter
die Kinderärztin (-nen) – the children's doctor, paediatrician
der Pilot (-en) – the pilot
die Schauspielerin (-nen) – the actress
die Sozialarbeiterin (-nen) – the lady social-worker
mit dir selbst – with yourself

Info+

Unsere zukünftigen Berufe

Wir haben 68 junge Leute in Fellbach und Weyhe gefragt: 'Welchen Beruf willst du ergreifen?' Hier sind die Ergebnisse der Umfrage:

Ich weiß noch nicht – 16. Tierarzt/Tierärztin – 6. Ingenieur/Ingenieurin – 5. Etwas mit Zeichnen – 2. Fotograf/Fotografin – 2. Friseur/Friseuse – 2. Lehrer/Lehrerin – 2. Pilot – 2. Schauspielerin – 2. Etwas mit Computern – 2. In einem Hotel – 2. Architekt – 1. Archäologin – 1. Bankangestellter – 1. Chemiker – 1. Designer – 1. Dolmetscher – 1. Elektroniker – 1. Etwas mit Kindern – 1. Etwas mit Latein und Biologie – 1. Etwas mit Leuten – 1. Etwas mit Pferden – 1. Etwas mit Technik – 1. Fußballer – 1. In einem Büro - 1. In einem Reisebüro – 1. Kaufmann – 1. Kinderarzt – 1. Kosmetikerin – 1. Polizist – 1. Raumfahrttechniker – 1. Rechtsanwalt – 1. Steuerberaterin – 1. Stewardeß – 1. Töpferin – 1. Umweltschützer – 1.

der Ingenieur (-e)/**die Ingenieurin** (-nen) – the engineer
der Friseur (-e)/**die Friseuse** (-n) – the hairdresser
der Fotograf (-en)/**die Fotografin** (-nen) – the photographer
der Chemiker (-) – the chemist
der Designer (-) – the designer

der Elektroniker (-) – the electronics engineer
die Technik – technology
der Kaufmann (die Kaufleute) – the businessman
der Raumfahrttechniker (-) – the space technician
der Rechtsanwalt (⸚e) – the lawyer

die Steuerberaterin (-nen) – the tax adviser
die Stewardeß (-en) – the stewardess
die Töpferin (-nen) – the (lady) potter
der Umweltschützer (-) – the environmentalist

Definitionen G72

Ein Mann, der Werkzeuge macht, ist ein WERKZEUGMACHER.

Now test yourself 3

Was sind die anderen? Unter * findest du einen guten Grund, einen Beruf zu ergreifen.

	*
Ein Mann, der Werkzeuge macht.	W E R K Z E U G M A C H E R
Ein Mann, der mit Maschinen arbeitet.	_ _ _ _ _ _ _ _
Ein Mann, der Diebe festnimmt.	_ _ _ _ _ _ _
Eine Frau, die für alte Leute sorgt.	_ _ _ _ _ _ _ _ _ _ _ _ _
Ein Mann, der Häuser entwirft.	_ _ _ _ _ _ _ _
Eine Frau, die in Pyramiden herumläuft.	_ _ _ _ _ _ _ _ _ _
Ein Mann, der Fleisch verkauft.	_ _ _ _ _ _ _
Eine Frau, die im Theater spielt.	_ _ _ _ _ _ _ _ _ _ _
Ein Mann, der ein Flugzeug fliegt.	_ _ _ _ _
Ein Mann. der für unsere Zähne sorgt.	_ _ _ _ _ _
Eine Frau, die Diebe festnimmt.	_ _ _ _ _ _ _ _
Eine Frau, die für die Familie und den Haushalt sorgt.	_ _ _ _ _ _ _
Ein Mann, der mehrere Sprachen spricht.	_ _ _ _ _ _ _ _ _ _ _
Ein Mann, der für Tiere sorgt.	_ _ _ _ _ _ _
Eine Frau, die für kranke Kinder sorgt.	_ _ _ _ _ _ _ _ _ _ _
Eine Frau, die Bücher schreibt.	_ _ _ _ _ _ _
Ein Mann, der Blumen pflanzt.	_ _ _ _ _ _ _
Ein Mann, der mit Kindern in einer Schule arbeitet.	_ _ _ _ _ _
Eine Frau, die Häuser u.s.w. sauber macht.	_ _ _ _ _ _ _ _
Jemand, der keine Arbeit hat.	_ _ _ _ _ _ _ _ _
Ein Mann, der Fußball spielt.	_ _ _ _ _ _ _ _ _

das Werkzeug (-e) – the tool
der Grund (⸚e) – the reason
fest/nehmen (i) – to arrest
entwerfen (i) – to design
der Haushalt (-e) – the household

Talking about jobs and careers

Er ist
Ich möchte } { Arzt
Büroangestellter } werden.

Sie ist
Ich möchte } { Ärztin
Büroangestellte werden.

Ich bin/er ist/sie ist arbeitslos.

…weil ich { anderen helfen
viel Geld verdienen } will.

Ein Tierarzt
Eine Tierärztin } ist { ein Mann, der
eine Frau, die } für Tiere sorgt.

EINHEIT 36

*T*reffs

Wohin gehen wir? G76

Ins Theater?

How to...

- Find out about places to go out to
- Talk about the cinema
- Say where you went, and what it was like

In die Oper?

KOLPING-MUSIKTHEATER
SCHWÄBISCH GMÜND

DIE VERKAUFTE BRAUT

KOMISCHE OPER von FRIEDRICH SMETANA

15. Februar 1992, 15.00 Uhr Vor-Aufführung	21. Februar 1992, 20.00 Uhr
16. Februar 1992, 19.00 Uhr	22. Februar 1992, 18.00 Uhr
19. Februar 1992, 20.00 Uhr	23. Februar 1992, 19.00 Uhr Stadtgarten Schwäbisch Gmünd

Gefördert durch die Kreissparkasse Ostalb

Im Theater am Leibnitzplatz stehen an den Donnerstagen vor Heiligabend und Silvester Aufführungen des Königsdramas 'Richard II' auf dem Programm der Shakespeare Company. 19.30 Uhr.

In den Zirkus?

Circus ANTON

W.-Ronsdorf

Ins Konzert?

BIG BAND WORKSHOP
Schauspielhaus, Bundesallee, Elberfeld Eintritt: DM 12,-
(Schüler, Studenten, Arbeitslose: DM 6,-) Dienstag 14. Mai, 20 Uhr

Ins Ballett?

 Ballettschule
Hanni Hellmuth-Brüggemann
lädt Sie ein zur
Ballettmatinee in die **Kongreßhalle**
Sonntag, den 20. Juli 1986, 10.30 Uhr

Eintritt:
Erwachsene DM 18,- bis DM 35,-
Kinder   DM 9,- bis DM 20,-

Now test yourself 1

1 What do seats cost for the circus?
2 It's not on in the open air, is it?
3 What's open at 9 a.m.?
4 What's on at 10.30 on Sunday?
5 Where?
6 Who's giving it?
7 What's on in the Elberfeld Playhouse?
8 What time does it start?

9 What does it cost to get in?
10 What's on in the open air?
11 What kind of thing is it?
12 Who's sponsoring it?
13 What's on at the theatre?
14 Who's doing it?
15 When's it on?

---

der Treff (-s) – the meeting (-place)
Heiligabend – Christmas Eve
Silvester – New year's Eve
die Aufführung (-en) – the production
das Königsdrama (-en) – the royal drama
das Programm (-e) – the programme
der Student (-en) – the student
'Die Verkaufte Braut' – 'The Bartered Bride'

der Stadtgarten (ӟ) – the town park
gefördert – sponsored
die Kreissparkasse (-n) – the district bank
der Zirkus (-se) – the circus
das Viermastenzelt (-e) – the tent with 4 poles
die Tierschau (-en) – the menagerie
das Ballett (-e) – the ballet
die Kongreßhalle (-n) – the conference hall

Wir gehen ins Kino G69, 83

PROGRAMM

KINO	FILM	EINTRITT	UHR
UFA-Palast	Casablanca	DM 10,-	21.30
Schloßkino	Der Vagabund	DM 12,-	20.15
Kellerkino	Super Mario	DM 8,-	16.00
Gloria-Kino	Das nackte Gesicht	DM 10,-	16.00
Streit's Filmtheater	Robin Hood – König der Diebe	DM 15,-	21.30
Börsenkino	Ein Hund namens Beethoven	DM 17,-	22.30
Kino im Tanzhaus	Der mit dem Wolf tanzt	DM 12,-	15.30
Kino am Tor	Lethal Weapon	DM 16,-	21.00
Kleinkunstkino	Poltergeist II	DM 15,-	22.00

Welcher Film läuft?

In welchem Kino?

Um wieviel Uhr?

Was kosten die Plätze?

Im Börsenkino läuft 'Ein Hund namens Beethoven'.

'Poltergeist II' läuft im Kleinkunstkino.

Die Plätze im Gloria-Kino kosten DM 10,-

Die Plätze im Schloßkino sind teurer als die Plätze im Kellerkino.

Die teuersten Plätze sind im Börsenkino.

Die Plätze in Streit's Filmtheater sind ebenso teuer wie die Plätze im Kleinkunstkino.

Die Plätze im UFA-Palast sind billiger als die Plätze im Kino am Tor.

Die billigsten Plätze sind im Kellerkino.

'Super Mario' beginnt früher als 'Der Vagabund'.

Der Film, der am frühesten beginnt, ist 'Der mit dem Wolf tanzt'.

'Casablanca' beginnt später als 'Lethal Weapon'.

Der Film, der am spätesten beginnt, ist 'Ein Hund namens Beethoven'.

welcher Film läuft? – what film is on?
der Platz (⁼e) – the seat
teurer als – dearer than
die teuersten Plätze – the dearest seats

ebenso teuer wie – just as dear as
billiger als – cheaper than
die billigsten Plätze – the cheapest seats

früher (als) – earlier (than)
am frühesten – the earliest
später (als) – later (than)
am spätesten – the latest

Now test yourself 2

Ergänze:

1 Die Plätze im Schloßkino sind .... als die Plätze im Kino am Tor.

2 Die Plätze im Kleinkunstkino kosten ....

3 Der Film, der am .... beginnt, ist 'Der mit dem Wolf tanzt'.

4 Im Gloria-Kino läuft ....

5 .... beginnt früher als 'Das nackte Gesicht'.

6 Die .... Plätze sind im Börsenkino.

7 Die .... Plätze sind im Kellerkino.

8 'Super Mario' beginnt später als ....

9 .... läuft in Streit's Filmtheater.

10 Die Plätze im .... sind ebenso teuer wie die Plätze im Gloria-Kino.

11 Der Film, der am .... beginnt, ist 'Ein Hund namens Beethoven'.

12 Die Plätze im Börsenkino sind .... als die Plätze im Schloßkino.

Info+

'Razorback'

Nachts hört der alte Farmer Jake Cullen, der in der Einsamkeit lebt, merkwürdige Geräusche. Er packt seine Flinte, geht auf die Veranda, und wird plötzlich zu Boden geworfen.

As er sich später verletzt ins Haus schleppt, ist sein zweijähriger Enkel verschwunden. Ein riesiger Keiler, (ein 'Razorback') hat den kleinen geholt…

Auch die Journalistin Beth Winters, die Mitglied eines Tierschutzvereins ist, ist eines Tages plötzlich verschwunden …

Der Ehemann der verschwundenen Journalistin macht sich im riesigen australischen Busch auf die Suche. Eine gnadenlose Jagd beginnt …

der Farmer (-) – the farmer	**sich schleppen** – to drag oneself	**macht sich auf die Suche** – sets
die Einsamkeit – the solitude	**zweijährig** – two-year old	out to look
merkwürdig – peculiar	**der Keiler** (-) the wild boar	**australisch** – Australian
das Geräusch (-e) – the noise, sound	**der Kleine** (-n) – the little boy	**der Busch** (-e) – the bush
packen – to take hold of	**die Journalistin** (-nen) – the	**gnadenlos** – merciless
die Flinte (-n) – the shot-gun	(female) journalist	**die Jagd** (-en) – the chase
wird ... geworfen – is thrown	**der Tierschutzverein** (-e) – the	**der Boden** (:) – the floor
plötzlich – suddenly	animal protection society	**verschwunden<verschwinden**
zu Boden – to the floor	**der Ehemann** (:er) – the husband	– disappear

Now test yourself 3

Wie war's? G56, 60

1 Höre die Kassette. Indem du Linien zeichnest, zeige:
A: Wer spricht.
B: Wohin er/sie ausgangen ist.
C: Mit wem.
D: Wie sie es gefunden haben.

Interview mit Holger

Interviewer: Holger, wohin bist du gestern abend gegangen?
Holger: Ich bin ins Theater gegangen.
Interviewer: Mit wem?
Holger: Mit Günter.
Interviewer: Wie war's?
Holger: Klasse!

2 Erfinde Interviews mit a) Nina und b) Karim.

3 Schreibe in deinen Ordner einen Satz über jedes Paar:
z.B. Holger ist gestern abend mit Günter ins Theater gegangen,

---

wie war's? – what was it like?
indem du Linien zeichnest – by drawing lines
mit wem? – with whom?
gestern abend – yesterday evening

ausgegangen < aus/gehen – to go out
gegangen < gehen – to go
gefunden < finden – to find
furchtbar – awful

klasse – first-class
phantastisch – fantastic
toll – great

Talking about going out

Wie gehen in den Zirkus/in die Oper/ins Kino.
Im Kellerkino läuft 'Super Mario'. Die Plätze kosten DM ...

Die Plätze im Schloßkino sind ⎧ teurer ⎫ als ⎫ die Plätze im Kellerkino.
⎨ billiger ⎬
⎩ ebenso teuer wie ⎭

Die teuersten/billigsten Plätze sind im ...
'Robin Hood' beginnt ⎧ früher ⎫ als 'Casablanca'.
⎨ später ⎬
⎩ am frühesten/am spätesten ⎭

Holger ist gestern abend mit Günter ins Theater gegangen. Es war klasse.

*I*n alten Zeiten

*H*ow to...

- Talk about how things used to be
- Say what people used to do

Stimmt's? G53–4, 64–6

Wohnte Herr Härtel wirklich *in der Seebergerstraße?*
Nein! Herr Härtel wohnte *in der Menkestraße.*

FRAU HOFFMANN — Seebergerstraße 22.

HERR STÖVER — Hamburger Straße 19.

HERR SCHMIDT — Hammer Straße 10.

HERR HÄRTEL — Menkestraße 48.

FRÄULEIN EHRLICH — Buchenstraße 89.

Now test yourself 1

Verbessere die anderen Sätze (2–15).

1 Herr Härtel wohnte in der Seebergerstraße.

2 Fräulein Ehrlich wohnte in der Hammer Straße.

3 Herr Schmidt wohnte in der Buchenstraße.

4 Frau Hoffmann wohnte in der Hamburger Straße.

5 Herr Stöver wohnte in der Menkestraße.

6 Frau Hoffmann war Bäckerin.

7 Herr Härtel war Fotograf.

8 Herr Schmidt war Ingenieur.

9 Herr Stöver war Fleischer.

10 Fräulein Ehrlich war Friseurin.

11 Der Fleischer hieß Ehrlich.

12 Die Fotografin hieß Stöver.

13 Der Bäcker hieß Hoffmann.

14 Der Friseur hieß Schmidt.

15 Die Ingenieurin hieß Härtel.

verbessern – to correct
er/sie wohnte – he/she used to live

er/sie war – he/she was
er/sie hieß – he/she was called

der Bäcker (-)/die Bäckerin
(-nen) – the baker

Info+

Die Hildesheimer Straße G64

Früher wohnten Frau Johannsen und ihre Familie in der Hildesheimer Straße. 'Wir hatten einen Blumenladen, wo wir allerlei Blumen verkauften. Und links von uns gab es ein kleines Kino. Wir gingen jeden Samstag dahin. Natürlich hatten wir damals kein Fernsehen! Da sahen wir die neuesten Filme. Und rechts von unserem Laden stand eine Café-Konditorei. Da aß man die wunderbarsten Kuchen und trank herrlichen Kaffee. Das schmeckte prima! Auf der anderen Seite der Straße, uns gegenüber, war ein kleiner Supermarkt, wo wir fast alle Lebensmittel fanden, die wir brauchten. Und rechts davon war die Tankstelle, die meinem Bruder gehörte. Leider hatten wir kein Auto, mein Mann und ich. Wenn wir in die Stadt fahren wollten, fuhren wir mit dem Rad!'

früher – earlier	**aß < essen** – to eat	**fast** – almost
hatten < haben – to have	**wunderbar** – wonderful	**fanden < finden** – to find
verkauften < verkaufen – to sell	**trank < trinken** – to drink	**gehörte < gehören** – to belong to
gingen < gehen – to go	**herrlich** – splendid	**wollten < wollen** – to want
die neuesten Filme – the latest films	**schmeckten < schmecken** – to taste	**fuhren < fahren** – to drive
stand < stehen – to stand	**prima** – first-class	**mit dem Rad** – by bike

Einwanderer G63–4

Aktar, Christa, Fräulein Jonnek, Herr Kullmann, Herr Renken und Frau Scholz wohnen jetzt in Frankfurt-am-Main. Früher wohnten sie woanders.

Now test yourself 2

1 Höre die Kassette. Zeichne Linien, um zu zeigen A: wer spricht; B: wo er/sie früher wohnte; C: seit wievielen Jahren er/sie in Frankfurt wohnt; und D: wie das Wetter war, wo sie früher wohnten.

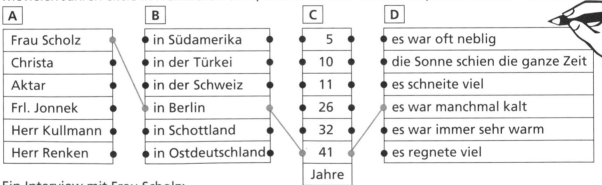

A	B	C	D
Frau Scholz	in Südamerika	5	es war oft neblig
Christa	in der Türkei	10	die Sonne schien die ganze Zeit
Aktar	in der Schweiz	11	es schneite viel
Frl. Jonnek	in Berlin	26	es war manchmal kalt
Herr Kullmann	in Schottland	32	es war immer sehr warm
Herr Renken	in Ostdeutschland	41	es regnete viel
		Jahre	

2 Ein Interview mit Frau Scholz:
Interviewer: Frau Scholz, wo wohnten Sie früher?
Frau Scholz: Früher wohnte ich in Berlin.
Interviewer: Seit wann wohnen Sie hier in Frankfurt?
Frau Scholz: Ich wohne seit einundvierzig Jahren hier in Frankfurt.
Interviewer: Und wie war das Wetter in Berlin?
Frau Scholz: Es war manchmal kalt.

Erfinde Interviews mit a) Christa und b) Aktar.

3 Schreibe einen Satz über jede Person in deinen Ordner:
Z. B. Seit einundvierzig Jahren wohnt Frau Scholz in Frankfurt. Früher wohnte sie in Berlin, wo es manchmal kalt war.

der Einwanderer (-) – the immigrant	**schien < scheinen** – to shine	**Ostdeutschland** – East Germany
woanders – somewhere else	**die ganze Zeit** – the whole time	
Südamerika – South America	**schneite < schneien** – to show	**regnete < regnen** – to rain

Ohne Fernsehen G64–6

Als Teil eines Projekts interviewten Schüler in Fellbach ihre älteren Nachbarn und fragten sie: 'Was machten Sie am Abend oder am Wochenende, bevor Sie einen Fernseher hatten?' Herr und Frau Leonhardt (1) antworteten: 'Wir hörten Radio!'

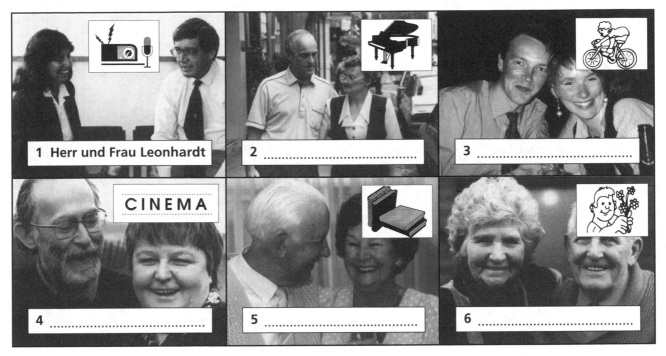

1 Herr und Frau Leonhardt
2 ....
3 ....
4 ....
5 ....
6 ....

Herr und Frau Pinkowski machten Radtouren.
Herr und Frau Diedrich arbeiteten viel im Garten.
Herr und Frau Klages gingen ins Kino.
Herr und Frau Leonhardt hörten Radio.
Herr und Frau Franke lasen viel.
Herr und Frau Hecker spielten Klavier.

Now test yourself 3

1 Schreibe die Namen von jedem Ehepaar auf das geeignete Foto (oben).

2 Bevor sie einen Fernseher hatten, hörten Herr und Frau Leonhardt Radio. Schreibe in deinen Ordner, was die anderen Ehepaare machten, bevor sie einen Fernseher hatten.

das Projekt (-e) – the project
interviewen – to interview
älter – older
der Nachbar (-n) – the neighbour
am Abend – in the evening
bevor – before

machten < machen – to make
die Radtour (-en) – the bike trip
arbeiteten < arbeiten – to work
gingen < gehen – to go
hörten < hören – to hear
lasen < lesen – to read

viel – a lot
spielten < spielen – to play
das Ehepaar (-e) – the (married) couple

Now test yourself 4

Herr Güabilmez G64

For 26 years, Mehmet Güabilmez has lived in Bremen. Before that, he lived in Turkey, where it was sometimes cold. Earlier he used to be a baker, and he lived in Grünberg Street. On the left stood a supermarket, which belonged to his brother. On the right lived a butcher. (He was called Minssen). Opposite, on the other side of the street lived an engineer. (He was called Knabe). Before they had television, Mr and Mrs Güabilmez used to go to the cinema or listened to the radio.

In your Dossier, write a note about Mehmet Güabilmez in German.

Was machte der Elefant? G65–6

In jedem Verb fehlt ein Buchstabe (*).

1	er wohnt*	30	z	59	sie sp*elten
2	wir *ahen	31	wir bra*chten	60	sie machte*
3	sie *ohnte	32	Sie wohnt*n	61	sie hört*n
4	er w*r	33	sie sp*elten	62	sie *asen
5	sie wa*	34	ich woh*te	63	sie hatt*n
6	er hi*ß	35	sie macht*n	64	sie *ragten
7	sie h*eß	36	Sie *achten	65	er w*hnte
8	wir hatte*	37	Sie hat*en	66	sie woh*te
9	Sie *achten	38	sie arb*iteten	67	wir fan*en
10	wir verk*uften	39	sie *asen	68	es regn*te
11	wir wol*ten	40	sie hört*n	69	sie a*beiteten
12	wir ging*n	41	wir *anden	70	sie fra*ten
13	es schne*te	42	man *ß	71	wir b*auchten
14	wir sahe*	43	sie hatte*	72	er h*eß
15	es schm*ckte	44	er wohn*e	73	wir *uhren
16	sie *asen	45	sie w*hnte		
17	wir fand*n	46	Sie *atten		
18	wir *uhren	47	man tr*nk		
19	es g*b	48	wir wo*lten		
20	sie sta*d	49	es schnei*e		
21	man *rank	50	wir fuhre*		
22	sie stan*	51	sie schi*n		
23	wir braucht*n	52	sie interv*ewten		
24	es gehö*te	53	es reg*ete		
25	es re*nete	54	Sie woh*ten		
26	sie inte*viewten	55	sie fragt*n		
27	sie sch*en	56	sie arbe*teten		
28	sie *ragten	57	Sie machte*		
29	wir *uhren	58	sie hatt*n		

74	wir verkau*ten
75	z
76	wir f*hren
77	sie hört*n
78	sie sp*elten
79	wir ginge*
80	das schm*ckte
81	Sie *achten
82	sie arbeite*en
83	sie hi*ß
84	sie *asen
85	es schn*ite
86	wir verkau*ten
87	wir w*llten
88	wir fande*

Now test yourself 5

Schreibe die fehlenden Buchstaben hier hin, um ein kleines Gedicht zu entdecken.
NB:^ = groß schreiben!

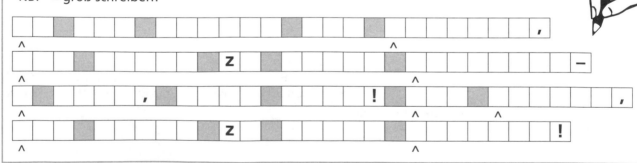

das Gedicht (-e) – the poem
groß schreiben – to write with a capital letter

es war einmal – once upon a time
griff < greifen – to take hold

Talking about how things were, or what people used to do

Er 〕 wohnte, machte, hatte…
sie 〕 arbeitete

Er 〕 hieß, las, ging, war…
sie 〕

Wir 〕 wohnten, hörten, hatten …
Sie 〕 arbeiteten
sie 〕

Wir 〕 hießen, lasen, gingen, waren…
Sie 〕
sie 〕

Veranstaltungen

How to...

- Talk about events
- Say where you went
- Say what you were doing, and did

Klassenausflug: Die Skifahrt G64, 67

Gespannt standen wir um 8.00 Uhr am Busplatz der KGS. Die Skier fest in den Händen haltend, erwarteten wir den Bus. Jetzt kam er! Die Fahrt ins Abenteuer konnte beginnen. Auf der langen Fahrstrecke schaute ich die meiste Zeit aus dem Fenster. Jetzt wurde es ganz schön hügelig. Aus den Hügeln wurden Berge. Schon fing es an, kräftig zu schneien.

Plötzlich hielt der Bus in einem kleinen Dorf auf einem Parkplatz an. In Sekundenschnelle verwandelte sich der Bus in eine Umkleidekabine. Alle zogen sich ihre Skihosen und Jacken an. Jetzt die Schuhe. Fertig! Alle standen fix und fertig zum Skifahren vor dem Bus. Unsere Lehrerin, Frau Bennemann, besorgte die Karten für den Skilift. Dann ging die Fahrt los.

Als wir die Talstation verließen, überraschte uns eine herrliche Aussicht. Auf dem Gipfel schnallten sich alle die Skier unter die Schuhe und danach erklärte uns Frau Bennemann die Kunst des Skifahrens. Danach durften wir eine kleine Piste hinunterfahren.

Wir bekamen einen Bärenhunger! Wir aßen deshalb in einer kleinen Gastwirtschaft. Ich bestellte mir eine Suppe. Als wir dann fertig waren, durften wir die 'Hauptpiste', die etwas länger und steiler war, hinunterfahren. Nach all diesem Vergnügen mußten wir wieder mit dem Bus nach Hause fahren. *Martin*.

Now test yourself 1

1 1 Where was Martin at 8.00? 2 Why? 3 What did he notice through the window? (3 points) 4 Where did the bus stop? 5 What did they all do? 6 What did the teacher do? 7 What surprised them? 8 What 2 things happened before they were allowed to ski? 9 What did they do then? (2 points) 10 Why was the main slope different?

2 Note down the German for: we were allowed; it became; it began to snow; it (the bus) came; it (the bus) changed; it could begin; she explained; she got the tickets; we had to go home; we left; I looked out of the window; I ordered; everyone put their ski-pants on; the bus stopped; we got as hungry as a bear; we were standing; (it) surprised us; we waited for; when we had finished.

---

die Veranstaltung (-en) – the event
gespannt – excited
der Busplatz (¨e) – the bus-bay
der Ski (-er) – the ski
fest – firmly
haltend – holding
erwarten – to wait for
kam < **kommen** – to come
das Abenteuer (-) – the adventure
die Fahrstrecke (-n) – the journey
schauen auf – to look at
wurde < **werden** – to become
hügelig – hilly
fing... an < **an/fangen** (ä) – to begin
kräftig – hard, strong
plötzlich – suddenly
hielt ... an < **an/halten** (ä) – to stop

in Sekundenschnelle – in a few seconds
sich verwandeln – to change
die Umkleidekabine (-n) – the changing-room
zogen ... an < **an/ziehen** – to put on
(fix und) fertig – finished, ready
mußten < **müssen** – to have to
endlich – at last
bereit – ready
besorgen – to get, take
die Karte (-n) – the ticket
ging... los < **los/gehen** – to set off, start
die Talstation (-en) – the valley station
verließen < **verlassen** (ä) – to leave
überraschen – to surprise

die Aussicht (-en) – the view
der Gipfel (-) – the mountain top
schnallen – to fasten
die Kunst (¨e) – the skill
durften < **dürfen** – to be allowed
die Piste (-n) – the ski-slope
herunter/fahren (ä) – to go down
wir bekamen einen Bärenhunger – we got really hungry (as hungry as a bear)
die Gastwirtschaft (-en) – the restaurant
bestellen – to order
die Hauptpiste (-n) – the main slope
steil – steep
das Vergnügen – the pleasure

Köln, Karneval

Das Wort 'Karneval' kommt aus dem Lateinischen 'carne vale' – d.h. 'Fleisch – lebe wohl!'

Am elften Tag des elften Monats – November – beginnen um elf Uhr die Vorbereitungen für den Karneval im nächsten Jahr...,

Aber der Karneval selbst findet an den letzten Tagen vor der Fastenzeit statt.

Karnevalskostüme müssen nicht 'schön' sein.

Der Kölner Karneval ist ein Fest der Verkleidung.

Sie können auch aus alten Übergardinen bestehen.

Ein Stück Stoff, Nadel und Garn genügen, um etwas Skurriles zu fertigen!

Je bunter, je lieber!

Zuerst beginnt der Volkskarneval. Man singt und lacht!

Mit den Umstehenden ist man schnell gut Freund!

Gruppen ziehen in bunten Kostümen dahin!

Sie bekommen Applaus.

Jetzt kommt der Rosenmontagszug vorbei.

Die Umstehenden schreien nach den Pralinen, die ausgeschüttet werden.

An vielen Gaststätten hängt man eine verkleidete Strohpuppe heraus.

Am nächsten Morgen holen sich die Katholike ihr Aschenkreuz in der Kirche.

Abends beendet man den Karneval mit einem Fischessen.

In der Nacht vor Aschermittwoch wird diese Strohpuppe verbrannt.

Now test yourself 2

1 In your own words, write a short article in English about the Carnival in Cologne.

2 You've been to the 'Karneval' with your German friend. Someone asks you what happened. Tell her:

Excited, we stood and waited for the procession.

My friend explained the carnival. 'Karneval' means 'Farewell, meat'!

Preparations start on the 11th November, but the carnival itself takes place before Lent. It's a dressing-up festival. Groups go past in gaily-coloured costumes and get applause.

The festival could begin! Suddenly the procession came, and stopped. We all shouted out (*schrieen*) for the chocolates. Most of the time I looked at the bystanders. We got really hungry! So we ate in a restaurant. I ordered a hamburger.

But suddenly it started to rain hard. So everybody put their coats on and we had to go home.

der Karneval (-e) – the carnival
das Lateinische – Latin
lebe wohl! – farewell!
die Vorbereitung (-en) – the preparation
vor – before
die Fastenzeit – Lent
das Fest (-e) – the festival
die Verkleidung (-en) – the disguise
das Kostüm (-e) – the costume
die Übergardine (-n) – the curtain
bestehen aus – to consist of
das Stück (-e) – the piece
die Nadel (-n) – the needle
das Garn (-e) – the thread
genügen – to be enough
skurril – amusing
fertigen – to make
bunt – gaily coloured
je bunter, je lieber – the more gaily-coloured, the better
das Volk (¨er) – the people
der/die Umstehende (-n) – the bystander

dahin/ziehen – to move along
der Applaus – the applause
vorbei/kommen – to pass by
der Rosenmontag – 'Rose Monday' (the last Monday before Lent)
der (Um)zug (¨e) – the procession
schreien nach – to shout out for
die Praline (-n) – the praline (filled chocolate)
aus/schütten – to tip out
sie werden ... ausgeschüttet – they are tipped out
heraus/hängen – to hang out
die Strohpuppe (-n) – the straw effigy
der Aschermittwoch – Ash Wednesday
verbrannt < verbrennen – to burn
wird ... verbrannt – is burned
der Katholik (-e) – the catholic
das Aschenkreuz (-e) – the ashen cross
beenden – to end
das Fischessen (-) – the fish meal

Now test yourself 3

Allerlei Feste G81–2

7 verschiedene Feste finden statt. Aber an welchem Tag? Um wieviel Uhr? In welchem Dorf? Und wo?

Fest	Tag	Uhr	Dorf	Wo?
Bierfest	Sonntag	10.00 Uhr	Eisenberg	auf dem Dorfplatz
Fischerfest	Montag	13.00 Uhr	Obergrünburg	an der Fischerhütte
Kinderfest	Dienstag	13.30 Uhr	Pfronten	im Freibad
Musikfest	Mittwoch	14.00 Uhr	Prem	im Kindergarten
Schwimmfest	Donnerstag	17.00 Uhr	Rieden	im Kurhaus
Sportfest	Freitag	18.30 Uhr	Roßhaupt	im Kurpark
Volksfest	Samstag	20.00 Uhr	Trauchgau	auf dem Sportplatz

1 Höre die Kassette. Notiere die Information, indem du Linien zeichnest.

2 Schreibe einen Satz über jedes Fest in deinen Ordner:
Z.B. Das Bierfest findet am Montag in Eisenberg statt.

Info+

Das Alpenfest

Die Burschen in Kniebundhosen, die Mädel in Dirndlkleidern, die Hände in die Hüften gestemmt, tanzten sie ihre Tänze… Der Alpenverein hatte uns am Sonnabend zum sechzigsten Mal in die Stadthalle gerufen.

Alles war stilecht. Wer keine Kniebund oder Lederhose hatte, mußte vor dem Eingang wieder kehrtmachen. Und für die Frauen war das Dirndlkeid ein Muß, Hosen ganz undenkbar.

Blasmusik empfing die Gäste; ein Walzer machte den Anfang; später kamen echte Schuhplattler. Da klangen die Jodler. Wie gesagt, alles war echt. Und im Foyer – Konzession an die Jugend – ertönten moderne Discoklänge.

die Alpen – the Alps
der Bursche (-n) – the lad
die Kniebundhose (-n) – the knee-breeches
das Mädel (-) – the girl
das Dirndlkleid (-er) – the dirndl (Alpine peasant dress)
die Hüfte (-n) – the hip
die Hände in die Hüften gestemmt – with arms akimbo
Sonnabend – Saturday

stilecht – true to style
die Lederhose (-n) – the leather shorts
kehrt/machen – to do an about turn
ein Muß – a must
undenkbar – unthinkable
die Blasmusik – the brass music
empfing < empfangen (ä) – to receive
der Walzer (-) – the waltz

echt – genuine
der Schuhplättler (-) – folk dance involving slapping thighs and feet
klangen < klingen – to sound
der Jodler (-) – the yodler
das Foyer (-s) – the foyer
die Konzession (-en) – the concession
ertönen – to sound
der Klang (-e) – the sound

Talking about events, what you were doing, and did

| ich
er
sie | { | besorgte,
erklärte,
erwartete,
überraschte, | bekam,
verließ, | fing… an,
hielt… an, | durfte…
konnte…
mußte… | } | { | beginnen.
hinunterfahren. |

| wir
Sie
sie | { | besorgten,
erklärten,
erwarteten,
überraschten, | bekamen,
verließen, | fingen… an,
hielten… an, | durften…
konnten…
mußten … | } | { | beginnen.
hinunterfahren. |

Das Bierfest findet am Montag in Eisenberg statt.

Jugendmagazine

How to...

- Talk about young people's magazines
- Say what's in them and what you like
- Have a look at some German ones

Warum?

In Jugendmagazinen findet man, unter anderem, Artikel über Kosmetik und Mode; Foto-Romane; Artikel über Musik und Pop; Psycho-Teste; Witze und Cartoons; und Artikel über Sport. Kästchen 1 zeigt 'Foto-Romane'.

Now test yourself 1

1 In jedes Kästchen A schreibe, was du in jedem Kästchen 1-6 siehst.

A *Fotoromane*	A	A
1 **Abgeschlossener BRAVO Film-Foto ROMAN**	2	3 BRAVO: Du bist ers ganz Fußball-Deutschl chon vor dir. Geht (leser stellen Karrier Sßchen zu schnell? Böl: Nein, wirklich nicht atthäus, eines meiner gro at doch mit 18 auch sch undesliga gespielt, und I ist er fest in der Nationalelf.
B *Henrike*	B	B
A	A	A
1 Sagte Herr Wimmerl (kein Schrank, keine Tasse): "In diesem Sommer nehme ich meinen Fernseher mit nach Italien!" – "Aber dort gibt es doch sicher im Hotel Fernseher!" – "Das kann schon sein, aber ich kann doch kein Italienisch!" *Ines Prange, Braunschweig*	2 Am liebsten trage ich Jeans Meine Mutter versucht aller dings dauernd, mich davon ab zubringen. Sie meint, mein Po sei viel zu dick für so enge Hosen. Dabei habe ich lange schlanke Beine. Was meins Du dazu?	3 **Psycho-Test** man wirklich
B	B	B

2 Höre die Kassette. Simone, Karin, Timo, Kai, Henrike und Mehmet sagen, warum sie Jugendmagazine kaufen. Schreibe in jedes Kästchen B den Namen von der Person, die das gerne liest, was du in Kästchen A geschrieben hast.

3 Schreibe in deinen Ordner, warum jede Person Jugendmagazine liest. Z.B. Henrike kauft Jugendmagazine, weil sie gern Fotoromane liest.

---

das Jugendmagazin (-e) – the young people's magazine
die Kosmetik – cosmetics
der Roman (-e) – the novel, story

der Psycho-Test (-e) – the psychological test
der Witz (-e) – the joke
der Cartoon (-s) – the cartoon

Mein Lieblingsmagazin

Interviewer: Hast du ein Lieblingsmagazin, Linda?
Linda: Ja!
Interviewer: Welches?
Linda: Am liebsten lese ich 'Mädchen'.
Interviewer: Wie oft erscheint es?
Linda: Wöchentlich.
Interviewer: Was gefällt dir am besten darin?
Linda: Die Artikel über Kosmetik und Mode, und die Psycho-Teste.

Now test yourself 2

Using the above dialogue as a model, in your Dossier make up two more interviews: a) with Alexander, whose favourite magazine is 'Fußball-Hits', which appears monthly (*monatlich*), and which he buys for the articles on sport and the jokes and cartoons; and b) with yourself as the interviewee.

das Lieblingsmagazin (-e) – the favourite magazine
erscheinen – to appear

wöchentlich – weekly
was gefällt dir am besten? – what do you like the best

monatlich – monthly

Ein Blick auf den Inhalt 1: Ein Artikel – Umweltschutz

An die Umwelt denken!

Bei Schnee streuen wir Salz auf die Straßen. Weil es aber wie reines Gift wirkt, sollte man es wenigstens nicht auf die Gehwege streuen.

Das Salz dringt bei Tauwetter in Zonen, aus denen die Wurzeln von Bäumen und Sträuchern ihr Wasser und ihre Nährstoffe bekommen. Und: es verseucht unser Grundwasser.

Übrigens: Das Salz greift auch unsere Schuhe an. Und Hunde und Katzen bekommen Schmerzen an ihren Pfoten, wenn sie bei Frost mit dem Salz in Berührung kommen.

Umweltfreundlicher sind zum Beispiel Sand, Asche, Sägemehl oder auch Tannennadeln. Damit tun wir der Natur nicht weh.

Now test yourself 3

1 What, according to the text, do we do when there's snow about?
2 What should we not do?
3 What does the salt do? (4 points)
4 What would be more friendly to the environment? (4 points)
5 Why?

der Blick (-e) – the glance
der Inhalt (-e) – the contents
der Umweltschutz – conservation of the environment
denken an – to think of
die Umwelt – the environment
der Schnee – the snow
streuen – to spread
das Salz – salt
das Gift (-e) – the poison
wirken – to work
wenigstens – at least
der Gehweg (-e) – the pavement
dringen – to penetrate

das Tauwetter – the thaw
die Zone (-n) – the area
aus denen – out of which
die Wurzel (-n) – the root
der Baum (¨e) – the tree
der Strauch (¨er) – the shrub
die Nährstoffe – the nutrients
verseuchen – to contaminate
das Grundwasser – the ground water
übrigens – besides
an/greifen – to attack
der Schmerz, die Schmerzen – the pain

die Pfote (-n) – the paw
der Frost – the frost
in Berührung kommen – to come into contact with
umweltfreundlich – environmentally friendly
der Sand – the sand
die Asche (-n) – the ash
das Sägemehl – the sawdust
die Tannennadel (-n) – the pine needle
die Natur – nature

Ein Blick auf den Inhalt (2): ein Psycho-Test

Now test yourself 4

Willst du Karriere machen?

Notiere wie oft Du A)… B)… C)… antwortest.

1 *In Deinem Zimmer findet man nichts wieder. Wie Du weißt: Aufräumen dauert lange. Du weißt aber auch, daß Du heute noch einen wichtigen Aufsatz schreiben mußt. Was machst Du?*

A) Ich setze mich sofort ins Wohnzimmer und bitte die anderen um Ruhe, weil ich mich auf den Aufsatz konzentrieren muß.

B) Nur im eigenen Zimmer kann ich ungestört arbeiten. Also räume ich schnell meinen Schreibtisch auf und beginne den Aufsatz.

C) Zuerst mache ich mein Zimmer gründlich sauber. Den Aufsatz kann ich danach immer noch schreiben.

2 *Es klingelt – ein alter Mann steht vor der Haustür und will Seife verkaufen. Was machst Du?*

A) Ich sage: 'Wir brauchen nichts!' und schließe die Tür sofort wieder.

B) Ich sehe mir die Waren genau an. Wenn ich etwas davon brauchen kann, kaufe ich es.

C) Da mir der alte Mann leid tut, kaufe ich ihm irgendetwas ab.

3 *Du hast tagelang für einen Test gearbeitet. Du weißt alles. Aber nicht Du, sondern Deine Nachbarin wird abgefragt. Sie gibt viele falsche Antworten. Was machst Du?*

A) Ich zeige dem Lehrer durch Fingerheben, daß ich die richtigen Antworten weiß.

B) Ich höre aufmerksam zu: dann kann ich sofort antworten, wenn der Lehrer von jemandem anders die richtige Antwort hören will.

C) Ich versuche, meiner Nachbarin durch Zuflüstern zu helfen.

4 *Es ist ein herrlich warmer Sommertag, und Du solltest mit Deinen Freunden schwimmen gehen. Am Nachmittag hast Du aber auch Deinen Malkurs, den Du besuchen möchtest. Was machst Du?*

A) Ich überrede meine Freunde, morgen schwimmen zu gehen.

B) Ich gehe zum Malkurs und verzichte aufs Schwimmvergnügen.

C) Ich gehe mit meinen Freunden schwimmen.

5 *Du möchtest eine ganz bestimmte Fernsehsendung sehen. Kurz vorher ruft ein Freund an. Er hat ein Problem. Was machst Du?*

A) Ich verabschiede mich unter einem Vorwand, um die Sendung nicht zu versäumen.

B) Ich verspreche, später zurückzurufen, weil ich im Moment keine Zeit habe.

C) Das Problem meines Freundes ist wichtiger als die Fernsehsendung. Ich verzichte aufs Fernsehen.

TEST ◆ TEST ◆ TEST ◆ TEST

die Karriere (-n) – the career
nichts – nothing
das Aufräumen – tidying up
lange – a long time
heute – today
der Aufsatz (ⁱe) – the essay
sich setzen – to sit down
eigen – own
ungestört – undisturbed
frei/räumen – to tidy
gründlich – thoroughly
es klingelt – there's a ring (at the door)
die Haustür (-en) – the front door
schließen – to close
die Waren – the goods
er tut mir leid – I'm sorry for him

irgendetwas – something or other
tagelang – for days
die Nachbarin (-nen) – the (female) neighbour
ab/fragen – to test
wird abgefragt – is tested
falsch – wrong
durch Fingerheben – by raising my finger
zu/hören – to listen
aufmerksam – attentively
jemand anders – someone else
durch Zuflüstern – by whispering
der Sommertag (-e) – the summer's day

du solltest – you were to
der Malkurs (-e) – the painting course
überreden – to persuade
morgen – tomorrow
verzichten auf – to do without
vorher – before
sich verabschieden – to ring off, say goodbye
der Vorwand (ⁱe) – the excuse
versäumen – to miss
versprechen (i) – to promise
zurück/rufen – to call back
im Moment – at the moment

Auswertung

Überwiegend 'A': Du wirst in Deinem Beruf sicher erfolgreich sein. Du gehst unbeirrt Deinen Weg, und das ist gefährlich. Du brauchst weniger Egoismus und mehr Mitmenschlichkeit.

Überwiegend 'B': Du bist strebsam, aber Du hast auch Verstand und Herz – und das ist genau die richtige Kombination, um sich im Leben durchzusetzen und von anderen geachtet zu werden.

Überwiegend 'C': Anstatt eine schwierige oder unangenehme Sache anzupacken, weichst Du aus. Wenn Du so unschlüssig bleibst, wird nicht viel aus dem Erfolg.

die Auswertung (-en) – the assessment	**die Mitmenschlichkeit** – humanity	**geachtet werden** – to be respected
überwiegend – mainly	**strebsam** – ambitious, hard-working	**anstatt zu** – instead of
sicher – for sure	**das Herz** (-en) – the heart	**unangenehm** – unpleasant
erfolgreich – succesful	**die Kombination** (-en) – the combination	**an/packen** – to get to grips with
unbeirrt – unwavering		**aus/weichen** – to avoid
der Egoismus – egoism	**sich durch/setzen** – to get on	**unschlüssig** – indecisive
der Verstand – common sense		**der Erfolg** – the success

Info+

Ein Foto-Roman – 'Rock Aliens'

Auf einem fernen Planeten beschließen der blonde Absid und seine Freunde, der Erde einen Besuch abzustatten.

Sie landen mit ihrem Raumschiff in Speelburgh, einem kleinen Städtchen. Dort leben Dee Dee und Frankie.

Niemand weiß, daß es sich um Außerirdische handelt, die eine Rockband sind. Sie fordern Frankie und seine Gruppe zu einem Wettstreit auf.

Als Absid zum erstenmal Dee Dee sieht, explodiert sein Kopf... (*Fortsetzung folgt*)

fern – distant	**das Raumschiff** (-e) – the spacecraft	**die Rockband** (-s) – the rock-band
der Planet (-en) – the planet	**niemand** – nobody	**auf/fordern** – to challenge
beschließen – to decide	**es handelt sich um** – it's a question of	**der Wettstreit** (-e) – the contest
die Erde – the earth		**zum erstenmal** – for the first time
einen Besuch ab/statten – to visit	**der Außerirdische** (-n) – the extra-terrestrial	**explodieren** – to explode
landen – to land		**Forsetzung folgt** – to be continued
das Städtchen (-) – the little town		

Talking about magazines

Mein Lieblingsmagazin ist } ...Es erscheint } wöchentlich.
Am liebsten lese ich } } monatlich.
Am besten gefallen mir die Artikel über .../die Psycho-Teste.

EINHEIT 40

*T*est: Ich kann Deutsch!

Michael

*H*ow to...

- Check what you have learned and done as you have worked through this book

Now test yourself 1

Michael A–Z

Play the Cassette, and listen to Michael being interviewed. Note down his answers, in English.

Michael

A What's your name?

B How old are you?

C Do you live in town, or in the country?

D What's it called?

E Where is it?

F Have you brothers and sisters? How old?

G Have you a pet?

H Do you like going to school?

I How do you go to school?

J What's your favourite subject?

K Do you play an instrument?

L Do you belong to a club?

M How often do you go?

N What days?

O What do you do at the weekend?

P And if the weather's not good?

Q What kinds of TV programmes do you like?

R Do you read a lot?

S What do you read?

T What do you like about it?

U What do you do to keep fit?

V What did you do last night?

W What was it like?

X What career do you hope to have?

Y Do you have a job?

Z What will you do if you win the jackpot?

Now test yourself 2

With the revision test on these two pages, in the form of a game, you can check the progress you have made in the course of this book. It can be played either alone or with a friend or friends. You need a counter, or coin, and a dice. Put the counter on START. Shake the dice, (in turn, if there is more than one player) and move the coin forwards the appropriate number of squares. Then answer the question you find there.

START

Test

1 Wohnst du in der Stadt? (6)

40 Wie ist das Wetter? (23)

39 Wie kommst du zur Schule? (13)

38 Es geht Ihnen nicht gut? (26)

2 Was machst du, um Taschengeld zu verdienen? (22)

9 Was (und wo) ist Bremen? (5)

10 Was hast du verloren? (33)

17 Was für Haare hat diese Dame? (7)

FLUGHAFEN DÜSSELDORF

15.05 Sport extra
SPORT ■ Ski-Weltcup: Slalom der He in Kranjska Gora und Slalon Damen in Altenmarkt ■ Wel Skispringen in Murau ■ Hand EM-Qualifikation: Frankreic Deutschland ■ Hallenfußball

3 Um wieviel Uhr fliegst du ab? (13)

8 Was macht dieser Herr? (3)

11 Was machst du bei schönem Wetter? (11)

16 Was für Sendung-en siehst du am liebsten? (30)

METZGEREI

Kino im Tanzhaus
DER MIT DEM WOLF TANZT
-Kevin COSTNER-
Montag 21.00 Uhr

4 Was kauft man hier? (4)

7 Welchen Beruf hoffst du zu ergreifen? (35)

12 Was machst du gern in der Freizeit? (3)

15 Welcher Film läuft? Wo? Wann? (36)

SCHUL ARBEIT

Samstag, 3.Nov.'8 Schulzentrum Wee

5 Wann sind deine Eltern böse auf dich? (32)

6 Wenn du das große Los gewinnst? (25)

13 Wann und wo findet das Fest statt? (38)

14 Was hast du denn? (26)

(The illustration gives you a clue to the answer.) If you get it right (answers on page 206), you score one point.

If you can't answer, or get it wrong, you score zero. But then check back to the unit number shown in brackets, and work out what the answer should have been. Decide before the game how many circuits of the board you are going to do: obviously, the more the better, as each time you go round you will test yourself on more questions, and also remember the answers to any questions you didn't answer previously.

37 Was läßt du hier machen? (33)

36 Gehörst du einem Verein an? (15)

35 Hast du ein Tier zu Hause? (16)

34 Wie komme ich am besten zum Campingplatz? (9)

18 Welches Fach hast du in der zweiten Stunde? (21)

25 Was ist dein Lieblingsfach? (1)

26 Für wie viele Personen? (24)

33 Was für ein Mann ist dieser Herr? (12)

19 Was machst du, um fit zu bleiben? (34)

24 Was mußt du kaufen? (14)

27 Wie heißt der Sänger? (2)

32 Warum kaufst du diesen Pulli nicht? (17)

20 Spielst du ein Instrument? (29)

23 Was machst du um sieben Uhr? (11)

28 Was für Briefmarken willst du? (28)

31 Was kosten die Pfirsiche? (19)

21 Was nimmst du als Hauptgericht? (8)

22 Was hast du gestern abend gemacht? (36)

29 Was machten Herr und Frau Hecker? (37)

30 Was gefällt dir am besten in diesem Magazin? (39)

Now test yourself 3

Auf Wiedersehen!

Jeden der Sätze 1–40 findest du in einer der Einheiten 1–40, aber in jedem Satz fehlt ein einziges Wort. Die fehlenden Wörter sind: *an arbeiteten biegst billigsten brauchen Deutsch einen einziges England ersten Fahrrad Flugzeug Frau für Geld gern gespielt Hand ich in Jahre Jogginganzug kostet lange laufe liebsten meinem mich niedlich plötzlich schön schönem Schwester sondern steht Tierärztin treffen wandern wir zu*

Schreibe das jeweils passende Wort rechts hin.
+> = groß schreiben! Was liest du unter *?

1 Mein Lieblingsfach ist .?. .... +> D e u t s c H
2 Er ist vierzehn .?. alt. ....
3 In der Freizeit spielt sie .?. Tennis. ....
4 Ich möchte einen .?. ....
5 York ist eine Stadt im Norden von .?. ....
6 Er wohnt .?. der Stadt. ....
7 Meine Tante ist die .?. von meiner Mutter. ....
8 Für .?., Zwiebelsuppe bitte. ....
9 Da .?. du nach links ab. ....
10 In meinem Zimmer .?. noch ein Koffer. ....
11 Bei .?. Wetter schwimme ich. ....
12 Sie hat eine .?. Nase. ....
13 Um wieviel Uhr fliegt das .?. nach Berlin ab? .... +>
14 Ich muß .?. wechseln. ....
15 Es gibt AG's .?. Theater und Schach. ....
16 Ich habe einen Hund, der .?. ist. ....
17 Was .?. der Pulli? ....
18 In Deutschland kann man in den Bergen .?. ....
19 Sie geht in den Fischladen, um Muscheln .?. kaufen. ....
20 Ich fahre nicht mit dem Flugzeug .?. mit dem Boot. ....
21 Deutsch habe ich montags in der .?. Stunde. ....
22 .?. bekomme DM 10 Taschengeld pro Woche. ....
23 Das Wetter ist .?. ....
24 Wir .?. ein Doppelzimmer. ....
25 Ich werde .?. Hamburger essen. ....
26 Die .?. tut mir weh. ....
27 Der Motor springt nicht .?. ....
28 Sehr geehrte .?.! ....
29 Sie .?. sich um 1 Uhr am Busbahnhof. ....
30 .?. werden vielleicht Musik hören. .... +>
31 Wir haben Fußball .?. ....
32 Ich komme mit .?. Vater gut aus. ....
33 Ich habe mein .?. verloren. ....
34 Um fit zu bleiben, .?. ich Schlittschuh. ....
35 Eine .?. ist eine Frau, die für Tiere sorgt. ....
36 Die .?. Plätze sind im Kellerkino. ....
37 Sie .?. viel im Garten. ....
38 .?. hielt der Bus an. ....
39 Am .?. lese ich *Bravo*! ....
40 In jedem Satz fehlt ein .?. Wort. ....

---

auf Wiedersehen – goodbye   **einzig** – single   **fehlend** – missing   **jeweils** – each time

Grüner Teil Ende

INFORMATION

*G*rammar

G1 • Grammar is simply a way of explaining to you how a language works. As you get familiar with a few rules, you'll find it helps you to understand and use the German you're learning.

THE ALPHABET

G2 • The symbol he symbol **ß** is equivalent to **ss**. **Ein bißchen** is equivalent to **ein bisschen**.

• Besides **a**, **o** and **u**, you will find **ä**, **äu**, **ö** and **ü**. The symbol ¨ is called an Umlaut, and it changes the vowel sound slightly.

Schulfächer	Französisch

Only the letters **a**, **o** and **u** can take an Umlaut.

NOUNS

G3 • A word used to name a person, place or thing is called a noun.

Linda	school	picture

In German, all nouns start with a capital letter.

Steffi	Schule	Bild

GENDER

G4 • As in many major languages, German nouns have gender. That is, they are either masculine, in which the case for 'the' ('the definite article') is **der**; feminine, when the word for 'the' is **die**; or neuter, when the word for 'the' is **das**.

der Wecker – the alarm-clock	die Lampe – the lamp	das Buch – the book

G5 • Some nouns are obviously masculine (**der Mann** – the man) and some obviously feminine (**die Dame** – the lady). But as there's no certain way of telling, it's best to learn **der**, **die** or **das** with each noun. (You can always check in the vocabulary on pages 181–184, or in a dictionary). There are nevertheless a few rules to help you:

Masculine: days, months, seasons, and many nouns ending in **-er**.

der Montag	der Januar	der Frühling	der Schüler

Feminine: most nouns ending in **-e**, and all nouns ending in **-ung**, **-ik**, **-heit** and **-keit**.

die Briefmarke	die Einladung	die Musik

By adding **-in** to many masculine nouns you can make the feminine counterpart.

der Lehrer – die Lehrerin	der Polizist – die Polizistin

Neuter: all nouns ending in **-lein** and **-chen**.

das Fräulein	das Mädchen

G6 • Many German nouns (so-called 'compound' nouns) are made up of two or more shorter nouns.

der Fotoapparat (das Foto + der Apparat)

Fotoapparat is masculine because the last element 'Apparat' is masculine.

G7 • Sometimes in German you have to put in the word for 'the' where you don't in English.

in der Schule – in school	in der Mainstraße* – in Main Street	mit dem Fahrrad – by bike

* named after the river Main!

NUMBER

G8 • A noun has number. This means: is it singular or plural? Der (Ball), die (Puppe) and das (Buch) are all singular (i.e., they refer to one person, place or thing). When a noun is **plural** (i.e., when there are more than one) – whether it is masculine, feminine or neuter – then the word for 'the' is **die**.

der Ball – the ball	die Bälle – the balls	die Schule – the school	die Schulen – the schools
das Buch – the book	die Bücher – the books		

G9 • There are various ways of making nouns plural. Only a few add **-s**, usually words borrowed from English.

    das Foto – die Fotos   das Auto – die Autos   das Hotel – die Hotels

Learn how to make each noun plural as you meet it. In word-lists (pages 181–184) and dictionaries it's shown like this:

    der Ball (-e) – die Bälle   die Schule (-n) – die Schulen   das Buch (¨er) – die Bücher

G10 • Many masculine words of one syllable add (**-e**) or (**¨e**) to make them plural.

    der Arm – die Arme   der Markt – die Märkte

Other ways of making masculine nouns plural are

    der Lehrer (-) – die Lehrer   der Apfel (¨e) – die Äpfel   der Herr (-en) – die Herren

G11 • All feminine nouns ending in **-e** add (**-n**) in the plural.

    die Birne – die Birnen   die Familie – die Familien

Others, including all nouns ending in **-ung**, add (**-en**).

    die Bank – die Banken   die Person – die Personen

If the noun ends in **-in**, you add (**-nen**).

    die Lehrerin – die Lehrerinnen   die Schülerin – die Schülerinnen

G12 • Like many monosyllabic masculine nouns, many neuter ones also add (**-e**) to make them plural.

    das Brot – die Brote   das Tier – die Tiere

Other ways are

    das Bild (-er) – die Bilder   das Fahrrad (¨er) – die Fahrräder   das Mädchen – die Mädchen

G13 • **CASE**

Nouns in German have what is called a case. There are four of these, nominative, accusative, dative and genitive. It's worthwhile getting an idea of them fairly early on, to make it easier for you to understand and speak. Here is an easy way to work out the nominative, accusative and dative cases. Look at this sentence:

    The man gives the dog the bone.

1 What (action) is this sentence about? It's about the action of 'giving'.
2 Which word tells you most about 'giving'? 'gives'.
  Conclusion: 'gives' is the **verb**.
3 Who (or what) does the giving? 'The man' does the giving.
  Conclusion: 'The man' is the **subject** of the verb. 'The man' is therefore in the **nominative** case.
4 What does the man give? The man gives 'the bone'.
  Conclusion: 'the bone' is the **direct object** of the verb. 'the bone' is therefore in the **accusative** case.
5 To whom does the man give the ball? He gives it to 'the dog'.
  Conclusion: 'the dog' is the **indirect object**. 'the dog' is therefore in the **dative** case.

Try analysing this sentence on the same way:

    He sells a child an apple.

G14 • The **genitive** case is mostly used to indicate **possession**.

    Der Hund des Metzgers. – The butcher's dog.

Notice that literally, you are saying: The dog of the butcher. There is no equivalent phrase in German to the butcher's dog. You can however say: Kais Telefonnummer, Ninas Adresse. There is no apostrophe.

In the genitive case, masculine and neuter nouns add **-es** or **-s**.

    Die Teile des Körpers – the parts of the body.   Die Figur eines Mannes – the figure of a man.
    Ich bin Mitglied eines Tanzklubs. – I'm a member of a dancing club.

G15 • Table 1 (G85) shows you how **der**, **die** and **das** change according to number and case.

EIN, EINE

G16 • The word for 'a' or 'an' (the 'indefinite article') is **ein** (masculine), **eine** (feminine) or **ein** (neuter).

> der Blumenladen – ein Blumenladen   die Apotheke – eine Apotheke
> das Lebensmittelgeschäft – ein Lebensmittelgeschäft

There's no plural form of 'ein' — the plural of *ein Geschäft* is *Geschäfte* — but 'ein' and 'eine' do change according to case.

> Denis hat einen Fischladen.

Table 3 (G87) shows you what to do.

G17 • When you are talking about jobs in German, you leave out 'ein' or 'eine'.

> Er ist Ingenieur. – He is an engineer.

VERBS

G18 • A word which describes an action or a state is called a verb.

> ask   buy   live

Most verbs are regular, i.e., they follow certain simple rules, so that you know in advance how they will behave.

G19 • The part of the verb which in English is preceded by 'to' is called the infinitive.

> to ask   to find   to live

This is the form of the verb you normally find listed in a dictionary or word-list.

> fragen   schreiben   wohnen

In German, nearly all infinitives end in **-en**.

G20 • In this book, the symbol < is used to tell you which infinitive any unexpected form of the verb comes from.

> bist < sein – to be   gibt < geben – to give

G21 • The subject (the person or thing carrying out the action of the verb) and the verb are completed by the predicate.

> **subject**   **verb**   **predicate**
> *Thomas*   *lives*   *in Dortmund.*
> Thomas   wohnt   in Dortmund.

G22 • The various forms of the verb consist of a stem, and an ending, which varies according to the subject.

> *stem   ending*   *stem   ending*   *stem   ending*
> ich heiß – e   Thomas wohn – t   die anderen sag – en

G23 • There are two main groups of German verbs, called weak and strong.
Use spielen (*to play*) as a model for **weak verbs**.

	singular	*plural*
1st person	**ich spiele** I play	**wir spielen** we play
2nd person	**du spielst** you play	**Sie spielen** you play
		ihr spielt you play
3rd person	**er spielt** he or it plays	**sie spielen** they play
	sie spielt she or it plays	
	es spielt it plays	

The form of the singular verb after **er**, **sie** and **es** is always the same, as is the form of the plural verb after **wir**, **Sie** and **sie**.

G24 • You need learn only 'ich spiele' to be able to say in German: I play, I am playing and I do play.

G25 • To make it easier to say, a few weak verbs have an extra **-e-** in some of their endings.

> du findest   die Agentur sendet   es regnet

G26 • *You*. If you are addressing one friend, relative, animal or child, use **du**; when talking to more than one, use **ihr**; to anybody else, use the so-called 'polite' form **Sie**. It might help to remember

FRANK (Friends, Relatives, Animals 'N Kids ...)
Wer bist du? (the Queen asks Steffi). Wer sind Sie? (Steffi asks the Queen).

Gehe geradeaus – Gehen Sie geradeaus.   Habt ihr eine Pause?

G27 • **Man** (*one*) is very commonly used in German where in English we often say **you**. **Man** takes the same form of the verb as **er**.

Man spricht von der Familie.   Hier kauft **man** Pizza.

G28 • The second large group of verbs are called **strong verbs**. Use sehen (*to see*) as a model.

	singular	*plural*
1st person	**ich sehe** I see	**wir sehen** we see
2nd person	**du siehst** you see	**Sie sehen** you see
		ihr seht you see
3rd person	**er sieht** he/it sees	**sie sehen** they see
	sie sieht she/it sees	
	es sieht it sees	

The endings here are exactly the same as for the weak verb. The only difference is that the vowel in the stem changes in the 2nd and 3rd persons singular.

In this book, the change in the stem-vowel of a strong verb is indicated in word-lists as follows:

sehen (ie) du siehst   *lesen (ie) er liest*   *geben (i) du gibst*
fahren (ä) er fährt   *laufen (äu) sie läuft*

IRREGULAR VERBS

G29 • A few verbs are irregular, i.e., they don't behave according to the rules. Think, for example, of the English irregular verb to be: I am, you are, he is, etc. Some are very common. You soon get used to them for that very reason. Three very important ones are:

sein (*to be*): ich bin, du bist, er/sie/es ist, wir sind, Sie sind, ihr seid, sie sind

Ich bin 12 Jahre alt.

haben (*to have*): ich habe, du hast, er/sie/es hat, wir haben, Sie haben, ihr habt, sie haben

Hast du ein Tier zu Hause?

werden (*to become*): ich werde, du wirst, er/sie/es wird, wir werden, Sie werden, ihr werdet, sie werden

Mein Vater wird böse auf mich.

MODAL VERBS

G30 • Modal verbs are frequently used together with the infinitive of another verb, as in English.

   modal verb *infinitive*
Kurt.........wants...............to write .... a book.

In German, the infinitive stands at the end.

     modal verb *infinitive*
Kurt ....will ....ein Buch ....schreiben.
Kurt ....wants ....a book ....to write.
In Deutschland ....kann ....man malerische Städte ....besuchen.
In Germany ....can ....one picturesque towns ....visit.

G31 • This is how modal verbs go in German:

Infinitive:	dürfen	können	mögen	müssen	sollen	wollen
ich	darf	kann	mag	muß	soll	will
	I may	*I can*	*I like*	*I must*	*I am to*	*I will*
du	darfst	kannst	magst	mußt	sollst	willst
er/sie/es	darf	kann	mag	muß	soll	will
wir	dürfen	können	mögen	müssen	sollen	wollen
Sie	dürfen	können	mögen	müssen	sollen	wollen
ihr	dürft	könnt	mögt	müßt	sollt	wollt
sie	dürfen	können	mögen	müssen	sollen	wollen

Ich will nach Berlin fahren. Man kann allein spielen.
You often find **mögen** in the form **möchte** – *would like to*:

> Ich möchte einen Wecker kaufen.

G32 • When the verb **lassen** (*to let*) is used in the sense of having something done, it behaves like a modal verb.

> Ich lasse meinen Pulli reinigen. – I have my pullover cleaned.

INFINITIVES

G33 • The simple infinitive stands after a modal verb. The infinitive stands at the end.

> Man kann Tennis spielen.

After certain other verbs, the infinitive is preceded by **zu**.

> Ich hoffe, Fußballer zu werden.

G34 • **Um ... zu** + an infinitive is used to express purpose.

> Simone fährt nach Kiel, um segeln zu lernen.
> Frau Braun geht in den Blumenladen, um Rosen zu kaufen.

COMPOUND VERBS

G35 • A compound verb is a verb to which has been added a prefix in order to make up a new one, the meaning of which is slightly different.

> stehen – to stand   aufstehen – to stand up, get up   suchen – to seek, look for   besuchen – to visit

Compound verbs can be both weak and strong.

G36 • When you use compound verbs with the prefixes **ab-, an-, auf-, aus-, dahin-, dar-, ein-, herunter-, hin-, los-, mit-, nach-, statt-, teil-, vor-, vorbei-, zu-** and **zurück-**, the prefix often splits off and goes to the end of the clause or sentence containing it.

> Um 7 Uhr steht Axel auf.   Ich räume mein Zimmer auf.

Such verbs are called separable verbs, and are indicated in this book in the following way:
auf/stehen ab/fahren an/rufen

> Der nächste Zug fährt um 02.34 ab.

NB Ich esse mein Essen nicht auf. ... wenn ich mein Essen nicht aufesse.

G37 • The prefixes **be-, ent-, er-, ver-** and **zer-** are called inseparable ones. They never split off from the verb.

> Sonja bekommt 7 DM pro Woche Taschengeld.

In this book, inseparable verbs are indicated like this: **be**suchen
Other inseparable verbs you will meet are:
entdecken **er**finden **ver**stehen **zer**brechen
NB Ich bekomme eine schlechte Note. ... wenn ich eine schlechte Note bekomme.

REFLEXIVE VERBS

G38 • When you are doing something to or for yourself, you use in German what is called a reflexive verb. An example is **sich setzen** (*to sit down*, literally to seat oneself). Here's how it goes: ich setze mich, du setzest dich, er/sie/es setzt sich, wir setzen uns, ihr setzt euch, Sie/sie setzen sich.

> Axel zieht sich an. – Axel gets dressed. ('dresses himself')

INTERROGATIVES

G39 • To ask a question you use a form of the verb called the interrogative.
1 Use the normal form of the verb, adding **nicht wahr**?

> Du spielst Golf, nicht wahr? – You're playing golf, aren't you?

2 Put the subject after the verb, ('invert' them) as you can do in English.

> Spielst du gern Fußball? – Do you like playing football?

3 Many questions are introduced by question words such as wann? *when*? warum? *why*? was? *what*? was für? *what kind of*? wer? *who*? (wen? *whom*? wessen? *whose*? wem? *to whom*?) wie? *how*? wie lange? *how long*? wie oft? *how often*? wieviel? *how much*? wie viele? *how many*? wo? *where*? wohin? *where to*?

> Was machen sie in der Freizeit? – What do they do in their free-time?
> Wo wohnst du? – Where do you live?

NEGATIVES

G40 • By adding **nicht** (*not*) to a sentence, you make it negative.

> Du kennst ihre Namen nicht. – You don't know their names.
> Ich arbeite im Garten nicht. – I don't work in the garden.

G41 • 'Nicht + ein' becomes **kein**.

> kein (nicht+ein) Campingplatz   keine (nicht+eine) Kirche   kein (nicht+ein) Kino

Like 'ein', 'kein' takes endings to show gender, number and case. You can find them in Table 4 (G88).

> Es gibt keinen Campingplatz.

THE IMPERATIVE

G42 • The form of the verb used to give commands is called the imperative.
zeichne! *draw*! setze! *put*! schreibe! *write*! ergänze! *complete*! These forms of the verb are made by taking the **stem** of the infinitive, and adding **-e**.

> *stem*   *infinitive ending*
> schreib-   en   > schreib-e!

Note however: nimm! *take*! gib! *give*! lies! *read*!

You use the forms given here *only* when speaking to a relative, friend, animal or child. The 'polite' form would be

> zeichnen Sie!   setzen Sie!   schreiben Sie!   ergänzen Sie!   nehmen Sie!   geben Sie!   lesen Sie!

To give a general instruction, you can also use the infinitive.

> Den Backofen vorheizen. – Pre-heat the oven.
> Das Warnblinklicht einschalten. – Switch on the warning lights.

WORD-ORDER

G43 • In German, the verb is normally the second idea in a sentence.

1st idea	2nd idea	
(subject)	(verb)	(predicate)
Claudia	wohnt	in Dresden.

This doesn't mean the verb has to be the second word.

1st idea	2nd idea	
(subject)	(verb)	(predicate)
Meine Freundin Claudia	wohnt	in Dresden.

You can even start with part of the predicate, as long as you make sure the verb comes next.

1st idea	2nd idea	
(predicate)	(verb)	(subject)
In der Freizeit	reitet	sie.
'In her spare-time	rides	she.'

> Hinter meinem Bett habe ich ein Radio.
> Hier kauft man Pizza.
> Deutsch hat Hagen in der ersten Stunde.

This is done by 'inverting' the subject and the verb i.e., exchanging their positions.

G44 • Occasionally the verb comes in first position:
a) In commands: Höre die Kassette!
b) In questions which don't start with a question word: Hörst du gern Musik? Haben Sie Platz frei?

PHRASES, CLAUSES AND SENTENCES

G45 • A phrase is a small group of words without a verb.

> in front of the school – vor der Schule
> in the swimming pool – im Schwimmbad   at 10 o'clock – um 10 Uhr

G46 • A clause is a group of words which include a verb, and which is a distinct part of a sentence. You can break a clause down into 3 parts: a verb, the subject of the verb, and a predicate (what is being said about the subject).

> *Subject* *verb*   *predicate*
> Axel   steht   um sieben Uhr auf.
> Er   ißt   das Frühstück.

G47 • A main clause is one which is complete on its own. It doesn't need any other words for it to make sense.

> Er geht in die Schule – He goes to school   Ich gehöre der Schach-AG an – I belong to the chess club
> Wir wollen ins Kino gehen – We'll go to the cinema

G48 • A subordinate clause is one which is not complete on its own, and needs the addition of other words for it to make sense:
...because I like playing chess.
...if I have the money.
If it's cold...

CONJUNCTIONS

G49 • A word used to join up two clauses is called a conjunction.
He plays tennis *or* he reads a book.
Other examples are *and, but, when,* and *although*.

G50 • You can join up 2 main clauses to make up a longer sentence, using **und** *and*, **aber** *but*, **oder** *or* and **denn** *for*.

> *1st clause*   *conjunction*   *2nd clause*.
> Er spielt Tennis   oder   er liest ein Buch.

In each of the clauses, the verb remains the second idea.

> Bei schönem Wetter spielt Großvater Tennis und bei schlechtem Wetter liest er ein Buch.

G51 • You can join up a main clause and a subordinate clause using the conjunctions **als** *when* **bevor** *before* **da** *since, as* **(so) daß** *so that* **indem** *as, whilst* **obgleich (obwohl)** *although* **während** *whilst* **weil** *because* **wenn** *if, whenever*

> *main clause*   +   *subordinate clause*
> *subject* *verb*   *predicate*   *conjunction* *subject* *predicate*   *verb*
> Wir   gehen   ins Freibad,   wenn   es   nicht kalt   ist.
> Ich   gehöre   der Schach-AG an,   weil   ich   gern Schach   spiele.

Here, the verb in the main clause is in second position; the verb in the subordinate clause is at the end.

G52 • When joining up a main and subordinate clause, you can also put the subordinate clause *before* the main clause. In this case, you have to invert the subject and the verb of the main clause, so that the verb in the main clause comes in second position in the sentence. (The whole of the subordinate clause is now the first idea).

> *conjunction* and
> *subordinate clause*   *main clause*
> Wenn es kalt ist,   wollen wir ins Freibad gehen.
> Wenn ich das große Los gewinne,   werde ich mir ein großes Auto kaufen.

In these examples, the subordinate clause is the first idea in the sentence, and it is followed, in second position, by the verb in the main clause.
There is always a comma between the main clause and a subordinate clause.

TENSES

G53 • We spend a lot of time saying what we do or are doing. But often we want (or need) to know how to say what we are going to do, or shall do, in the future. You also want or need to be able to say what you did, have done, or used to do in the past. To do this, you put the verb into different tenses.

G54 • Here are the names of the tenses used in this book.
The present tense: ich kaufe *I buy, I am buying, I do buy*
The future tense: ich werde… kaufen *I shall buy, I shall be buying*
The past perfect tense: ich habe… gekauft *I have bought, I bought, I did buy*
The past imperfect tense: ich kaufte *I bought, I used to buy*
In German you have far fewer tenses to learn than than if you were a foreigner learning English.

THE FUTURE TENSE

G55 • Add the infinitive of the verb you want to put into the future to the present tense of the verb **werden**.
The infinitive stands at the end.

> Ich werde einen McKäseburger essen – I shall a McCheeseburger eat.

Here's the future tense of the verb **essen**.
ich werde… essen, du wirst… essen, er/sie/es wird… essen, wir werden… essen, Sie werden… essen, ihr werdet… essen, sie werden… essen
All German verbs follow this pattern. There are no exceptions.

TALKING ABOUT THE PAST

G56 • When you want to say what you did recently, or what you have just done, then you use the perfect tense. With most verbs, this is made up in a way which is very similar to English: you use the present tense of the verb **haben** and add the 'past participle'.

subject	verb	past participle	
I	have	hired	a bike.

In German, the past participle goes to the end of the clause.

subject	verb	past participle	
Ich	habe	ein Fahrrad	gemietet.
I	have	a bike	hired.

G57 • To make the past participle of a weak verb, take the stem, add **ge-** in front and **-t** at the end.
spiel-en > **ge**spiel**t**

G58 • The perfect tense of **spielen**, which you can use as a model for nearly all *weak verbs*, is:
ich habe… gespielt, du hast… gespielt, er/sie/es hat… gespielt, wir haben… gespielt, ihr habt… gespielt, Sie haben… gespielt

G59 • The past participle of a **strong verb** normally starts with **ge-**, but ends in **-en**, and the stem-vowel is often different from the one in the present tense.

> getrunken < trinken   gestohlen < stehlen   gesprungen < springen

Although you'll find that strong verbs fall into groups which behave similarly, it's a good idea to learn each past participle as you meet it.

> Ich habe Kaffee getrunken.

G60 • A small group of verbs, mostly describing some kind of motion, use **sein**, and not **haben**, to make the perfect tense. In the word-list on pages 181–184, you'll find them indicated by *.
*fahren (to travel) goes like this: ich **bin**… gefahren, du **bist**… gefahren, er/sie/es **ist**… gefahren, wir **sind**… gefahren, Sie **sind**… gefahren, ihr **seid**… gefahren, sie **sind**… gefahren.
In this book you will meet *bleiben, *fahren (ä), *gehen, *kommen, *laufen (äu), *reiten, *schwimmen, *sein, *springen, and *steigen .

G61 • If a verb has a **separable** prefix, then in the past participle you put in -**ge**- after the prefix:
an/kommen > wir sind um 12.20 an**ge**kommen.

G62 • If a verb has an **inseparable** prefix, then in the past participle you leave out **ge-** :

> **über**nachten > Dort haben wir zwei Nächte übernachtet.
> **ver**lieren > Ich habe meinen Paß verloren.

G63 • Sometimes in German you find the present tense where you might expect to find a past tense.

> Meine Kassette ist seit zwei Tagen kaputt. – My cassette machine's been broken for two days.
> Ich laufe seit drei Jahren Schlittschuh. – I've been skating for three years.

THE IMPERFECT TENSE

G64 • This is a very important tense, used firstly when you want to say what you used to do, what used to happen, or how things used to be.

> Herr Härtel wohnte in der Seebergerstraße. – Herr Härtel used to live in Seeberger Street.

It is also used to describe a series of events in the past (a narrative), as when telling a story, for example.

> Gespannt standen wir um 8.00 am Busplatz und erwarteten den Bus.
> Jetzt kam er!

As with the perfect tense, weak verbs and strong verbs behave differently.

WEAK VERBS

G65 • To make the imperfect tense of a weak verb, take the stem of the infinitive and add **-te**, **-test**, **-te**, **-ten**, **-ten**, **-tet**, **-ten**.
ich spielte, du spieltest, er/sie/es spielte, wir spielten, Sie spielten, ihr spieltet, sie spielten
A few verbs have an extra -e- in the imperfect ending: wir erwarteten.

STRONG VERBS

G66 • The best way to tackle the imperfect of strong verbs is to learn the imperfect form the first time you meet it. You can however look it up under its infinitive in the word-list on pages 181–184.
For **gehen** it is **ging**.
To this you add – (nothing), **-st**, – (nothing), **-en**, **-en**, **-t** and **-en**.
Ich ging, du gingst, er/sie/es ging, wir gingen, Sie gingen, ihr gingt, sie gingen.

G67 • In the imperfect tense, the prefixes of separable and inseparable verbs behave as in the present tense.

> Alle zogen sich ihre Jacken an. (an/ziehen)   Wir erwarteten den Bus. (erwarten)

ADJECTIVES

G68 • An adjective is a word which describes a noun.

> jung   weiß   lang

When an adjective follows the noun, it takes no ending.

> Elisabeth ist jung. Ihr Gesicht ist weiß. Ihre Haare sind lang.

When an adjective precedes the noun, it takes an ending.

> Eine junge Dame. Sie hat ein weißes Gesicht. Sie hat lange Haare.

The adjective ending varies according to the gender, the number and the case of the noun.

> Ein neuer Computer kostet 750 DM. Er muß einen neuen Fernseher kaufen.

Until you get used to these endings, you can read them off on Tables 5–9 (G89–93).

G69 • Sometimes you want to compare things using adjectives.
billig cheap billiger cheaper billigst cheapest

> Die Plätze im UFA-Palast sind billiger als die Plätze im Kino am Tor. – Seats at the UFA-Palast are cheaper than seats at the Kino am Tor.
> Die billigsten Plätze sind im Kellerkino.– The cheapest seats are at the Kellerkino.
> Die Plätze im Schloßkino sind (eben)so billig wie die Plätze im Kino am Tanzhaus. – The seats at the Schloßkino are (just) as cheap as the seats at the Kino am Tanzhaus.

NB: gut   besser   der (die,das) beste   groß   größer   der (die, das) größte

PRONOUNS

G70 • A word which stands instead of a noun is called a pronoun.
My brother gives his friend a present. He gives it to him.
'He', 'it' and 'him' are all pronouns.

Like nouns, pronouns have case.

> Ich finde ihn nett und komme gut mit ihm aus.
> Können Sie ihn (meinen Kassettenrecorder) in Ordnung bringen?

Nominative	Accusative	Dative
ich *I*	mich *me*	mir *to me*
du *you*	dich *you*	dir *to you*
er *he, it*	ihn *him, it*	ihm *to him, to it*
sie *she, it*	sie *her, it*	ihr *to her, to it*
es *it*	es *it*	ihm *to it*
wir *we*	uns *us*	uns *to us*
Sie *you*	Sie *you*	Ihnen *to you*
ihr *you*	euch *you*	euch *to you*
sie *they*	sie *them*	ihnen *to them*

The word for **it** depends on the gender of the noun it stands for.

> Er (der Pulli) kostet DM 45. Sie (die Hose) kostet…

G71 • **Du**, **Dich**, **Dir** and **Dein** take a capital letter when you write a letter to someone.

> Wie alt bist Du? Wo wohnst Du?

RELATIVE PRONOUNS

G72 • In the sentence 'Alexander has a dog, who is 9 years old', the word 'who' is a relative pronoun, joining together two clauses:
'Alexander has a dog' and 'who is 9 years old'.

> Alexander hat einen Hund, der 9 Jahre alt ist.

In German, the relative pronoun shows gender. It is masculine here because 'Hund' is masculine.

> Die Dame, die Klarinette spielt, heißt Tina.

A relative pronoun in German introduces a subordinate clause, in which the verb stands at the end.
In this book you will meet the relative pronouns **der** (masculine), **die** (feminine) and **das** (neuter).

PREPOSITIONS

G73 • A word that expresses the relation of one thing or person to another is called a preposition. Examples are **in** *in* **auf** *on* **unter** *under*.
In German, prepositions take different cases, often the dative.

> In dem Erdgeschoß. In der Eingangshalle. Du bist auf dem Campingplatz.

G74 • One group of prepositions always takes the dative case. In this book you will meet **aus** *out of* **außer** *except, besides* **bei** *at, near, with* **gegenüber** *opposite* **mit** *with* **nach** *to(wards), after* **seit** *since* **von** *from, of* **zu** *to*.

> Meine Tochter ist die Schwester von meinem Sohn.
> Wie komme ich am besten zum (zu dem) Rathaus?

G75 • A few prepositions take the accusative case. These include **bis** *till, as far as, by* **durch** *through* **für** *for* **gegen** *against, towards* **ohne** *without* **um** *round, at*

> Für wie viele Personen? Für mich Kalbsleber. Haben Sie etwas gegen Halsschmerzen?

G76 • A very important group of 9 prepositions takes the accusative, if there is 'motion towards' or the dative, if there is no 'motion towards'. These are **an** *on, at, to* **auf** *on* **hinter** *behind* **in** *in* **neben** *near, next to* **über** *over, above* **unter** *under, below* **vor** *in front of* and **zwischen** *between*

> Sie geht in den Blumenladen.

(Accusative, as there is 'motion towards' i.e. in order to go into the shop, she moves towards it).

> Sie ist in dem Blumenladen.

(Dative, as there is no 'motion towards' the shop).

G77 • A very few prepositions take the genitive case. In this book you will meet only **während** *during* and **wegen** *because of*.

> Während der Schulferien…

G78 • Sometimes prepositions are run together with the definite article:
beim (bei dem) **vom** (von dem) **zum** (zu dem) **zur** (zu der) **ans** (an das) **am** (an dem) **ins** (in das) **im** (in dem)

> Wie komme ich am besten zur Post?

G79 • When a pronoun refers to a thing, and not a person, you find forms of the preposition such as **damit** *with it* (instead of 'mit ihm' or 'mit ihr'); **darauf** *on it* ('auf ihm' or 'auf ihr'); **dafür** (für es)

> Damit (mit ihrem Taschengeld) kauft sie Krimskrams.

POSSESSIVE ADJECTIVES

G80 • To show possession, you use **mein** *my*, **dein** *your*, **sein** *his* or *its*, **ihr** *her* or *its*, **unser** *our*, **Ihr** *your*, **euer** *your* and **ihr** *their*. They take the same endings as kein (see Table 4 [G88]).

> mein Vorname   dein Lieblingsfach   seine Telefonnummer   ihre Adresse

ADVERBS

G81 • An adverb, or adverbial phrase, answers questions about time (when?) manner (how?) or place (where?)

> Heute mit dem Fahrrad auf dem Campingplatz.

G82 • When you have 2 or more adverbs of different kinds, remember TMP – Time comes before Manner which comes before Place.

> Ich komme zu Fuß (*manner*) in die Schule (*place*).
> Timo geht jedes Wochenende (*time*) zum Unterbacher See (*place*).

G83 • Sometimes you want to compare adverbs.
früh – early   früher – earlier   am frühesten – earliest

> 'Super Mario' beginnt früher als 'Der Vagabund'.
> Der Film, der am frühesten beginnt, ist 'Der mit dem Wolf tanzt'.

NB

gern	lieber	am liebsten
gut	besser	am besten

ENDINGS

G84 • Although you'll want to get your endings right, you won't be expected to make no mistakes with them for quite some time. (And above all don't be afraid to get them wrong). Meanwhile, you can check them, or look them up, on these Tables.
MAS – Masculine FEM – Feminine NEU – Neuter PLU – Plural
NOM – Nominative ACC – Accusative GEN – Genitive DAT – Dative

G85 •

Table 1

	MAS	FEM	NEU	PLU
NOM	der	die	das	die
ACC	den	die	das	die
GEN	des	der	des	der
DAT	dem	der	dem	der

This table shows how **der**, **die** and **das** change with gender, number and case.

G89 •

Table 5

	MAS	FEM	NEU	PLU
NOM	-e	-e	-e	-en
ACC	-en	-e	-e	-en
GEN	-en	-en	-en	-en
DAT	-en	-en	-en	-en

Add these endings to adjectives used after forms of **der**, **die** and **das**.

Examples: der *alte* Mann (MAS/NOM); der *schönen* Dame (FEM/GEN)

G86 •

Table 2

	MAS	FEM	NEU	PLU
NOM	-er	-e	-es	-e
ACC	-en	-e	-es	-e
GEN	-es	-er	-es	-er
DAT	-em	-er	-em	-en

Add these endings to **dies, jen, welch** and **jed**.

Examples: dieses *jungen* Kindes (NEU/GEN); welche *roten* Äpfel? (PLU/ACC)

G87 •

Table 3

	MAS	FEM	NEU	PLU
NOM	--	-e	--	
ACC	-en	-e	--	
GEN	-es	-er	-es	
DAT	-em	-er	-em	

Add these endings to **ein**.
There is no plural form.

Examples: einem *neuen* Auto (NEU/DAT); eine *gute* Lehrerin (FEM/NOM)

G88 •

Table 4

	MAS	FEM	NEU	PLU
NOM	--	-e	--	-e
ACC	-en	-e	--	-e
GEN	-es	-er	-es	-er
DAT	-em	-er	-em	-en

Add these endings to **kein, mein, dein, sein, ihr, unser, Ihr** and **euer**.

Examples: meiner alten Tante (FEM/GEN): ihren alten *Schuhen (PLU/DAT)
* nouns in the dative plural add -n

G90 •

Table 6

	MAS	FEM	NEU	PLU
NOM	-e	-e	-e	-en
ACC	-en	-e	-e	-en
GEN	-en	-en	-en	-en
DAT	-en	-en	-en	-en

Add these endings to adjectives used after forms of **dies, jen, welch** and **jed**.

G91 •

Table 7

	MAS	FEM	NEU	PLU
NOM	-er	-e	-es	
ACC	-en	-e	-es	
GEN	-en	-en	-en	
DAT	-en	-en	-en	

Add these endings to adjectives used after forms of **ein**.

G92 •

Table 8

	MAS	FEM	NEU	PLU
NOM	-er	-e	-es	-en
ACC	-en	-e	-es	-en
GEN	-en	-en	-en	-en
DAT	-en	-en	-en	-en

Add these endings to adjectives **used after forms of kein, mein, dein, sein, ihr, unser, Ihr** and **euer**.

G93 •

Table 9

	MAS	FEM	NEU	PLU
NOM	-er	-e	-es	-e
ACC	-en	-e	-es	-e
GEN	-en	-er	-en	-er
DAT	-em	-er	-em	-en

Add these endings to adjectives when none of the words on tables 1–4 is being used.

Examples: mit süßem Senf (MAS/DAT); kurze Haare (PLU/ACC)

INFORMATION

Vocabulary

This vocabulary section isn't meant to contain all the words you've met in this book, but only common ones and more difficult ones. So it would be a good idea to have a good dictionary by your side for when you get stuck. Meanwhile, you can guess the meanings of many words, **Mann**, **Bank**, or **warm**, for example. German is also full of words which are made up of shorter words, and it's useful to break them down to discover their meaning. If you don't know **Taschengeld**, for example, think of **Tasche** (pocket) and **Geld** (money). Remember too that by adding **un-** to an adjective, you can give it the opposite meaning: **angenehm** becomes **unangenehm**, and **geduldig** becomes **ungeduldig**; further, by adding **-in** to many masculine nouns you get the feminine form: **der Lehrer - die Lehrerin**.

Note: If a verb is strong, then its parts are given. If a verb appears without parts, then it is a weak verb. Changes to the stem-vowel in the 2nd and 3rd persons singular are indicated thus: **fahren (ä)**. Verbs taking **sein** and not **haben** are indicated thus: ***fahren**. Separable verbs are indicated thus: **an/fangen**. Inseparable verbs are indicated thus: **bedeuten**

ab off, from
der **Abend** (-e) the evening
aber but
ab/hängen to depend
alle, alles all, everything
als as, when, than
als ob as if
also so, therefore
alt old
das **Alter** (-) the age
an at, on
ander other
anderswo somewhere else
an/fangen (ä), **fing ... an**, **angefangen** to begin
angenehm pleasant, nice
*an/kommen, kam ... an, angekommen to arrive
die **Anlage** (-n) the facility
anstatt (zu) instead of
antworten to answer
die **Anzahl** (-en) the number
(sich) **an/ziehen, zog ... an, angezogen** to dress
die **Arbeit** (-en) the work
ärgern to annoy
arm poor
auch also
auf on
auf/passen to pay attention
*auf/stehen, stand ... auf, aufgestanden to get or stand up
*auf/wachen to wake up
aus out (of), from, made out of
der **Ausflug** (ˁe) the trip, excursion
der **Ausgang** (ˁe) the exit
ausgezeichnet excellent
*aus/kommen mit, kam ... aus, ausgekommen to get on with

die **Auskunft** (ˁe) the information
das **Ausland** abroad
außer except
außerdem besides
bald soon
bauen to build
bedeuten to mean
beenden to end
beginnen, begann, begonnen to begin
bei at, near, by, with, in the case of
das **Beispiel** (-e) the example
bekannt well-known
bekommen, bekam, bekommen to get, receive
bemerken to notice
benutzen to use
bereit ready
bereits already
der **Beruf** (-e) the job, occupation
berühmt famous
beschließen, beschloß, beschlossen to decide
beschreiben, beschrieb, beschrieben to describe
beschriften to label
besichtigen to see, view
besonders especially
besorgen to buy, get
besprechen (i), **besprach, besprochen** to describe
bestehen aus, bestand, bestanden to consist of
bestellen to order
bestimmt certainly
besuchen to go to, to visit
bevor before
(sich) **bewegen** to move
bezahlen to pay
die **Beziehung** (-en) - the relationship
das **Bild** (-er) the picture

bilden to form
billig cheap
bis to, until, by
ein **bißchen** a little
bitten, bat, gebeten to ask, request
*bleiben, blieb, geblieben to remain, stay
böse angry, annoyed
brauchen to need
bringen, brachte, gebracht to bring
der **Buchstabe** (-n) the letter of the alphabet
Bundes... state ...
bunt gaily coloured
da there, as, since
dahin there
danke schön thank you
dann then
(so) **daß** (so) that
dauern to last
denken, dachte, gedacht to think
denn then, for
deshalb therefore
deutsch, Deutsch German
d.h. (das heißt) i.e.
dick fat
doch surely, yet, but
Doppel ... double ...
dort there
dünn thin
durch through
dürfen to be allowed to
echt genuine, real
Ehe ... married ...
eigen own
eigentlich actually
einfach single, easy
der **Eingang** (ˁe) the entrance
einige some, a few
der **Eintritt** (-e) the entrance
einzeln individual
Einzel - single ...
einzig only

die **Eltern** the parents
empfangen (ä), **empfing**, **empfangen** to receive
endlich finally, at last
englisch, Englisch English
entdecken to discover
die **Entfernung** (-en) the distance
enthalten (ä), **enthielt**, **enthalten** to contain
entscheiden, entschied, **entschieden** to decide
entschuldigen to excuse
entweder ... oder ... either ... or ...
entzücken to delight
die **Erde** (-n) the earth
die **Erdkunde** the geography
erfinden, erfand, **erfunden** to invent
ergänzen to complete
das **Ergebnis** (-se) the result
ergreifen to take hold of
erhalten (ä), **erhielt**, **erhalten** to receive
erklären to explain
erscheinen, erschien, **erschienen** to appear
erst first, only
der/die **Erwachsene** (-n) the adult
erwarten to expect, wait for
essen (i), **aß, gegessen** to eat
etwa about, for example
etwas something, somewhat, a bit
das **Fach** (⁻er) the subject
*fahren (ä), **fuhr, gefahren** to ride, go, drive, travel
die **Fahrt** (-en) the journey, trip
falsch wrong
die **Farbe** (-n) the colour
fast almost
fehlen to be missing
feiern to celebrate
das **Feld** (-er) the area, field
die **Ferien** the holidays
fern far, distant
fern/sehen (ie), **sah ... fern**, **ferngesehen** to watch television
fertig ready, finished
fest fixed, tough, firm
fleißig hard working
der **Flug** (⁻e) the flight
*folgen to follow
fragen to ask
Französisch French
frech cheeky
frei free, available
im **Freien** in the open air
die **Freizeit** the free time
der **Freund** (-e) the friend

freundlich friendly, kind
früh early
der **Frühling** the Spring
frühstücken to breakfast
für for
furchtbar terrible
ganz whole, all, quite
der **Gast** (⁻e) the guest, visitor
geben (i), **gab, gegeben** to give
Geburts ... birth ...
geduldig patient
geeignet appropriate
gefährlich dangerous
gegen for, against
die **Gegend** (-en) the area
der **Gegenstand** (⁻e) the object
gegenüber opposite
*gehen, ging, gegangen to go
gehören to belong
*gelingen, gelang, **gelungen** to succeed
gemütlich cosy
genau exact(ly)
genießen, genoß, **genossen** to enjoy
genug enough
geöffnet open
geradeaus straight on
das **Gerät** (-e) the apparatus
gern willingly
das **Geschäft** (-e) the shop
*geschehen (ie), **geschah**, **geschehen** to happen
das **Geschenk** (-e) the present
die **Geschichte** the history, story
geschlossen closed
das **Geschwister** brothers and sisters
das **Gespräch** (-e) the conversation
gestern yesterday
gesund healthy
das **Getränk** (-e) the drink
gewinnen, gewann, **gewonnen** to win
glauben to believe
gleich immediately
das **Glück** good luck
greifen, griff, gegriffen to take hold of
groß big
die **Großstadt** (⁻e) the city
der **Grund** (⁻e) the reason
gut good, well
haben, hatte, gehabt to have
das **Häkchen** (-) the tick
halb half
die **Halle** (-n) the hall, big room
halten (ä), **hielt, gehalten** to stop, hold
die **Handlung** (-en) the shop

hängen to hang
hassen to hate
häßlich nasty
Haupt ... main ...
die **Hauswirtschaft** Home Economics
heben, hob, gehoben to lift
das **Heft** (-e) the exercise book
heißen, hieß, geheißen to be called
helfen (i), **half, geholfen** to help
der **Herbst** the Autumn
herrlich splendid
herum around
das **Herz** (-en) the heart
herzlichsten Glückwunsch sincere congratulations
heute today
die **Hilfe** the help
hindurch throughout
hinter behind
hoffen to hope
höflich polite(ly)
holen to fetch
hören to listen, hear
hübsch pretty
immer always
in
indem whilst, as
die **Informatik** the computer studies
der **Inhalt** (-e) the contents
insgesamt in all
interessant interesting
interessieren to interest
irgendetwas something or other
irgendwann at some time or other
ja
das **Jahr** (-e) the year
jawohl yes, certainly
je each
jemand somebody
jetzt now
die **Jugend** the youth
der/die **Jugendliche** (-n) the young person
jung
der **Junge** the boy
kalt cold
kaputt broken
die **Karte** (-n) the card, ticket
kaufen to buy
kein no, not a
kennen, kannte, gekannt to know
kennen/lernen to get to know
das **Kennzeichen** (-) the mark
klar clear(ly)
kleben to stick
das **Kleid** (-er) the dress

die **Kleider** the clothes
klein small
* **kommen, kam, gekommen** to come
können, konnte, gekonnt to be able to
kräftig hard, strong
krank sick, poorly
der **Kreis** (-e) the circle
die **Küche** (-n) the kitchen, cooking
der **Kunde** (-n) the customer
die **Kunst** the art, skill
kurz short
lachen to laugh
der **Laden** (:) the shop
die **Landschaft** (-en) the scenery, landscape
lang long
lange for a long time
lassen (ä), **ließ, gelassen** to let, leave
***laufen** (äu), **lief, gelaufen** to run
leben to live
die **Lebensmittel** the food
legen to put
leider unfortunately
leihen, lieh, geliehen to lend
leise quiet(ly)
lesen (ie), **las, gelesen** to read
letzt last
die **Leute** the people
lieb dear
Lieblings ... favourite ...
liegen, lag, gelegen to lie
link(s) (to/on the) left
die **Lösung** (-en) the solution
Lust haben to fancy
lustig merry, jolly
machen to make, do
das **Mädchen** the girl
das **Mal** (-e) the time, occasion
man one
manche many a
manchmal sometimes
männlich masculine, male
das **Meer** (-e) the sea
mehr (als) more (than)
(nicht) **mehr** no longer
mehrere several
mehrmals several times
die **Meinung** (-en) the opinion
meistens mostly
melden to report
der **Mensch** (-en) the human being
merkwürdig remarkable
mieten to hire, rent
mindestens at least
mit with, by
das **Mitglied** (-er) the member
mit/teilen to inform
mögen, mochte, gemocht to like

möglich possible
der **Monat** (-e) the month
der **Mond** (e) the moon
morgen tomorrow
der **Morgen** (-) the morning
müde tired
müssen (ich muß), mußte, gemußt to have to
nach after, to
der **Nachbar** (-n) the neighbour
nacheinander one after the other
der **Nachmittag** (-e) the afternoon
nächst next, near, nearest
die **Nacht** (:e) the night
nahe near
namens by the name of
natürlich natural(ly)
neben near
nehmen (i), **nahm, genommen** to take
nein no
nett nice(ly)
neu new
nicht not
nicht ... sondern ... not ... but
nichts nothing
nie never
niemand nobody
noch still, yet, as well
nur only
ob whether, if
oben on top, upstairs
ober upper
obgleich, obwohl although
oder or
die **Öffnungszeit** (-en) the opening time
oft often
ohne ... (zu ...) without
die **Ordnung** the (good) order
der **Ort** (-e) the place
ein **paar** a few
ein **Paar** a couple
persönlich personal(ly)
der **Platz** (:e) the square, space, room, seat
plötzlich sudden(ly)
der **Preis** (-e) the price, prize
prima first class
prüfen to test, check
der **Punkt** (-e) the point
pünktlich punctual(ly)
putzen to clean
die **Quittung** (-en) the receipt
raten (rät), **riet, geraten** to advise
der **Raum** (:e), room, space
räumen to clear
die **Rechnung** (-en) the bill
rechts (to/on the) right
reden to talk

der **Reihe nach** in turn
rein pure
die **Reise** (-n) the journey
***reisen** to travel
***reiten, ritt, geritten** to ride (a horse)
richtig correct
die **Richtung** (-en) the direction
rufen, rief, gerufen to call, shout
ruhen to rest
die **Sache** (-n) thing
der **Saft** (:e) the juice
sagen to say
sammeln to collect
der **Satz** (:e) the sentence
sauber clean
(wie) **schade** (what a) pity
schauen to look, gaze
scheinen, schien, geschienen to shine
schicken to send
schieben, schob, geschoben to push
schlafen (ä), **schlief geschlafen** to sleep
schlank slim
schlecht bad
schließen, schloß, geschlossen to close
schlimm bad
schmecken to taste
die **Schmerzen** the pain
schneiden, schnitt, geschnitten to cut
schnell quick(ly)
schon already
schön beautiful, nice
schrecklich terrible
schreiben, schrieb, geschrieben to write
schreien, schrie, geschrien to shout, cry
schwer heavy, difficult
schwierig difficult
***schwimmen, schwamm, geschwommen** to swim
die **See** (-n) the sea
der **See** (-n) the lake
sehen (ie), **sah, gesehen** to see
sehr very, a lot
***sein, war, gewesen** to be
seit since
die **Seite** (-n) the side, page
derselbe the same
selbst oneself
selbstverständlich naturally
senden, sandte, gesandt to send
setzen to put
sich **setzen** to sit down
sicher for sure
so then, in this way

so wie such as
so (oft) wie as (often) as
sofort at once
sonst otherwise
sorgen für to look after
sorgfältig careful(ly)
der **Spaß** fun
spät late
spielen to play
die **Sprache** (-n) the language
die **Sprechblase** (-n) the speechbubble
sprechen (i), **sprach**, **gesprochen** to speak
***springen, sprang, gesprungen** to jump
stark strong
statt/finden, fand ... statt, stattgefunden to take place
stehen, stand, gestanden to stand
***steigen, stieg, gestiegen** to climb
steil steep
die **Stelle** (-n) the place
stellen to put
der **Strand** (⁻e) the beach
sich **streiten, stritt, gestritten** to quarrel
streng strict
das **Stück** (-e) the piece
die **Stunde** (-n) the hour, lesson
suchen to seek, look for
süß sweet
der **Tag** (-e) the day
die **Tasche** (-n) the pocket, bag
der **Teil** (-e) the part
teilen to share
teuer dear, expensive
das **Tier** (-e) the animal
tot dead
tragen (ä), **trug, getragen** to wear, carry
traurig sad
treffen (i), **traf, getroffen** to meet
trinken, trank, getrunken to drink
tun, tat, getan to do
üben to practise
über about, over
überall everywhere
übrig left over
übrigens by the way
um ... zu ... in order to
die **Umfrage** (-n) the survey
die **Umwelt** the environment
und and
ungefähr about
unten below, downstairs
unter under, amongst
die **Unterkunft** (⁻e) the accommodation

der **Unterricht** the lessons
unterwegs on the way
der **Urlaub** the holidays
u.s.w. etc.
die **Veranstaltung** (-en) the entertainment, event
verbessern to correct
verbringen, verbrachte, verbracht to spend time
verdienen to earn
vergessen (i), **vergaß, vergessen** to forget
das **Verhältnis** (-se) the relationship
verkaufen to sell
der **Verkehr** the traffic
verlassen (ä), **verließ, verlassen** to leave
die **Vermietung** (-en) the hire
verschieden different
***verschwinden, verschwand, verschwunden** to disappear
versprechen (i), **versprach, versprochen** to promise
verstehen, verstand, verstanden to understand
versuchen to try
sich **verwandeln** to change
der/die **Verwandte** (-n) the relative
viel much
viele many
vielleicht perhaps
das **Viertel** (-) the quarter
das **Volk** (⁻er) the people, folk
von of, by, from
vor in front of, before
vorbei an past
die **Vorbereitung** (-en) the preparation
das **Vorhaben** (-) the intention
vorhanden available
vorher previously, before
der **Vormittag** (-e) the morning
(sich) **vor/stellen** to introduce oneself
vorwärts forwards
vorzüglich excellent
wählen to choose
während during, whilst
***wandern** to hike, wander
wann when
warten to wait
warum why
was what
was für what kind
waschen (ä), **wusch, gewaschen** to wash
wechseln to change
der **Weg** (-e) the path
wegen due to, because of
weh tun to hurt

weiblich feminine, female
weil because
weiter further
die **Welt** (-en) the world
die **Welt-Umwelt-Kunde** environmental studies
weniger (als) less than
wenigstens at least
wenn when(ever), if
***werden, wurde, geworden** to become
werfen (i), **warf, geworfen** to throw
das **Werken** the handicraft
wichtig important
wie how, (what) like, as
wieder again
wiederholen to repeat
(auf) **Wiedersehen** goodbye
wieviel(e) how much, how many
wirklich really
wissen, wußte, gewußt to know
wo where
die **Woche** (-n) the week
wohin where to
wohnen to live
wollen, wollte, gewollt to want, be willing
das **Wort** (⁻er) the word
der **Würfel** (-) the dice
die **Zahl** (-en) the number
zeichnen to draw
zeigen to show
die **Zeit** (-en) the time
der **Zettel** (-) the slip of paper
ziemlich fairly
zu to, too, at
zuerst at first
zufrieden pleased, content
zurück back
zusammen together
zwar indeed
zwischen between

INFORMATION

Solutions

EINHEIT 1

Now test yourself 2

1 Deutsch	7 Mathematik	13 Chemie
2 Musik	8 Französisch	14 Spanisch
3 Geschichte	9 Kunst	15 Biologie
4 Sport	10 Italienisch	16 Hauswirtschaft
5 Latein	11 Werken	17 Erdkunde
6 Physik	12 Englisch	18 Russisch

Now test yourself 3 📼

Kai – Biologie.	Claudia – Sport.
Simone – Mathematik.	Christina – Werken.
Lutz – Deutsch.	Axel – Kunst.

Now test yourself 5

LEN GISCH – ENGLISCH
KATIE THAMM – MATHEMATIK
NEL ITA – LATEIN
GEO OLIBI – BIOLOGIE
HY PISK – PHYSIK
MIC HEE – CHEMIE
REG ILONI – RELIGION
KIM SU – MUSIK
R. POTS – SPORT
FRANCIS HÖSZ – FRANZÖSISCH
KEN DRUDE – ERDKUNDE
TES GECCHHI – GESCHICHTE
K. STUN – KUNST
HUW CHATSRAFTIS – HAUSWIRTSCHAFT
KEN REW – WERKEN

EINHEIT 2

Now test yourself 1 📼

1 Claudia	3 Philipp	5 Henrik
2 Lisa	4 Jasmin	6 Gerhard

Now test yourself 2

1 Ich heiße Claudia, und ich wohne in Dresden.
2 Ich heiße Henrik, und ich wohne in München.
3 Ich heiße Marcus, und ich wohne in Bremen.
4 Ich heiße Dennis, und ich wohne in Duisburg.
5 Ich heiße Lubos, und ich wohne in Köln.
6 Ich heiße Martina, und ich wohne in Hannover.
7 Ich heiße Verena, und ich wohne in Düsseldorf.
8 Ich heiße Jasmin, und ich wohne in Hamburg.
9 Ich heiße Maria, und ich wohne in Berlin.
10 Ich heiße Sandra, und ich wohne in Stuttgart.
11 Ich heiße Amalia, und ich wohne in Bochum.
12 Ich heiße Lea, und ich wohne in Nürnberg.
13 Ich heiße Reemt, und ich wohne in Essen.
14 Ich heiße Ridha, und ich wohne in Leipzig.
15 Ich heiße Martin, und ich wohne in Frankfurt-am-Main.

Now test yourself 3

1 neun	6 fünfzig
2 vierzehn	7 einundvierzig
3 zweiundzwanzig	8 achtundvierzig
4 dreißig	9 neunundzwanzig
5 dreiundvierzig	10 einundzwanzig

Now test yourself 4

1 Gerhard: Ich bin dreißig Jahre alt.
2 Gaby: Ich bin siebenundzwanzig Jahre alt.
3 Hans: Ich bin sechzehn Jahre alt.
4 Barbara: Ich bin fünfundvierzig Jahre alt.
5 Michael: Ich bin dreizehn Jahre alt.

Now test yourself 5 📼

1 Nummer eins heißt Wolfgang. Er ist zwölf Jahre alt. Er wohnt in Berlin.
2 Nummer zwei heißt Tanja. Sie ist vierzehn Jahre alt. Sie wohnt in Nürnberg.
3 Nummer drei heißt Tina. Sie ist elf Jahre alt. Sie wohnt in Bremen.
4 Nummer vier heißt Rainer. Er ist dreizehn Jahre alt. Er wohnt in Stuttgart.
5 Nummer fünf heißt Lars. Er ist fünfzehn Jahre alt. Er wohnt in Köln.
6 Nummer sechs heißt Rebecca. Sie ist sechzehn Jahre alt. Sie wohnt in Dortmund.

EINHEIT 3

Now test yourself 1

Sabine: 'Ich spiele Golf!' Kai: 'Ich spiele Fußball!' Sandra: 'Ich spiele Volleyball!' Martin: 'Ich spiele Basketball!' Claudia: 'Ich spiele Tischtennis!'

Now test yourself 2 📼

1 Manfred hört gern Musik.
2 Maria liest gern.
3 Heiko reitet gern.
4 Anita schwimmt gern.
5 Hagen wandert gern.
6 Melanie sieht gern fern.
7 Martina tanzt gern.
8 Philipp sammelt gern Briefmarken.
9 Samir geht gern ins Kino.

Now test yourself 4

1 Das ist Wolfgang. In der Freizeit schwimmt er gern.
2 Das ist Claudia. In der Freizeit reitet sie gern.
3 Das ist Michael. In der Freizeit spielt er gern Fußball.
4 Das ist Peter. In der Freizeit geht er gern ins Kino.
5 Das ist Helmut. In der Freizeit tanzt er gern.
6 Das ist Frauke. In der Freizeit hört sie gern Musik.
7 Das ist Heidi. In der Freizeit sieht sie gern fern.
8 Das ist Dieter. In der Freizeit sammelt er gern Briefmarken.
9 Das ist Jasmin. In der Freizeit spielt sie gern Tennis.
10 Das ist Christina. In der Freizeit liest sie gern.

EINHEIT 4

Now test yourself 1 📼

1 Die Kassette kostet neun Mark.
2 Der Jogginganzug kostet neunundzwanzig Mark.
3 Das Buch kostet vier Mark.
4 Die Lampe kostet einundsechzig Mark.
5 Das Fahrrad kostet zweihundertvierzig Mark.
6 Der Fotoapparat kostet einhundertfünfzig Mark.
7 Das Telefon kostet fünfundsiebzig Mark.
8 Der Wecker kostet fünfzehn Mark.
9 Die Puppe kostet vierunddreißig Mark.

Now test yourself 3

4 Klaus-Peter kauft den Pulli.
5 Fräulein Bauer kauft den Fotoapparat.
6 Karim kauft das T-Shirt.
7 Paul kauft den Hamburger.
8 Heinz kauft das Telefon.
9 Anita kauft den Jogginganzug.
10 Linda kauft die Briefmarke.
11 Fräulein Müller kauft das Auto.
12 Kai kauft das Buch.
13 Simone kauft die Puppe.
14 Ridha kauft den Wecker.
15 Herr Knecht kauft das Fahrrad.
16 Luise kauft die Kassette.
17 Henrik kauft die Flasche Wein.
18 Jasmin kauft die Uhr.

Now test yourself 5

1 DENIS FLACH hat einen FISCHLADEN.
2 ANNE BELLMUD hat einen BLUMENLADEN,
3 RICK ÄBEE hat eine BÄCKEREI.
4 LENA GÜM DOES-BEST hat einen OBST-
   GEMÜSELADEN.
5 GRETE MIEZ hat eine METZGEREI.
6 ELSE BENTSLEM FÄGTITCH hat ein
   LEBENSMITTELGESCHÄFT.
7 ERIK DOONIT hat eine KONDITOREI.
8 THEO PAKE hat eine APOTHEKE.

Now test yourself 6

A Ich kaufe einen Jogginganzug.
B Ich kaufe ein Auto.
C Ich kaufe einen Wecker.
D Ich kaufe eine Kassette.
E Ich kaufe eine Puppe.
F Ich kaufe ein Buch.
G Ich kaufe einen Fotoapparat.
H Ich kaufe eine Flasche Wein.
I Ich kaufe einen Computer.
J Ich kaufe ein Fahrrad.
K Ich kaufe einen Hamburger.
L Ich kaufe eine Briefmarke.
M Ich kaufe ein Telefon.
N Ich kaufe einen Pulli.
O Ich kaufe ein Bett.
P Ich kaufe eine Lampe.

EINHEIT 5

Now test yourself 1

Mirjam: Ich wohne in Dortmund. Dortmund ist eine Stadt im Westen von Deutschland.

Jan: Ich wohne in München. München ist eine Stadt im Süden von Deutschland.

Dominik: Ich wohne in Klettenheim. Klettenheim ist ein Dorf im Norden von Deutschland.

Nina: Ich wohne in Oberlingen. Oberlingen ist ein Dorf im Osten von Deutschland.

Kenny: Ich wohne in York. York ist eine Stadt im Norden von England.

Anna: Ich wohne in Bargoed. Bargoed ist ein Dorf im Süden von Wales.

Andrew: Ich wohne in Aberdeen. Aberdeen ist eine Stadt im Osten von Schottland.

Donna: Ich wohne in Glenmaddy. Glenmaddy ist ein Dorf im Westen von Irland.

Now test yourself 2

Blaustadt: Es gibt ein Kino, einen Campingplatz und eine Apotheke. Es gibt keinen Park, keine Kirche und kein Theater.

Gelbstadt: Es gibt ein Theater, eine Kirche und einen Park. Es gibt kein Kino, keinen Campingplatz und keine Apotheke.

Grünstadt: Es gibt eine Kirche, einen Campingplatz und ein Theater. Es gibt keinen Park, kein Kino und keine Apotheke.

Now test yourself 3 📼

1 Das Theater ist in der Mainstraße.
2 Der Campingplatz ist in der Goethestraße.
3 Die Kirche ist in der Lutherstraße.
4 Das Kino ist in der Falkenstraße.
5 Die Apotheke ist in der Löwenerstraße.
6 Der Park ist in der Rheinstraße.

Now test yourself 4.1

Es gibt keinen Bahnhof, keine Disco und kein Kino.

Now test yourself 4.2

Bankstadt ist eine Stadt im Norden von Deutschland. Dort gibt es kein Kino, keine Disco, und keinen Bahnhof. Aber es gibt zwölf Banken!!!

EINHEIT 6

Now test yourself 1

1: 46 39 70	5: 21 59 46	9: 46 39 70
2: 21 59 46	6: 82 55 38	10: 21 59 46
3: 82 55 38	7: 21 59 46	11: 82 55 38
4: 46 39 70	8: 82 55 38	12: 82 55 38

Now test yourself 2

Schönes Haus, in der Nähe vom Gymnasium; kleiner Garten, Keller; Erdgeschoß: Flur, Wohnzimmer, Küche, Eßzimmer; 1. Stock: drei Schlafzimmer, Arbeitszimmer, Badezimmer, Toilette. Dachboden. Zentralheizung. Garage für zwei Wagen. In erstklassigem Zustand.

Now test yourself 3.1 📼

1 A 93 39 42.
  B **Axel.**
  C Sudweyher Straße 113.
  D Ein Haus.
  E Auf dem Lande.
2 A 59 25 43.
  B **Dominik.**
  C Kirchplatz 5.
  D Ein Haus.
  E Auf dem Lande.
3 A 48 13 62.
  B **Lea.**
  C Christophstraße 16.
  D Eine Wohnung.
  E In der Stadt.
4 A 95 64 20.
  B **Christina.**
  C Pfarrstraße 58.
  D Eine Wohnung.
  E Auf dem Lande.

Now test yourself 3.2

A Wessen Telefonnummer ist fünfundneunzig vierundsechzig zwanzig?
B Das ist Christinas Telefonnummer.
A Wie ist ihre Adresse?
B Ihre Adresse ist Pfarrstraße 58.
A Hat sie ein Haus oder eine Wohnung?
B Sie hat eine Wohnung.
A Wohnt sie in der Stadt oder auf dem Lande?
B Sie wohnt auf dem Lande.

EINHEIT 7

Now test yourself 1

1 1 Meine TOCHTER ist die Schwester von meinem Sohn.
   2 Meine TANTE ist die Frau von meinem Onkel.
   3 Mein ONKEL ist der Bruder von meinem Vater.
   4 Mein ENKEL ist der Sohn von meiner Tochter.
   5 Mein COUSIN ist der Sohn von meiner Tante.
   6 Mein SCHWIEGERSOHN ist der Mann von meiner Tochter.
   7 Meine NICHTE ist die Tochter von meinem Bruder.
   8 Meine GROßMUTTER ist die Frau von meinem Großvater.
   9 Mein SCHWAGER ist der Mann von meiner Schwester.
   10 Meine COUSINE ist die Tochter von meinem Onkel.
   11 Meine SCHWESTER ist die Tochter von meiner Mutter.
   12 Meine SCHWIEGERTOCHTER ist die Frau von meinem Sohn.
   13 Mein MANN ist der Vater von meiner Tochter.
   14 Mein NEFFE ist der Sohn von meinem Bruder.
   15 Mein SCHWIEGERVATER ist der Vater von meiner Frau.
   16 Mein SOHN ist der Bruder von meiner Tochter.
   17 Mein VATER ist der Mann von meiner Mutter.
   18 Meine FRAU ist die Mutter von meinem Sohn.
   19 Mein GROßVATER ist der Vater von meiner Mutter.
   20 Meine MUTTER ist die Frau von meinem Vater.
   21 Meine SCHWIEGERMUTTER ist die Mutter von meiner Frau.
   22 Meine ENKELIN ist die Tochter von meinem Sohn.
   23 Meine SCHWÄGERIN ist die Schwester von meinem Mann.
   24 Mein BRUDER ist der Sohn von meiner Mutter.

2 HALLO, HIER IST MEINE FAMILIE.

Now test yourself 2

Heinrich. Meine Frau heißt Dorothea. Meine Tochter Gisela ist 44 Jahre alt. Sie wohnt in Leipzig. Meine Enkelin Sabine ist 4 Jahre alt. Meine andere Enkelin, Johanna, ist 21 Jahre alt.
Dorothea. Ich habe eine Tochter. Sie ist 44 Jahre alt. Mein Schwiegersohn ist 46 Jahre alt. Die beiden wohnen in Dortmund. Mein Enkel Max ist 23 Jahre alt. Ich habe einen anderen Enkel. Er ist 12 Jahre alt.
Klaus. Mein Vater ist 70 Jahre alt. Ich habe einen Bruder. Er heißt Peter. Er ist 39 Jahre alt. Er wohnt in Essen. Mein Neffe Rolf ist 12 Jahre alt. Mein anderer Neffe heißt Max.
Gisela. Mein Vater heißt Heinrich. Meine Mutter heißt Dorothea. Meine Schwiegertochter Gerda ist 22 Jahre alt. Meine Nichte Sabine wohnt bei ihren Eltern in Essen.
Kurt. Mein Schwiegersohn heißt Lars. Mein Schwager Klaus ist 47 Jahre alt. Er wohnt in Dortmund. Meine Schwiegertochter Gerda ist 22 Jahre alt. Mein Sohn heißt Max.
Peter. Meine Nichte Johanna wohnt in Bochum. Meine Mutter ist 68 Jahre alt. Sie heißt Dorothea. Sie wohnt in Berlin. Mein Sohn ist 12 Jahre alt.
Irma. Meine Schwägerin Gisela ist 44 Jahre alt. Sie wohnt in Leipzig. Mein Sohn heißt Rolf. Meine Schwiegermutter ist 68 Jahre alt. Mein Mann ist 39 Jahre alt.
Max. Mein Cousin Rolf ist 12 Jahre alt. Mein Vater heißt Kurt. Meine Cousine ist 4 Jahre alt. Meine Tante wohnt in Essen. Sie heißt Irma.
Gerda. Meine Schwiegermutter ist 44 Jahre alt. Mein Mann heißt Max. Wir wohnen in Stuttgart. Mein Schwiegervater ist 46 Jahre alt. Mein Schwager heißt Lars.
Johanna. Meine Cousine ist 4 Jahre alt. Sie heißt Sabine. Mein Onkel Peter ist 39 Jahre alt. Meine Großmutter ist 68 Jahre alt. Mein Großvater heißt Heinrich.
Lars. Meine Frau ist 21 Jahre alt. Wir wohnen in Bochum. Mein Schwiegervater heißt Kurt. Meine Schwägerin ist 22 Jahre alt. Mein Schwager ist 23 Jahre alt.

Rolf Meine Cousine Johanna wohnt in Bochum. Meine Großmutter ist 68 Jahre alt. Ich habe eine Schwester, Sabine. Meine Mutter heißt Irma.
Sabine. Mein Großvater heißt Heinrich. Mein Bruder ist 12 Jahre alt. Wir wohnen in Essen. Mein Onkel Klaus wohnt in Dortmund. Mein Cousin ist 23 Jahre alt.

Now test yourself 4 📼

Nummer eins. Das ist sein Onkel. Er heißt Helmut. Er ist 56 Jahre alt, und er wohnt in Hamburg. Er hat braune Haare und blaue Augen.
Nummer zwei. Das ist seine Tante. Sie heißt Luise. Sie ist 60 Jahre alt, und sie wohnt in Meißen. Sie hat schwarze Haare und braune Augen.
Nummer drei. Das ist sein Cousin. Er heißt Ernst. Er ist 25 Jahre alt, und er wohnt in Nürnberg. Er hat rote haare und braune Augen.
Nummer vier. Das ist seine Schwester. Sie heißt Anneliese. Sie ist 27 Jahre alt, und sie wohnt in Hamm. Sie hat blonde Haare und braune Augen.
Nummer fünf. Das ist sein Onkel. Er heißt Manfred. Er ist 54 Jahre alt, und er wohnt in Hannover. Er hat schwarze Haare und graue Augen.
Nummer sechs. Das ist seine Tante. Sie heißt Irene. Sie ist 46 Jahre alt, und sie wohnt in Dresden. Sie hat rote Haare und blaue Augen.
Nummer sieben. Das ist sein Schwager. Er heißt Georg. Er ist 29 Jahre alt, und er wohnt in Freiburg. Er hat blonde Haare und graue Augen.
Nummer acht. Das ist sein Bruder. Er heißt Ludwig. Er ist 15 Jahre alt, und er wohnt in Berlin. Er hat braune Haare und graue Augen.
Nummer neun. Das ist seine Schwägerin. Sie heißt Brigitte. Sie ist 34 Jahre alt und sie wohnt in Ulm. Sie hat schwarze Haare und blaue Augen.

EINHEIT 8

Now test yourself 1

WO MÖCHTE VOLKER ESSEN? BEI MCDONALDS SELBSTVERSTÄNDLICH!

Now test yourself 2 📼

1: Schinkenbrot DM 6,80 + Pommes frites DM 3,50 + Flasche Coca-Cola DM 2,50 = DM 12,80.
2: 1 Paar Bratwürste mit Brot DM 4,50 + Tasse Kaffee DM 3,00 + Käsebrot DM 5,90 + Flasche Mineralwasser DM 3,50 = DM 16,90.
3: Gulaschsuppe mit Brot DM 4,50 + Hamburger DM 4,50 + Kännchen Tee DM 4,50 = DM 13,50.
4: 1 Paar Weißwürste mit süßem Senf und Brot DM 4,50+ Käsebrot DM 5,90 + Orangensaft DM 2,90 + Apfelsaft DM 3,10 = DM 16,40.
5: Doppel-Hamburger mit Käse und Zwiebel DM 6,00+ Schinkenbrot DM 6,80 + Glas Tee DM 2,50 + Tasse Kaffee DM 3,00 = DM 18,30.

Now test yourself 3

Mr Barnes Einen Tisch für zwei, bitte.
Kellner Bitte schön!
Mr Barnes Nimmst du eine Vorspeise, Dora, oder eine Suppe?

Mrs Barnes Ich nehme eine Vorspeise – Lachs vom Grill, bitte. Und du?
Mr Barnes Ich nehme eine Suppe… Ochsenschwanzsuppe. Und als Hauptgericht?
Mrs Barnes Omelett …
Mr Barnes Mit …?
Mrs Barnes Erbsen. Und du?
Mr Barnes Für mich – Hähnchen und Spinat.
Kellner Bitte schön?
Mrs Barnes Einmal Lachs vom Grill, Omelett und Erbsen; einmal Ochsenschwanzsuppe, Hähnchen und Spinat.
Kellner Und zu trinken?
Herr Barnes Eine Flasche Weißwein, bitte.
Mrs Barnes Bitte! Die Rechnung, bitte.
Kellner Bitte schön!

Now test yourself 4

Restaurant (your name), bekannt für seine Qualität. Genießen Sie die angenehme Atmosphäre bei gepflegter Küche, Kaffee und Kuchen. Vorzügliche Küche und gepflegte Weine. Warme Küche von 11.30 – 15.00, 17.00 – 22.00. Spezialitäten aus aller Welt. Geöffnet täglich, kein Ruhetag. Günstige Preise. Großer Parkplatz.

EINHEIT 9

Now test yourself 1 📼

1a, 2c, 3c, 4a, 5b, 6b

Now test yourself 2.1

A Wie komme ich am besten zum Dom, bitte? Gehen Sie geradeaus, nehmen Sie die dritte Straße rechts. Der Dom ist auf der rechten Seite.
B Wie komme ich am besten zur Post, bitte? Gehen Sie geradeaus, nehmen Sie die erste Straße links. Die Post ist auf der rechten Seite.
C Wie komme ich am besten zum Schloß, bitte? Gehen Sie geradeaus, nehmen Sie die zweite Straße rechts. Das Schloß ist auf der linken Seite.

Now test yourself 2.2

D Wie komme ich am besten zum Gasthof Stumpen, bitte? Gehen Sie geradeaus bis zum Karlsplatz. Da gehen Sie nach links. Der Gasthof ist auf der rechten Seite.
E Wie komme ich am besten zur Gesamtschule, bitte? Gehen Sie geradeaus bis zur Verkehrsampel. Da gehen Sie nach rechts. Die Gesamtschule ist auf der linken Seite.
F Wie komme ich am besten zum Schwimmbad, bitte? Gehen Sie geradeaus bis zur Brücke. Da gehen Sie nach rechts. Das Schwimmbad ist auf der rechten Seite.

Now test yourself 3

1 Wie komme ich am besten nach Waldrach? Nehmen Sie die B327 bis nach Hermeskell. Da biegen Sie rechts nach Waldrach ab.
2 Wie komme ich am besten nach Lübeck? Nehmen Sie die E3 bis nach Neumunster. Da biegen Sie links nach Lübeck ab.

3 Wie komme ich am besten nach Korbach?
Nehmen Sie die A44 bis nach Diemelstadt. Da
biegen Sie rechts nach Korbach ab.

EINHEIT 10

Now test yourself 3

1 HIER KAUFT MAN PIZZA
2 HIER KAUFT MAN FLEISCH
3 HIER SCHLÄFT MAN
4 HIER FINDET MAN BLUMEN
5 HIER LERNT MAN DEUTSCH
6 HIER KAUFT MAN BRIEFMARKEN
7 HIER KAUFT MAN ASPIRIN
8 HIER SPRICHT MAN DEUTSCH
9 HIER PARKT MAN DAS AUTO
10 HIER FINDET MAN DIE POLIZEI
11 HIER SPIELT MAN FUßBALL
12 HIER KAUFT MAN BROT
13 HIER KAUFT MAN FISCH
14 HIER SCHWIMMT MAN
15 HIER KAUFT MAN BÜCHER
* ICH LERNE DEUTSCH

EINHEIT 11

Now test yourself 1

1: Es ist zwanzig Minuten nach eins. Man ist vor der Schule.
2: Es ist halb fünf. Man ist im Schwimmbad.
3: Es ist Viertel vor elf. Man ist auf dem Karlsplatz.
4: Es ist zwanzig Minuten vor neun. Man ist in der Jugendherberge.
5: Es ist Viertel nach zwei. Man ist vor der Kirche.
6: Es ist fünfundzwanzig Minuten vor sechs. Man ist vor der Café-Konditorei.

Now test yourself 2

1G Um sieben Uhr steht er auf und zieht sich an.
2E Um halb acht frühstückt er.
3B Um Viertel vor acht geht er in die Schule.
4A Um Viertel nach eins geht er nach Hause.
5D Um drei Uhr macht er seine Hausaufgaben.
6C Um sechs Uhr sieht er fern.
7H Um sieben Uhr ißt er zu Abend.
8F Um zehn Uhr geht er zu Bett.

Now test yourself 3

(1) Bei schönem Wetter spielt Großvater Tennis und
(2) bei schlechtem Wetter liest er ein gutes Buch.
(3) Bei schönem Wetter wandern meine Eltern in den Bergen und
(4) bei schlechtem Wetter bleiben sie zu Hause.
(5) Bei schönem Wetter reitet meine Schwester ihr Pferd und
(6) bei schlechtem Wetter hört sie Musik.
(7) Bei schönem Wetter schwimmen mein Freund und ich im Freibad und
(8) bei schlechtem Wetter gehen wir ins Kino.

Now test yourself 4

1 Hagen und Anita machen ihre Betten.
2 Hagen, Samir und Henrik arbeiten im Garten.

3 Sandra und Henrik saugen.
4 Sandra und Samir waschen ab.
5 Hagen und Anita kaufen ein.
6 Samir und Henrik räumen ihre Zimmer auf.

EINHEIT 12

Now test yourself 1.1

a Herr Mirbach.
b Elisabeth.
c Frau Holzner.
d Herr Heiber.
e Frau Hertel.
f Monika.

Now test yourself 1.2

g Herr Mirbach ist ein alter, dicker Mann.
h Herr Heiber ist ein junger, dünner Mann.
i Frau Holzner ist eine alte, dünne Frau.
j Frau Hertel ist eine junge, dicke Frau.
k Elisabeth ist ein junges, großes Mädchen.
l Monika ist ein kleines, dünnes Mädchen.

Now test yourself 2.2

Zippo hat einen grünen Mund, eine rote Nase, ein weißes Gesicht, blaue Augen, gelbe Haare und schwarze Ohren.

Now test yourself 2.4

Patatina hat gelbe Augen, eine blaue Nase, grüne Haare, ein rotes Gesicht, einen weißen Mund und schwarze Ohren.

Now test yourself 4

Meine Schwester Christina ist ein ungeduldiges Mädchen. Mein Bruder Udo ist ein netter Junge. Mein Großvater ist ein witziger Mann. Meine Großmutter ist eine strenge Frau. Mein Onkel Walter ist ein interessanter Mann. Mein Cousin Peter ist ein fauler Junge. Meine Tante Renate ist eine gerechte Frau. Meine Cousine Helga ist ein freundliches Mädchen.

EINHEIT 13

Now test yourself 1.1

Mit dem Fahrrad: Simone (10 Min), Martin (15 Min), Heiko (7 Min), Silke (20 Min), Karim (10 Min), Rene (30 Min).
Zu Fuß: Lea (3 Min), Janin (15 Min), Kai (5 Min).
Mit dem Bus: Anne-Kathrin (10 Min), Axel (20 Min), Dominik (15 Min), Christina (20 Min).
Mit dem Auto: Timo (15 Min), Nina (15 Min).

Now test yourself 1.2

1 4 Schüler/Schülerinnen kommen mit dem Bus zur Schule.
2 6 Schüler/Schülerinnen kommen mit dem Fahrrad zur Schule.
3 3 Schüler/Schülerinnen kommen zu Fuß zur Schule.
4 2 Schüler/Schülerinnen kommen mit dem Auto zur Schule.
5 Für 9 Schüler/Schülerinnen dauert das 15 Minuten oder länger.

6 Für 6 Schüler/Schülerinnen dauert das weniger als 15 Minuten.

Now test yourself 2

1 Die nächste Straßenbahn nach Langerfeld fährt um 08.27 Uhr ab.

2 Der nächste Zug nach Frankfurt fährt um 10.27 Uhr ab.

3 Das nächste Flugzeug nach Frankfurt fliegt um 19.30 Uhr ab.

4 Der nächste Zug nach Berlin fährt um 09.27 Uhr ab.

5 Das nächste Flugzeug nach Nürnberg fliegt um 21.50 Uhr ab.

6 Die nächste Straßenbahn nach Elberfeld fährt um 08.39 Uhr ab.

7 Das nächste Flugzeug nach München fliegt um 18.05 Uhr ab.

8 Der nächste Zug nach Basel fährt um 04.44 Uhr ab.

9 Die nächste Straßenbahn nach Barmen fährt um 08.15 Uhr ab.

10 Das nächste Flugzeug nach Hamburg fliegt um 19.10 Uhr ab.

Now test yourself 3

1 *Mr Briggs*: Nach Stuttgart, bitte. Ein Erwachsener und zwei Kinder. Einfach. Zweite Klasse.

2 *Mrs Turner*: Nach Lübeck, bitte. Drei Erwachsene und ein Kind. Hin und zurück. Zweite Klasse.

3 *John Griggs*: Nach München, bitte. Vier Erwachsene und drei Kinder. Hin und zurück. Zweite Klasse.

4 *Miss Frost*: Nach Freiburg, bitte. Ein Erwachsener. Einfach. Erste Klasse.

5 *Mr Hitchins*: Nach Ulm, bitte. Fünf Erwachsene und vier Kinder. Hin und zurück. Zweite Klasse.

Now test yourself 4

1 HAUPTBAHNHOF Main station
2 FRAUEN Women
3 MÄNNER Men
4 ZEITUNGEN Newspapers
5 ERFRISCHUNGEN Refreshments
6 WARTESAAL Waiting-room
7 AUSKUNFT Information
8 FAHRKARTEN Tickets
9 TAXI Taxi
10 GLEIS Platform
11 AUSGANG Way out
12 EINGANG Way in
13 GEPÄCKSCHLIEßFÄCHER Luggage-lockers
14 ABFAHRT Departures
15 ANKUNFT Arrivals
16 FAHRPLAN Timetable

EINHEIT 14

Now test yourself 1.1

1 Der Computer
2 Die Stereoanlage
3 Das Fahrrad
4 Die Schreibmaschine
5 Das Doppelbett
6 Der Fernseher
7 Das Auto
8 Die Videokamera
9 Die Waschmaschine

Now test yourself 1.2

10 Eine neue Schreibmaschine kostet vierhundertfünfzehn Mark.

11 Ein neues Auto kostet fünfzehntausendvierhundertfünfzig Mark.

12 Eine neue Videokamera kostet eintausenddreihundertfünfzig Mark.

13 Ein neues Fahrrad kostet dreihundertfünfundneunzig Mark.

14 Eine neue Stereoanlage kostet eintausendzweihundertvierzig Mark.

15 Ein neues Doppelbett kostet neunhundertsechsundfünfzig Mark.

16 Eine neue Waschmaschine kostet sechshundertachtundsiebzig Mark.

17 Ein neuer Fernseher kostet siebenhundertfünfzig Mark.

Now test yourself 2

1 Er muß eine neue Schreibmaschine kaufen.
2 Er muß einen neuen Fernseher kaufen.
3 Sie muß eine neue Stereoanlage kaufen.
4 Er muß eine neue Videokamera kaufen.
5 Sie muß ein neues Fahrrad kaufen.
6 Er muß eine neue Waschmaschine kaufen.

Now test yourself 3.1

Aktar geht zur Volksbank. Da hebt er DM 1400,- ab.
Herr Meyer geht zur Dresdner Bank. Da hebt er DM 750,- ab.
Frau Komarov geht zur Fellbacher Bank. Da hebt sie DM 1250,- ab.
Helga geht zur Südwestbank. Da hebt sie DM 400,- ab.
Kurt geht zur Commerzbank. Da hebt er DM 420,- ab.
Manfred geht zur Raiffeisenbank. Da hebt er DM 700,- ab.

Now test yourself 3.2

Aktar will einen Film drehen. Er muß eine neue Videokamera kaufen. Eine neue Videokamera kostet DM 1350,- . Er geht zur Volksbank und sagt: Ich möchte DM 1400,- abheben, bitte.
Helga will nicht mehr zu Fuß zur Schule kommen. Sie muß ein neues Fahrrad kaufen. Ein neues Fahrrad kostet DM 395,-. Sie geht zur Südwestbank und sagt: Ich möchte DM 400,- abheben, bitte.
Manfred will seine Wäsche waschen. Er muß eine neue Waschmaschine kaufen. Eine neue Waschmaschine kostet DM 678,-. Er geht zur Raffeisenbank und sagt: Ich möchte DM 700,- abheben, bitte.

Now test yourself 4

Touristin: Ich möchte Reiseschecks einlösen, bitte.
Kassierer: Wie viele?
Touristin: Drei zu £100   (hundert Pfund).
Kassierer: Bitte unterschreiben Sie sie.
Touristin: Bitte schön.

Kassierer: Darf ich Ihren Paß sehen?
Touristin: Bitte schön.
Kassierer: Danke schön.

Now test yourself 5

Tourist: Mein Vater möchte Geld wechseln, bitte.
Kassiererin: Wieviel?
Tourist: 50 Sterling. (Fünfzig Pfund Sterling).

Now test yourself 6

1 FRANKREICH g FRANC
2 DEUTSCHLAND f MARK
3 ITALIEN a LIRA
4 SPANIEN h PESETA
5 GRIECHENLAND c DRACHME
6 RUßLAND e RUBEL
7 SCHWEDEN b KRONA
8 ÖSTERREICH d SCHILLING

EINHEIT 15

Now test yourself 1.1 📼

Montags – der Reitverein .
Dienstags – der Tischtennisklub.
Mittwochs – der Surfklub.
Donnerstags – der Leichtathletikverein.
Freitags – der Turnverein.
Samstags – der Tanzklub.

Now test yourself 1.2

Chef: Was macht er montags?
Interviewer: Montags geht er zum Reitverein .
Chef: Was macht er dienstags?
Interviewer: Dienstags geht er zum Tischtennisklub.
Chef: Was macht er mittwochs?
Interviewer: Mittwochs geht er zum Surfklub.
Chef: Was macht er donnerstags?
Interviewer: Donnerstags geht er zum Leichtathletikverein.
Chef: Was macht er freitags?
Interviewer: Freitags geht er zum Turnverein.
Chef: Was macht er samstags?
Interviewer: Samstags geht er zum Tanzklub.

Now test yourself 2

1 To the south of Düsseldorf.
2 Total area 200 hectares; water area 95 hectares; average depth of water 5m.
3 Qualified specialists.
4 For beginners; advanced; for children from the age of 10; refresher courses.
5 Over 50 sailing yachts and 60 surfboards.

Now test yourself 3

1 Stephanie	4 Timo	7 Lutz
2 Lubos	5 Katrin	8 Hagen
3 Linda	6 Simone	

Now test yourself 4 📼

Simone geht zweimal in der Woche zum Turnverein.
Frauke geht jeden Samstag zum Reitverein. Sie geht einmal im Monat zum Tanzklub.
Sebastian geht jeden Tag zum Tischtennisklub. Er geht jeden Freitag zum Turnverein.
Axel geht jeden Dienstag zum Turnverein. Er geht einmal in der Woche zum Leichtathletikverein.
Nina geht jedes Wochenende zum Surfklub.

Now test yourself 5

Janosch sagt: 'Ich gehöre der Schach-AG an, weil ich gern Schach spiele.'
Kerstin sagt: 'Ich gehöre der Fotografie-AG an, weil ich gern Fotos mache.'
Kai sagt: 'Ich gehöre der Orchester-AG an, weil ich gern Violine spiele.'
Martina sagt: 'Ich gehöre der Schülerzeitung-AG an, weil ich gern schreibe.'
Rainer sagt: 'Ich gehöre der Informatik-AG an, weil ich gern Computer programmiere.'
Reemt sagt: 'Ich gehöre der Schulchor-AG an, weil ich gern singe.'
Rebecca sagt: 'Ich gehöre der Leichtathletik-AG an, weil ich gern laufe.'

EINHEIT 16

Now test yourself 2.1

1 Hund	5 Wellensittich
2 Kaninchen	6 Fisch
3 Hamster	7 Pferd
4 Katze	8 Meerschweinchen

Now test yourself 2.2 📼

1 **Alexander** hat einen Hund namens Moritz, der neun Jahre alt ist.
2 **Heiko** hat ein Kaninchen namens Hoppel, das vier Jahre alt ist.
3 **Martina** hat einen Hamster namens Muckel, der zwei Jahre alt ist.
4 **Kai** hat eine Katze namens Fritzi, die elf Jahre alt ist.
5 **Nina** hat einen Wellensittich namens Rosa, der sechs Jahre alt ist.
6 **Lutz** hat einen Fisch namens Pipsi, der ein Jahr alt ist.
7 **Simone** hat ein Pferd namens Fridolin, das sieben Jahre alt ist.
8 **Christina** hat ein Meerschweinchen namens Bürtl, das drei Jahre alt ist.

Now test yourself 4

1 School pupils in classes up to and including year ten.
2 School pupils in classes in year 11 and above.
3 Children between 2 and 14 years.
4 Adults in groups of over 100.
5 Adults in groups of between 20 and 99.
6 Adults.
7 The leader of a group of 10 school pupils.
8 The sea-lions.
9 The penguins.
10 The big cats.

EINHEIT 17

Now test yourself 1 📼

1 Er kostet DM 45,-.
2 Sie kostet DM 70,-.
3 Es kostet DM 35,-.
4 Sie kosten DM 80,-.
5 Er kostet DM 65,-.
6 Sie kostet DM 140,-.
7 Es kostet DM 95,-.
8 Sie kosten DM 40,-.

Now test yourself 2.1

1 DM 235,-.	4 DM 70,-.	7 DM 63,-.
2 DM 29,-.	5 DM 65,-.	8 DM 80,-.
3 DM 45,-.	6 DM 34,-.	

Now test yourself 2.2

9 Was kostet ein roter Pulli? Er kostet zweiunddreißig Mark.
10 Was kostet eine schwarze Hose? Sie kostet siebzig Mark.
11 Was kostet ein weißes Kleid? Es kostet vierunddreißig Mark.
12 Was kosten blaue Jeans? Sie kosten vierzig Mark.
13 Was kostet eine grüne Jacke? Sie kostet hundertvierzig Mark.
14 Was kostet ein blauer Rock? Er kostet dreiundsiebzig Mark.
15 Was kosten schwarze Trainingschuhe? Sie kosten fünfundachtzig Mark.
16 Was kostet ein gelbes T-Shirt? Es kostet neunundzwanzig Mark.

Now test yourself 3

1 Der blaue Pullover ist zu lang. Steffi kauft den weißen Pullover.
2 Die blaue Jacke ist zu groß. Herr Schmidt kauft die schwarze Jacke.
3 Das weiße T-Shirt ist zu klein. Angelika kauft das schwarze T-Shirt.
4 Die blauen Trainingsschuhe sind zu groß. Fritz kauft die schwarzen Trainingsschuhe.
5 Das blaue Kleid ist zu kurz. Martina kauft das weiße Kleid.
6 Die weißen Jeans sind zu groß. Herr Grüter kauft die blauen Jeans.
7 Der schwarze Rock ist zu lang. Sandra kauft den weißen Rock.
8 Die weiße Hose ist zu kurz. Alfred kauft die blaue Hose.

Now test yourself 5

A4, B5, C7, D3, E1, F2,
G re-building, H shoes, sports clothes.

EINHEIT 18

Now test yourself 1

1 In Deutschland kann man malerische Städte besuchen.
2 Im Süden und im Osten kann man in den Bergen wandern.
3 Im Sommer kann man im Freien schwimmen.
4 In jeder Stadt kann man gut essen und trinken.
5 Überall kann man Schlösser und Burgen besuchen.
6 Wenn man Lust dazu hat, kann man auf dem Lande radeln.
7 Im Sommer und im Winter kann man allerlei Sport treiben.
8 In den Bergen kann man mit der Seilbahn fahren.
9 In vielen Städten kann man schöne Musik hören.
10 Auf den Seen und Flüssen kann man Bootsfahrten machen.
11 Wenn man gerne fischt, kann man in den Seen angeln.
12 Das ganze Jahr hindurch kann man interessante Ausflüge machen.

Now test yourself 2.1

2 A: Wohin fährst du in den Ferien?
  B: Nach Wuppertal.
  A: Warum?
  B: Ich will Segelfliegen lernen.
3 A: Wohin fährst du in den Ferien?
  B: Nach Düsseldorf.
  A: Warum?
  B: Ich will windsurfen lernen.
4 A: Wohin fährst du in den Ferien?
  B: Nach Augsburg.
  A: Warum?
  B: Ich will Kanu fahren lernen.
5 A: Wohin fährst du in den Ferien?
  B: Nach Schwangau.
  A: Warum?
  B: Ich will Drachenfliegen lernen.
6 A: Wohin fährst du in den Ferien?
  B: Nach Gstaad.
  A: Warum?
  B: Ich will skifahren lernen.
7 A: Wohin fährst du in den Ferien?
  B: Nach Innsbruck.
  A: Warum?
  B: Ich will bergsteigen lernen.

Now test yourself 2.2 📼

1 **Claudia** – Kiel.
2 **Dominik** – Gstaad.
3 **Axel** – Wuppertal.
4 **Stefanie** – Düsseldorf.
5 **Thomas** – Schwangau.
6 **Samir** – Augsburg.
7 **Tanja** – Innsbruck.

Now test yourself 2.3

1 **Claudia** fährt nach Kiel, um segeln zu lernen.
2 **Dominik** fährt nach Gstaad, um skifahren zu lernen.
3 **Axel** fährt nach Wuppertal, um Segelfliegen zu lernen.
4 **Stefanie** fährt nach Düsseldorf, um Windsurfen zu lernen.
5 **Thomas** fährt nach Schwangau, um Drachenfliegen zu lernen.

6 **Samir** fährt nach Augsburg, um Kanu fahren zu lernen.

7 **Tanja** fährt nach Innsbruck, um Bergsteigen zu lernen.

Now test yourself 3

Wayne: Wir möchten gern unsere Ferien auf dem Lande verbringen.

Angestellter: Möchten Sie ein Hotel oder eine Pension? Oder möchten Sie lieber zelten?

Wayne: Wir möchten lieber zelten.

Angestellter: Wie möchten Sie reisen? Mit dem Zug? Mit dem Bus? Oder möchten Sie ein Auto mieten?

Wayne: Wir möchten am liebsten ein Auto mieten.

Mrs Beacke: Wir möchten gern unsere Ferien in den Bergen verbringen.

Angestellter: Möchten Sie ein Hotel oder eine Pension? Oder möchten Sie lieber zelten?

Mrs Beacke: Wir möchten lieber eine Pension.

Angestellter: Wie möchten Sie reisen? Mit dem Zug? Mit dem Bus? Oder möchten Sie ein Auto mieten?

Mrs Beacke: Wir möchten am liebsten mit dem Bus reisen.

Now test yourself 4

1 A whole day.
2 Coach, ship.
3 Oberbarmen railway station, 7.35.
4 In a modern coach.
5 You embark for the Rhine steamer trip.
6 Vineyards, Marienfels Castle.
7 In a cosy Rhine restaurant.
8 Substantial and good.
9 To Bad Neuenahr.
10 Coffee and cakes.
11 A visit to a wine-producer's, with wine-tasting.
12 DM 19,80.
13 The coach journey, the Rhine trip and the lunch.

EINHEIT 19

Now test yourself 1

1 Artischocken	9 Tomaten
2 Kartoffeln	10 Melonen
3 Bananen	11 Zwiebeln
4 Karotten	12 Orangen
5 Kirschen	13 Pfirsiche
6 Champignons	14 Birnen
7 Radieschen	15 Äpfel
8 Erdbeeren	

Now test yourself 2.1

1 Anne	5 Sean	9 Sean	13 Anne
2 Dave	6 Anne	10 Anne	14 Jill
3 Jill	7 Jill	11 Jill	15 Sean
4 Sean	8 Dave	12 Dave	16 Dave

Now test yourself 2.2

Ilse kauft einen Beutel Chips, ein Glas Rotkohl, eine Packung Fischstäbchen und eine Flasche Essig.

Kurt kauft einen Becher Eiskrem, einen Liter Milch, eine Tube Tomatenmark und eine Dose Erdnüsse.

Magda kauft eine Packung Frosties, einen Liter Apfelfruchtsaftgetränk, einen Beutel Backofenfrites und einen Becher Pflanzenmargarine.

Paul kauft eine Flasche Sonnenblumenöl, eine Dose Erbsen, eine Tube Senf und ein Glas Honig.

Now test yourself 3

Am Montag hat er keinen Honig, keine Pflanzenmargarine, kein Sonnenblumenöl und keine Erdbeeren. Am Dienstag hat er keine Milch, keine Zwiebeln, keine Artischocken und keine Champignons. Am Mittwoch hat er keine Chips, keine Pfirsiche, keine Radieschen und keine Fischstäbchen. Am Donnerstag hat er kein Tomatenmark, keine Kartoffeln, keinen Rotkohl und keine Karotten. Am Freitag hat er keinen Senf, keine Melonen, keine Eiskrem und keine Birnen. Am Samstag hat er keine Kirschen, keinen Essig, keine Erbsen und keine Erdnüsse. Am Sonntag hat er keine Backofenfrites, keine Orangen, keine Bananen und keine Tomaten.

Now test yourself 4

1 Frau Braun geht in die Konditorei, um einen Kuchen zu kaufen.
2 Sie geht in die Bäckerei, um Brot zu kaufen.
3 Sie geht in den Fischladen, um Muscheln zu kaufen.
4 Sie geht ins (in das) Lebensmittelgeschäft, um verschiedene Lebensmittel zu kaufen.
5 Sie geht in den Blumenladen, um Rosen zu kaufen.
6 Sie geht in die Metzgerei, um ein Steak zu kaufen.
7 Sie geht in den Obst- und Gemüseladen, um Pfirsiche und Zwiebeln zu kaufen.

EINHEIT 20

Now test yourself 1.1

1 Kai is travelling to England.
2 The railway station in Wuppertal-Barmen.
3 His dad is taking him by car.
4 Kai's taking the train to Seebrugge.
5 Have something to eat.
6 The boat leaves.
7 It arrives in Felixstowe.
8 It's too expensive.
9 He's taking the bus to Leeds.
10 He arrives in Leeds.
11 If he can collect him from the bus-station.

Now test yourself 1.2

Leeds, (date)

Lieber Kai,/Liebe Christina,

Ich sende Dir in diesem Brief Näheres über meine Reise nach Deutschland am Montag, dem 12. April. Meine Mutter bringt mich zuerst mit dem Auto zum Busbahnhof in Leeds und da nehme ich um 8.05 den Bus nach London. Er kommt um 12.20 Uhr in London Heathrow an. (Ich fahre nicht mit dem Zug, sondern mit dem Bus, weil der Zug zu teuer ist). Da habe ich Zeit, etwas zu essen. Mein Flugzeug fliegt um 13.30 Uhr ab und kommt um

14.45 in Düsseldorf an. In Düsseldorf nehme ich um 16.00 den Zug nach Wuppertal-Barmen, und ich komme um 17.50 da an. Kannst du mich vom Bahnhof in Barmen abholen?
Es grüßt Dich Dein Freund/Deine Freundin (Your name).

Now test yourself 2 📼

1F, 2B, 3H, 4A, 5D, 6E, 7G, 8C.

Now test yourself 3.1

Your article should mention these points:
Lea Schwarz (13) lives in a big house at Karlstraße 16 (postcode 70736). She was born in Stuttgart on the 29th March. Her dad's a business manager and her mum's a clerk; her brother is Philip (19) and her sister (10) is called Lisa. Lea's got 3 hares as pets, called Cola (6), Fritzchen (5) and Roger (1), who are always hungry. She likes going to her school (the Friedrich-Schiller-Gymnasium): she goes on foot and it takes her 3 minutes. Her favourite subjects are English and maths; her favourite foods spaghetti and pizza; favourite drink Cola; favourite group Pot Shot Boys; favourite colour blue; Lea's hobbies are dancing (she goes on Mondays) and swimming (Tuesdays).

Now test yourself 4

Vertical 1 alt 2 Liste 4 leider 6 Badezimmer 8 italienisch 11 Abendbrot 12 Lehrerin 13 sind 14 Tier 15 Polizei 19 Dose 20 Neffe
Horizontal 2 lecker 3 Pulli 5 lieb 7 mehrere 9 Stammbaum 10 Stadtmitte 12 Lebensmittel 16 nicht 17 Honig 18 nach 21 dann 22 meistens 23 Fach 24 sie 25 Fahrrad 26 Treppe 27 auch

EINHEIT 21

Now test yourself 1.1

Your letter should include the following points:
name of school – Weyhe Cooperative Comprehensive; school is from Monday to Friday, starting at 8 a.m; 6 x 45 minute lessons; after every lesson a break of either 5 or 15 minutes; long breaks at 9.35 and 11.25; school ends at 13.15; no afternoon school, but there are study-groups; 2 weeks holiday at Christmas, 3 weeks at Easter, 9 days at Whitsun, 6 weeks in Summer, 2 weeks in the Autumn.

Now test yourself 2 📼

	Montag	Dienstag	Mittwoch	Donnerstag	Freitag	Samstag
1	Deutsch	Mathe	Mathe	Deutsch	Englisch	X
2	Mathe	Englisch	Deutsch	Englisch	Physik	X
3	Physik	Deutsch	Physik	Mathe	Deutsch	X
4	Englisch	Biologie	Mathe	Musik	Mathe	X
5	WUK	Religion	Englisch	Deutsch	WUK	X
6	Religion	Musik	Sport	Biologie	Sport	X

Now test yourself 3

1 In WUk bin ich gut und ich lerne es gerne.
2 In Englisch bin ich gut, aber ich lerne es ungerne.
3 In Physik bin ich durchschnittlich, aber es ist mein Lieblingsfach.

4 In Deutsch bin ich schlecht, aber ich lerne es gerne.
5 In Musik bin ich schlecht, und ich hasse es.

Now test yourself 4.1

1 Sebastian, because there's no school in the afternoon.
2 Tanja, because with some teachers you have to be very quiet.
3 Steffi, because she'd like to sleep longer.
4 Martin, because his class has over 10 different rooms.
5 Antje, because although the teachers sometimes lose their cool, it's not so bad.

EINHEIT 22

Now test yourself 1 📼

1 **Sonja** bekommt DM 7,- pro Woche. Dafür muß sie im Haushalt mithelfen.
2 **Holger** bekommt DM 20,- pro Monat. Dafür muß er sein Zimmer aufräumen.
3 **Rebecca** bekommt DM 5,- pro Woche. Dafür muß sie lieb sein.
4 **Christina** bekommt DM 15,- pro Monat. Dafür muß sie gute Zensuren haben.
5 **Axel** bekommt DM 8,- pro Woche. Dafür muß er nichts Besonderes machen.
6 **Hagen** bekommt DM 10,- pro Woche. Dafür muß er auf seine Eltern hören.
7 **Kathrin** bekommt DM 25,- pro Monat. Dafür muß sie ihrer Mutter helfen.
8 **Heiko** bekommt DM 4,- pro Woche. Dafür muß er die Waschbecken sauber machen.
9 **Job-Jan** bekommt DM 12,- pro Monat. Dafür muß er manchmal abwaschen.

Now test yourself 2.1

Axel arbeitet in einem Lebensmittelgeschäft. Christina arbeitet in einem Schuhgeschäft. Hagen arbeitet in einer Café-Konditorei. Heiko arbeitet in einem Obstladen. Holger arbeitet für einen Zeitungshändler. Job-Jan arbeitet in einem Gasthof. Kathrin arbeitet in einem Blumenladen. Rebecca arbeitet in einer Bäckerei. Sonja arbeitet in einer Apotheke.

Now test yourself 2.2

Axel verkauft einem Mann eine Dose Linsen. Christina zeigt einem Kunden ein Paar Stiefel. Hagen bringt einem Fräulein ein Bier. Heiko verkauft einem Kind einen Apfel. Holger übergibt einer Kundin eine Zeitschrift. Job-Jan zeigt einem Feriengast sein Zimmer. Kathrin zeigt einer Dame einen Strauß Rosen. Rebecca verkauft einer Dame ein Weißbrot. Sonja verkauft einer Frau Kopfschmerztabletten.

Now test yourself 3

Axel bekommt DM 8,- pro Woche. Dafür muß er nichts Besonderes machen. Um mehr Geld zu verdienen, arbeitet er in einem Lebensmittelgeschäft. Damit kauft er sich seine

Freizeitsachen, wie Z.B. Eislaufhalle. Christina bekommt DM 15,- Taschengeld pro Monat. Dafür muß sie gute Zensuren haben. Um mehr Geld zu verdienen, arbeitet sie in einem Schuhgeschäft. Damit kauft sie sich manchmal ein schönes Kleidungsstück. Hagen bekommt DM 10,- Taschengeld pro Woche. Dafür muß er auf seine Eltern hören. Um mehr Geld zu verdienen, arbeitet er in einer Café-Konditorei. Damit kauft er Futter für sein Meerschweinchen. Heiko bekommt DM 4,- Taschengeld pro Woche. Dafür muß er die Waschbecken sauber machen. Um mehr Geld zu verdienen, arbeitet er in einem Obstladen. Damit kauft er sich Zeitschriften. Holger bekommt DM 20,- Taschengeld pro Monat. Dafür muß er sein Zimmer aufräumen. Um mehr Geld zu verdienen, arbeitet er für einen Zeitungshändler. Damit bezahlt er sich Bahn- und Busfahrten. Job-Jan bekommt DM 12,- Taschengeld pro Monat. Dafür muß er manchmal abwaschen. Um mehr Geld zu verdienen, arbeitet er in einem Gasthof. Damit bezahlt er seine Schulsachen, Hefte u.s.w. Kathrin bekommt DM 25,- Taschengeld pro Monat. Dafür muß sie ihrer Mutter helfen. Um mehr Geld zu verdienen, arbeitet sie in einem Blumenladen. Damit kauft sie sich Kassetten und CD's. Rebecca bekommt DM 5,- Taschengeld pro Woche. Dafür muß sie lieb sein. Um mehr Geld zu verdienen, arbeitet sie in einer Bäckerei. Damit finanziert sie ihre Hobbies.

Now test yourself 4

Geschäftsführerin: Hallo?

Du: Supermarkt Plaza?

Geschäftsführerin: Ja.

Du: Brauchen Sie immer noch einen Kassierer / eine Kassiererin?

Geschäftsführerin: Ja. Interessiert Sie die Stelle?

Du: Wieviel bezahlen Sie?

Geschäftsführerin: DM 4,50 pro Stunde.

Du: Wie ist die Arbeitszeit, bitte?

Geschäftsführerin: Morgens zwischen neun Uhr und zwölf Uhr (Mittag) Geht das?

Du: Ja, aber nur zwei Tage pro Woche – samstags und sonntags.

Geschäftsführerin: Kein Problem. Ihr Name, bitte?

Du: (Your name).

Geschäftsführerin: Und Ihre Telefonnummer?

Du: (Your telephone number).

Geschäftsführerin: Können Sie schon nächsten Samstag beginnen?

EINHEIT 23

Now test yourself 1.2

Brigitte ist in Leipzig. Da ist es kalt.
Herr Mark ist in Stuttgart. Da regnet es.
Karim ist in Köln. Da ist es warm.
Karsten ist in Emden. Da scheint die Sonne.
Herr Laskaris ist in Hamburg. Da ist es neblig.
Frau Nagel ist in Passau. Da ist das Wetter schlecht.
Nina ist in Kassel. Da ist das Wetter schön.

Fräulein Rauer ist in Freiburg. Da schneit es.
Simone ist in Berlin. Da ist es windig.

Now test yourself 2

2 Wir wollen auf den Tegelberg fahren.
3 Wir wollen ins Kino gehen.
4 Wir wollen in die Berge gehen.
5 Wir wollen ins Museum gehen.
6 Wir wollen ins Freibad gehen.
7 Wir wollen in den Park gehen.
8 Wir wollen in die Stadt fahren.

Now test yourself 3

1 'Wenn es kalt ist, wollen wir ins Kino gehen'.
2 'Wenn es nicht kalt ist, wollen wir ins Freibad gehen'.
3 'Wenn es regnet, wollen wir ins Museum gehen'.
4 'Wenn es nicht regnet, wollen wir in die Berge gehen'.
5 'Wenn die Sonne scheint, wollen wir in den Zoo gehen'.
6 'Wenn die Sonne nicht scheint, wollen wir ins Kino gehen'.
7 'Wenn es schneit, wollen wir in die Berge gehen'.
8 'Wenn es nicht schneit, wollen wir in den Park gehen'.
9 'Wenn es warm ist, wollen wir ins Freibad gehen'.
10 'Wenn es nicht warm ist, wollen wir ins Museum gehen'.
11 'Wenn es neblig ist, wollen wir in die Stadt fahren'.
12 'Wenn es nicht neblig ist, wollen wir auf den Tegelberg fahren'.

Now test yourself 4.1

1 The Marriage of Figaro. 46.11.66.
2 Black-White Essen. Near the zoo.
3 The Empire Strikes Back. The Ronsdorf Comprehensive School.
4 Indian. In the Heydt Museum.
5 The Tempest. 19.30.
6 A symphony concert. Brahms, Beethoven, Mozart.
7 A Spring disco. Thursday.

Now test yourself 4.2

Ein Telefongespräch.
– An welchem Tag findet das Fußballspiel statt?
– Am Sonntag.
– Dem achten August?
– Ja. – Und wo?
– Im Stadion am Zoo.
– Um wieviel Uhr?
– Um fünfzehn Uhr.
– Hast du die Telefonnummer?
– Vierundvierzig vierunddreißig zweiundsiebzig.

EINHEIT 24

Now test yourself 1

1 Familie Nagel – 3 adults, 1 child, one night.
2 Familie Kranzke – 2 adults, 2 children, 5 nights.

3 Familie Holzner – 2 adults, 3 children, 4 nights.
4 Familie Kempinski – 5 adults, 4 children, 3 nights.
5 Familie Aygün – 2 adults, 1 child, 4 nights.
6 Familie Clausen – 4 adults, 2 children, 2 nights.

Now test yourself 2.1

Die Familie Clausen im Hotel Allgäu.
Herr Clausen: Haben Sie Zimmer frei, bitte?
Empfangsdame: Ja, natürlich. Was für Zimmer brauchen Sie?
Herr Clausen: Wir sind vier Erwachsene und zwei Kinder. Wir brauchen zwei Doppelzimmer mit Dusche und ein Doppelzimmer mit Bad.
Empfangsdame: Für wie viele Nächte, bitte?
Herr Clausen: Zwei Nächte.
Empfangsdame: Kein Problem!
Herr Clausen: Was kosten die Zimmer?
Empfangsdame: Ein Einzelzimmer kostet fünfundsechzig Mark und ein Doppelzimmer kostet hundertzwanzig Mark.
Herr Clausen: Ist das Frühstück inbegriffen?
Empfangsdame: Ja, das Frühstück ist im Preis inbegriffen. Ihr Name, bitte?
Herr Clausen: Clausen.

Now test yourself 3

Die Familie Kempinski auf dem Campingplatz Bannwaldsee.
Frau Kempinski: Guten Abend!
Platzwart: Guten Abend!
Frau Keminski: Haben Sie bitte Platz frei?
Platzwart: Jawohl. Für wie viele Personen?
Frau Keminski: Neun Personen – fünf Erwachsene und vier Kinder.
Platzwart: Geht schon. Für wieviele Nächte?
Frau Keminski: Drei Nächte.
Platzwart: Haben Sie einen Wohnwagen oder ein Zelt?
Frau Keminski: Wir haben zwei Wohnwagen und zwei Zelte. Und zwei Autos, natürlich.
Platzwart: Wollen Sie Strom?
Frau Keminski: Nein, danke. Wo sind die Toiletten?
Platzwart: Gehen Sie geradeaus und nehmen Sie den dritten Weg rechts.
Frau Keminski: Haben Sie ein Restaurant?
Platzwart: Nehmen Sie den vierten Weg links.

Now test yourself 4

1 280.
2 Yes, in the lake.
3 Sailing, trampoline, table-tennis.
4 Yes.
5 Caravan servicing, hotel-restaurant, gas and petrol station, hot and cold running water.
6 Take the Augsburg-East exit, drive 250 metres in the direction of Neuburg and turn off to the right.
7 Take the Augsburg-Pöttmes exit, drive 250 metres in the direction of Neuburg and turn off to the right.

Now test yourself 5

Die Familie Aygün in der Jugendherberge Ludwigsburg.
Herbergsvater: Guten Abend!
Ali Aygün: Guten Abend! Haben Sie noch Platz für heute abend?
Herbergsvater: Für wie viele Personen?
Ali Aygün: Wir sind drei. Meine Mutter, mein Vater und ich.
Herbergsvater: Insgesamt drei? Für wie viele Nächte?
Ali Aygün: Vier. Geht das?
Herbergsvater: Ja. Möchten Sie Frühstück?
Ali Aygün: Danke, nein.
Herbergsvater: Und Abendessen?
Ali Aygün: Was kostet es?
Herbergsvater: Zwölf Mark.
Ali Aygün: Ja, bitte… Können wir Fahrräder mieten?

EINHEIT 25

Now test yourself 1

'Ich werde am Montag einen McKäseburger essen.' 'Ich werde am Dienstag einen McWurstburger essen.' 'Ich werde am Mittwoch einen McFischburger essen.' 'Ich werde am Donnerstag einen McBeefburger essen.' 'Ich werde am Freitag einen McPommesfritesburger essen.' 'Ich werde am Samstag einen McHamburgerburger essen.' 'Ich werde am Sonntag einen McOmelettburger essen.'

Now test yourself 2.1 📼

Aktar B B A. Janosch C A B. Kai A C C. Kerstin C B A. Martina B A B.

Now test yourself 2.2

Wenn er das große Los gewinnt, wird Aktar auf einer Ranch in Amerika wohnen; er wird nach Afrika fahren; und er wird sich ein großes Auto kaufen. Wenn er das große Los gewinnt, wird Janosch in einem Schloß in Deutschland wohnen; er wird nach Amerika fahren; und er wird sich modische Kleidung kaufen. Wenn er das große Los gewinnt, wird Kai in einem großen Haus in England wohnen; er wird zum Mond fahren; und er wird sich Millionen von CDs kaufen. Wenn sie das große Los gewinnt, wird Kerstin in einem Schloß in Deutschland wohnen; sie wird nach Afrika fahren; und sie wird sich ein großes Auto kaufen. Wenn sie das große Los gewinnt, wird Martina auf einer Ranch in Amerika wohnen; sie wird nach Amerika fahren; und sie wird sich modische Kleidung kaufen.

Now test yourself 4

1 Fische	5 Zwillinge	9 Krebs
2 Waage	6 Jungfrau	10 Stier
3 Skorpion	7 Widder	11 Löwe
4 Schütze	8 Wassermann	12 Steinbock

Now test yourself 5

Wenn ich das große Los gewinne, werde ich eine Überraschung erleben. Ich werde einen McKäseburger kaufen. Ich werde in einem Schloß in Amerika wohnen. Ich werde nach Deutschland fahren. Ich werde ein kleines Auto kaufen. Ich werde Geld für Kinder in der Dritten Welt spenden. Ich werde für meine Eltern ein großes Haus bauen lassen. Ich werde einen privaten Deutschlehrer (eine private Deutschlehrerin) einstellen. Ich werde mich auf meine Arbeit in der Schule konzentrieren. Ich werde cool bleiben!

EINHEIT 26

Now test yourself 1.2

1 'Der Arm tut mir weh!'
2 'Die Schulter tut mir weh!'
3 'Der Finger tut mir weh!'
4 'Das Knie tut mir weh!'
5 'Die Hand tut mir weh!'
6 'Das Auge tut mir weh!'
7 'Die Zunge tut mir weh!'
8 'Das Bein tut mir weh!'
9 'Der Fuß tut mir weh!'
10 'Das Ohr tut mir weh!'
11 'Die Nase tut mir weh!'
12 'Der Ellbogen tut mir weh!'

Now test yourself 2

1 *Arzt*: Guten Tag!
 Du: Guten Tag, Herr Doktor! Mein Freund/meine Freundin ist krank.
 Arzt: Ah? Was hat er/sie denn?
 Du: Die Augen tun ihm/ihr weh. Er/sie hat Kopfschmerzen.
 Arzt: Er/sie hat vielleicht einen Sonnenstich.
2 *Arzt*: Guten Tag!
 Du: Guten Tag, Herr Doktor! Meine Mutter ist krank.
 Arzt: Ah? Was hat sie denn?
 Du: Sie hat Magenschmerzen. Und sie hat Durchfall.
 Arzt: Sie hat vielleicht eine Magenverstimmung.

Now test yourself 3

1E, 2C, 3F, 4B, 5A, 6D

Now test yourself 4.1

A4, B3, C1, D2

Now test yourself 4.2

1 eine Blase am Fuß
2 einen Wespenstich
3 Durchfall
4 Halsschmerzen

Now test yourself 5 📼

Wolfgang A: a sore throat. B: a cold. C: cough syrup.
Gaby A: her arm hurts. B: a wasp sting. C: a cream.
Herr Kaiser A: a headache. B: sunstroke. C: pills.

Frau Rutschke A: her foot hurts. B: a blister on the foot. C: sticking plaster.

EINHEIT 27

Now test yourself 1.1

1 30 litres of unleaded; for the oil to be checked.
2 for the car to be filled up with 4-star; is this the way to Bremen?
3 25 litres of diesel; for the tyres to be checked.

Now test yourself 1.2 📼

Frau König: 10 litres Diesel; check the tyres.
Herr Eilers: fill it up, unleaded; the way to Cologne.
Rolf: 20 litres super; check the oil.

Now test yourself 1.3

a Volltanken, bitte! Bleifrei. Die Reifen prüfen, bitte!
b Dreißig Liter, Diesel, bitte! Ist das der Weg nach Bensdorf?
c Zwanzig Liter Super, bitte! Den Ölstand prüfen, bitte!

Now test yourself 2

1 7000 km.
2 Because the police can't be everywhere.
3 2 km.
4 Switch on the hazard warning lights.
5 At least 100 m.
6 On a bend or a hill.
7 A black arrow on the nearest direction post points in the direction of the telephone.
8 Lift up the flap.
9 Concisely and clearly.
10 Your name; where the accident happened; the number of injured; how badly injured they are.

Now test yourself 3

1 *Mechaniker*: Was für eine Panne haben Sie?
 Autofahrer: Der Motor wird heiß.
 Mechaniker: Was für ein Auto ist es?
 Autofahrer: Ein roter Mercedes.
 Mechaniker: Die Nummer, bitte?
 Autofahrer: W – EL 586.
 Mechaniker: Wo sind Sie?
 Autofahrer: Auf der A 57, 25 km nördlich von Köln.
2 *Mechaniker*: Was für eine Panne haben Sie?
 Autofahrer: Ich habe kein Benzin.
 Mechaniker: Was für ein Auto ist es?
 Autofahrer: Ein gelber Opel.
 Mechaniker: Die Nummer, bitte?
 Autofahrer: B – GP 703.
 Mechaniker: Wo sind Sie?
 Autofahrer: Auf der B 64, 10 km westlich von Paderborn.
3 *Mechaniker*: Was für eine Panne haben Sie?
 Autofahrer: Die Windschutzscheibe ist kaputt.
 Mechaniker: Was für ein Auto ist es?
 Autofahrer: Ein schwarzer Porsche.
 Mechaniker: Die Nummer, bitte?
 Autofahrer: HH – DR 450.

Mechaniker: Wo sind Sie?
Autofahrer: Auf der B 505, 25 km östlich von
Bamberg.
4 *Mechaniker*: Was für eine Panne haben Sie?
Autofahrer: Der Motor springt nicht an.
Mechaniker: Was für ein Auto ist es?
Autofahrer: Ein grüner Ford.
Mechaniker: Die Nummer, bitte?
Autofahrer: S – JB 5529.
Mechaniker: Wo sind Sie?
Autofahrer: Auf der B 247, 20 km südlich von Suhl.

Now test yourself 5

1 Pedestrians.
2 Surely you're not tired of life?
3 More people are killed in traffic than in criminal offences.
4 Specially dangerously.
5a 68
5b 3
5c 274
6 Observe the traffic rules, for they are there for your protection.
7 Children.
8 The police to a pedestrian who has just crossed the road incorrectly.

EINHEIT 28

Now test yourself 1

Your notes should include the following points: Christoph is 14; birthday 17th March; lives in Leeste, small town in north Germany, near Bremen. Leeste has a supermarket, baker's, pharmacy, pizzeria, no cinema. Christoph likes living there, as he doesn't like the big city, and can ride there. Small house: living room, kitchen and entrance on ground floor; 4 bedrooms, bathroom and WC on first floor. In Christoph's room are his bed, his stereo system and computer, posters of favourite pop group Ace of Lace on walls. House has small garden, no garage. Brothers Rolf, 17 and Lutz, 10, sister Simone, 18. Cat Fritzi, 17, always hungry. Father Hartmut — small, blond, beard, blue eyes, unemployed. Mother — long hair, works in supermarket. School KSG-Weyhe, goes by bus; takes 15 minutes. Likes school. Does Biology, German, Maths (likes, but not good at it), English, R.E., French, Social studies, Geography (hates), Music (good at it), Art, Sport (favourite subject), Physics. 6 weeks summer holiday. Thinks school starts too early (8 am). Belongs to gym club; goes swimming twice a week. Sometimes too much homework, sometimes very little. Would like to spend camping holiday at seaside (hotel at Euro-Disney if wins jackpot). Plays tennis and basketball, walks when it's fine; likes reading and music. Favourite drink Coca-Cola; favourite food pizza, noodles, French fries; 8 DM a week pocket money; makes bed and washes up. Occasionally works at filling station (10 DM an hour). Buys CDs, clothes, pays for hobbies. Favourite colour red.

Now test yourself 2

a Ich möchte diese Postkarten nach Schweden schicken.
b Ich möchte diesen Brief nach Frankreich schicken.
c Ich möchte dieses Paket nach England schicken.

Now test yourself 3 📼

1 a – eine Briefmarke zu zehn Pfennig
b – eine Briefmarke zu zwanzig Pfennig
c – eine Briefmarke zu dreißig Pfennig
d – eine Briefmarke zu fünfzig Pfennig
e – eine Briefmarke zu sechzig Pfennig
f – eine Briefmarke zu achtzig Pfennig
g – eine Briefmarke zu einer Mark
h – zwei Briefmarken zu zehn Pfennig
i – zwei Briefmarken zu achtzig Pfennig
j – zwei Briefmarken zu einer Mark
2 k Frau Linden
l Werner
m Silke

Now test yourself 4

1 Hotel Friedegg, Aeschi. Sehr geehrte Damen und Herren, Ich möchte vom zehnten bis zum fünfzehnten Oktober in Ihrem Hotel ein Einzelzimmer mit Dusche und ein Doppelzimmer mit Dusche reservieren. Bitte bestätigen Sie unsere Buchung. Ich möchte auch wissen, ob das Frühstück im Preis enthalten ist. Hochachtungsvoll,
2 Campingplatz Neustadt, Freiburg. Sehr geehrte Damen und Herren! Bitte reservieren Sie uns einen Platz für drei Zelte vom dreißigsten Mai bis zum dritten Juni. Wir sind fünf Personen (drei Erwachsene und zwei Kinder) mit Auto. Teilen Sie bitte die Preise der Plätze mit. Ich möchte auch wissen, ob es auf dem Campingplatz ein Restaurant gibt. Mit freundlichen Grüßen,
3 Jugendherberge Veitsburg, Ravensburg. Sehr geehrte Damen und Herren, Können Sie uns bitte vom dreiundzwanzigsten bis zum achtundzwanzigsten August Plätze in Ihrer Jugendherberge reservieren? Wir sind zwei Erwachsene (ein Herr und eine Dame) und vier Kinder (ein Mädchen und drei Jungen). Ich möchte wissen, ob das Frühstück erhältlich ist, und ob man Fahrräder mieten kann. Mit freundlichen Grüßen,

EINHEIT 29

Now test yourself 1

1 Immer wieder Montag: Marijka de Mol
2 Verstehst du Spaß? Karin Kessler
3 Schweigende Lippen: Linda Amado
4 Aber Hallo! Traffic School
5 Tanz-Aktion: Wim Wum und Wendelin
6 Geh aufs Ganze: The Soul
7 Die letzte Chance: Laura Pesch
8 Na und? Heino Hagen
9 Unplugged: Niels Kershore
10 Ausgerechnet Du! Nina

11 Weiß noch nicht: Torsten Nesweda
12 Vorsicht, Falle: Detlef
13 Dream Girl: Vox Bruno
14 Pia Collins live: Pia Collins
15 Get Set: Conny Butterfly
16 Schöner, fremder Mann: Gaby Pausini
17 Let's dance tonight: SpeedWagon
18 Die Glocken von Ulm: Heiko Matthäus
19 Der letzte Kuß: Billy Miguel
20 Opus: Break Machine

Now test yourself 2.1
Kinderkonzert, Rockkonzert, Popkonzert, Straußkonzert.

Now test yourself 2.2
vor der Bank, am Busbahnhof, vor dem Museum, bei McDonald's.

Now test yourself 2.3 📼
Otto – Karl – Rockkonzert – 20.30 – 20.15 – Busbahnhof.
Frank – Birgit – Kinderkonzert – 19.00 – 18.45 – Bank.
Trude – Horst – Straußkonzert – 20.15 – 19.45 – Museum.
Rainer – Luise – Popkonzert – 20.00 – 19.00 – McDonald's.

Now test yourself 2.4
a *Frank*: Birgit, hast du Lust, heute abend zu einem Kinderkonzert zu gehen?
Birgit: Ja gerne. Um wieviel Uhr beginnt es?
Frank: Um sieben Uhr. Um wieviel Uhr treffen wir uns?
Birgit: Um viertel vor sieben? Wo?
Frank: Vor der Fellbacher Bank?
b *Trude*: Horst, hast du Lust, heute abend zu einem Straußkonzert zu gehen?
Horst: Ja gerne. Um wieviel Uhr beginnt es?
Trude: Um viertel nach acht. Um wieviel Uhr treffen wir uns?
Horst: Um viertel vor acht? Wo?
Trude: Vor dem Museum?
c *Rainer*: Luise, hast du Lust, heute abend zu einem Popkonzert zu gehen?
Luise: Ja gerne. Um wieviel Uhr beginnt es?
Rainer: Um acht Uhr. Um wieviel Uhr treffen wir uns?
Luise: Um sieben Uhr? Wo?
Rainer: Bei McDonald's?

Now test yourself 3.1
OSU PAUNE spielt POSAUNE.
TINA KLEERT spielt KLARINETTE.
VI ENLIO spielt VIOLINE.
E LÖFT spielt FLÖTE.
GOF TAT spielt FAGOTT.
RAB TANKOß spielt KONTRABAß.
PETE MORT spielt TROMPETE.
A TUB spielt TUBA.
SOPH NAXO spielt SAXOPHON.

H FERA spielt HARFE.
LU TEA spielt LAUTE.
REG RATI spielt GITARRE.
KAL REVI spielt KLAVIER.
KEN DORAKO spielt AKKORDEON.
MONIKA MURHAND spielt MUNDHARMONIKA.

Now test yourself 3.3
4 Der Herr, der Tuba spielt, heißt A. Tub.
5 Die Dame, die Laute spielt, heißt Lu Tea.
6 Der Herr, der Kontrabaß spielt, heißt Rab Tankoß.
7 Das Fräulein, das Harfe spielt, heißt H. Fera.
8 Der Herr, der Akkordeon spielt, heißt Ken Dorako.
9 Die Dame, die Mundharmonika spielt, heißt Monika Murhand.
10 Der Herr, der Gitarre spielt, heißt Reg Rati.
11 Der Herr, der Fagott spielt, heißt Gof Tat.
12 Das Fräulein, das Saxophon spielt, heißt Soph Naxo.
13 Der Herr, der Trompete spielt, heißt Pete Mort.
14 Der Herr, der Klavier spielt, heißt Kal Revi.
15 Die Dame, die Flöte spielt, heißt E. Löft.

EINHEIT 30
Now test yourself 1
1 Wing Tsun is …
c … a kind of Kung Fu.
2 Although she trains only once a week, Claudia is actually…
m …quite quick.
3 Eliot is …
a … Janka's horse.
4 After Kung Fu training, you are …
j … fairly worn out.
5 Besides her swimming training, Claudia also likes to …
k … take part in competitions.
6 Janka is taken to the farm by …
i … her mother.
7 Nils is the name of …
f … the Kung Fu trainer.
8 For 80 Marks a month, Janka can …
e … ride Eliot as often as she likes.
9 Every weekend, Claudia goes to …
l … the (municipal) swimming pool.
10 Robja is …
d … dreaming of one day appearing in a band.
11 When she's fetched it out of its box, Janka begins to …
h … groom her horse.
12 WT takes place in …
g … the Fitness Center.
13 Although learning the electric guitar isn't easy, it's …
b … a lot of fun.

SOLUTIONS

Now test yourself 2 📼

Peter, Karsten und Karim werden mit Videospielen spielen. Christina, Karsten und Dominik werden fernsehen. Steffi, Volker und Dominik werden radfahren. Peter und Christina werden ihre Hausaufgaben machen. Volker, Anna und Karim werden fischen gehen. Steffi, Anna und Dominik werden zeichnen. Peter und Volker werden Musik hören.

Now test yourself 3

Vielleicht werden wir Musik hören, wenn wir Vatis Kassette benutzen dürfen.

Vielleicht werden wir zeichnen, wenn Mutti uns Papier und Bleistifte gibt.

Vielleicht werden wir radfahren, wenn wir Jans Fahrrad reparieren können.

Vielleicht werden wir unsere Hausaufgaben machen, wenn wir Zeit haben.

Vielleicht werden wir mit Videospielen spielen, wenn Vati uns seinen Computer leiht.

Vielleicht werden wir fernsehen, wenn wir etwas Gutes im Fernsehprogramm finden können.

Vielleicht werden wir fischen gehen, wenn ich meine Angelrute finden kann.

Now test yourself 4.1

Lubos: Was für Sendungen siehst du gern, Sabrina?
Sabrina: Am liebsten sehe ich Spielfilme.
Lubos: Es gibt 'Robin Hood, Rebell'.
Sabrina: Auf welchem Kanal?
Lubos: ARD.
Sabrina: Um wieviel Uhr?
Lubos: Um zweiundzwanzig Uhr fünfzehn.
Sabrina: Und du, Lubos? Was für Sendungen siehst du gern?
Lubos: Am liebsten sehe ich Krimiserien.
Sabrina: Es gibt 'Hawaii 5-0'.
Lubos: Auf welchem Kanal?
Sabrina: RTL.
Lubos: Um wieviel Uhr?
Sabrina: Um fünfzehn Uhr fünfundfünfzig.

Now test yourself 5

1 Very early.
2 Light the candles on the cake.
3 Sing a birthday song.
4 Open her presents.
5 With music and other things.
6 Julia, her parents and her sister.
7 Grandmas, grandpas, uncles, aunts, cousins.
8 A parcel or a card with money.
9 Visit and bring her a present.
10 Sad.

EINHEIT 31

Now test yourself 1

A7, B1, C5, D3, E4, F9, G8, H2, I6.

Now test yourself 2

Frau Igitt hat ein Schinkenbrot gegessen. Sie hat Mineralwasser getrunken.

Inge Igitt hat Gulaschsuppe gegessen. Sie hat Orangensaft getrunken. Ingo Igitt hat einen Hamburger gegessen. Er hat Apfelsaft getrunken.

Now test yourself 3

1 Herr Jördens ist nach England gefahren.
2 Frau Gerbel ist nach Ägypten gefahren.
3 Elisabeth ist nach Frankreich gefahren.
4 Fräulein Schier ist nach Amerika gefahren.
5 Heinrich ist nach Italien gefahren.
6 Renate ist nach Deutschland gefahren.

Now test yourself 4.1 📼

Angelika – 4, 6, 10.   Karin – 2, 3, 6.
Bernd – 1, 5, 9.   Helmut – 7, 10, 11.
Jan – 3, 7, 12.   Gisela – 2, 4, 8.
Kurt – 1, 5, 7.   Annegret – 3, 6, 8.

Now test yourself 4.2

In den Ferien ist Angelika nach Füssen gefahren. Da hat sie Minigolf gespielt, getanzt und eine Kutschfahrt gemacht. In den Ferien ist Bernd nach Weißensee gefahren. Da hat er geangelt, ein Fahrrad gemietet und Gartenschach gespielt. In den Ferien ist Jan nach Füssen gefahren. Da hat er gekegelt, Tennis gespielt und er ist ins Theater gegangen. In den Ferien ist Kurt nach Hopfen gefahren. Da hat er geangelt, ein Fahrrad gemietet und Tennis gespielt. In den Ferien ist Karin nach Hopfen gefahren. Da hat sie ein Boot gemietet, gekegelt und getanzt. In den Ferien ist Helmut nach Füssen gefahren. Da hat er Tennis gespielt, eine Kutschfahrt gemacht und eine Motorbootrundfahrt gemacht. In den Ferien ist Gisela nach Hopfen gefahren. Da hat sie ein Boot gemietet, Minigolf gespielt und Volksmusik gehört. In den Ferien ist Annegret nach Hopfen gefahren. Da hat sie gekegelt, getanzt und Volksmusik gehört.

EINHEIT 32

Now test yourself 1

1 27%	7 48%	13 25%	19 21%
2 46%	8 5%	14 4%	20 21%
3 6%	9 12%	15 6%	21 12%
4 8%	10 8%	16 11%	22 19%
5 33%	11 20%	17 27%	
6 7%	12 32%	18 2%	

Now test yourself 2 📼

Mit seinem Vater kommt Paul ziemlich gut aus. Er findet ihn immer freundlich aber zu streng. Mit seiner Mutter kommt er nicht sehr gut aus. Er findet sie ungeduldig und zu streng. Mit ihrem Vater kommt Ute sehr gut aus. Sie findet ihn lieb und immer geduldig. Mit ihrer Mutter kommt sie auch sehr gut aus. Sie findet sie lieb und freundlich. Mit seinem Vater kommt Manfred sehr schlecht aus. Er findet ihn ungeduldig und gemein. Mit seiner Mutter kommt er ziemlich gut aus. Er findet sie lieb und geduldig. Mit ihrem Vater kommt Jutta nicht sehr gut aus. Sie findet ihn lieb aber zu streng. Mit ihrer Mutter kommt sie ziemlich gut aus. Sie findet sie freundlich und geduldig.

Now test yourself 3.1

1D 3F 3H 4I 5C 6A 7E 8B 9G

Now test yourself 3.3

1 Meine Eltern werden böse auf mich, wenn ich eine schlechte Note bekomme.

2 Meine Eltern werden böse auf mich, wenn ich abends zu spät nach Hause komme.

3 Meine Eltern werden böse auf mich, wenn ich nicht auf sie höre.

4 Mein Vater wird böse auf mich, wenn ich mir seine Kleidung borge.

5 Mein Vater wird böse auf mich, wenn ich meine Schwester ärgere.

6 Mein Vater wird böse auf mich, wenn ich den ganzen Tag fernsehe.

7 Meine Mutter wird böse auf mich, wenn ich mein Essen nicht aufesse.

8 Meine Mutter wird böse auf mich, wenn ich mein Zimmer nicht aufräume.

9 Meine Mutter wird böse auf mich, wenn ich meinen Bruder verhaue.

EINHEIT 33

Now test yourself 1.1

Auf Bild 1 ist der Fotoapparat.
Auf Bild 2 ist die Armbanduhr.
Auf Bild 3 ist das Fahrrad.
Auf Bild 4 sind die Handschuhe.
Auf Bild 5 ist der Paß.
Auf Bild 6 ist das T-Shirt.
Auf Bild 7 ist die Brille.
Auf Bild 8 sind die Schlüssel.

Now test yourself 1.2

2 Ich habe meine Armbanduhr verloren! – Wo denn? – Im Autobus. – Und wann? – Am Donnerstag.

3 Ich habe mein Fahrrad verloren! – Wo denn? – Am Supermarkt. – Und wann? – Am Sonntag.

4 Ich habe meine Handschuhe verloren! – Wo denn? – In der Bank. – Und wann? – Am Freitag.

5 Ich habe meinen Paß verloren! – Wo denn? – Auf dem Campingplatz. – Und wann? – Am Dienstag.

6 Ich habe mein T-Shirt verloren! – Wo denn? – Am Bahnhof. – Und wann? – Am Sonntag.

7 Ich habe meine Brille verloren! – Wo denn? – Im Freibad. – Und wann? – Am Samstag.

8 Ich habe meine Schlüssel verloren! – Wo denn? – Auf der Post. – Und wann? – Am Mittwoch.

Now test yourself 1.3

1 'Am Dienstag hat er in der Bank seine Brille verloren'.

2 'Am Sonntag hat er im Autobus seine Handschuhe verloren'.

3 'Am Donnerstag hat er auf der Post seinen Fotoapparat verloren'.

4 'Am Dienstag hat er auf der Straße sein Fahrrad verloren'.

Now test yourself 2

2 Jemand hat mir die HANDSCHUHE gestohlen!

3 Jemand hat mir das FAHRRAD gestohlen!

4 Jemand hat mir die BRILLE gestohlen!

5 Jemand hat mir den PAß gestohlen!

6 Jemand hat mir die SCHLÜSSEL gestohlen!

7 Jemand hat mir die ARMBANDUHR gestohlen!

8 Jemand hat mir das T-SHIRT gestohlen!

Now test yourself 3

2 Das T-Shirt
3 Das Fahrrad
4 Die Schlüssel
5 Die Armbanduhr
6 Der Paß
7 Die Brille
8 Der Fotoapparat

Now test yourself 4

1 Mein Radio ist kaputt. – Seit wann? – Seit einem Monat. Können Sie es in Ordnung bringen? – Ich werde es versuchen. – Wann kann ich es abholen? – In einigen Tagen.

2 Mein Fotoapparat ist kaputt. – Seit wann? – Seit den Ferien. Können Sie ihn in Ordnung bringen? – Ich werde es versuchen. – Wann kann ich ihn abholen? – Nächsten Montag.

3 Meine Stereoanlage ist kaputt. – Seit wann? – Seit vorgestern. Können Sie sie in Ordnung bringen? – Ich werde es versuchen. – Wann kann ich sie abholen? – Übermorgen.

Now test yourself 5

1 Ich möchte dieses Kleid reinigen lassen, bitte. – Ja. Bis wann? – Heute nachmittag. Ist das möglich? – Natürlich. – Was wird es kosten? – Sechs Mark fünfzig.

2 Ich möchte diese Jacke reinigen lassen. – Ja. Bis wann? – Morgen. Ist das möglich? – Nätürlich. – Was wird es kosten? – Fünf Mark fünfzig.

3 Ich möchte diesen Mantel reinigen lassen, bitte. – Ja. Bis wann? – Nächsten Montag. Ist das möglich? – Natürlich. – Was wird es kosten? – zehn Mark.

4 Ich möchte diese Hose reinigen lassen, bitte. – Ja. Bis wann? – Übermorgen. Ist das möglich? – Natürlich. – Was wird es kosten? – Fünf Mark fünfzig.

5 Ich möchte diesen Rock reinigen lassen, bitte. – Ja. Bis wann? – Nächsten Mittwoch. Ist das möglich? – Natürlich. –Was wird es kosten? – Fünf Mark zwanzig.

Now test yourself 6 📼

1 Her wrist watch.
2 The camping site.
3 Yesterday, Tuesday.
4 Digital. Leather strap.
5 Her gloves.
6 Leather, black.
7 His camera.
8 Two days.

9 Next week.
10 A pair of trousers.
11 Tomorrow.
12 DM 6.50

EINHEIT 34

Now test yourself 1.1

Interviewer: Timo, was machst du, um fit zu bleiben?
  Timo: Ich spiele Volleyball.
Interviewer: Wie oft?
Timo: Dreimal in der Woche: jeden Dienstag, jeden Freitag und jeden Samstag.
Interviewer: Seit wann spielst du Volleyball?
Timo: Seit sechs Monaten.
Interviewer: Sonja, was machst du, um fit zu bleiben?
Sonja: Ich turne.
Interviewer: Wie oft?
Sonja: Einmal in der Woche: jeden Sonntag.
Interviewer: Seit wann turnst du?
Sonja: Seit vier Jahren.
Interviewer: Karsten, was machst du, um fit zu bleiben?
Karsten: Ich betreibe Taekwon-Do.
Interviewer: Wie oft?
Karsten: Zweimal in der Woche: jeden Montag und jeden Donnerstag.
Interviewer: Seit wann betreibst du Taekwon-Do?
Karsten: Seit zehn Monaten.

Now test yourself 1.2 📼

Henrike: Roller-skating; Sat, Sun; 1 month.
Holger: Football; Tue, Wed, Fri; 3 years.
Tanja: Handball; Thu; 6 months.
Sebastian: Weighlifting; Mon, Fri; 1 year.

Now test yourself 2

1 During the school holidays at Easter, Whitsuntide and Christmas, and from 1st July to 20th September.
2 From 1 p.m. – 10 p.m.
3 a) 3 hours
  b) an unlimited time.
4 On Monday.
5 Saturdays, Sundays, and public holidays.
6 A yearly ticket.
7 A swimming-cap.
8 a) the diving-board
  b) the depth of the pool
  c) the pool
  d) the temperature of the water
  e) the temperature of the air.
9 Swimming-club training.
10 If you lost your locker-key.
11 a) Swimmers up to the age of 16 get one swim
  b) Adults and swimmers over 16 get 10 swims
  c) Anyone gets a sauna
  d) swimmers under six get free admission.
12 a) Gentlemen
  b) Ladies
  c) Families
  d) Mixed.

Now test yourself 3.1

Um topfit zu bleiben, laufe ich Schlittschuh. In der Stadt haben wir ein schönes Sportzentrum, und dahin gehe ich zweimal in der Woche – jeden Mittwoch und jeden Samstag. Das mache ich seit zwei Jahren.

EINHEIT 35

Now test yourself 1.1

Reg Nuinie ist Ingenieur.
Leni Herr ist Lehrerin.
Ches Friel ist Fleischer.
Petal Songsleett ist Postangestellte.
Ritä Snerke ist Sekretärin.
Ike Errketl ist Elektriker.
Zufa Prut ist Putzfrau.
Karen Shweckstern ist Krankenschwester.
Reg Tärn ist Gärtner.

Now test yourself 1.2

A: Ein Ingenieur ist ein Mann, der in einer Fabrik mit Maschinen arbeitet.
B: Eine Lehrerin ist eine Dame, die in einer Schule mit Kindern arbeitet.
C: Ein Fleischer ist ein Mann, der Fleisch verkauft.
D: Eine Postangestellte ist eine Dame, die Briefmarken verkauft.
E: Eine Sekretärin ist eine Dame, die in einem Büro arbeitet.
F: Ein Elektriker ist ein Mann, der mit Strom und Lampen u.s.w. arbeitet.
G: Eine Putzfrau ist eine Dame, die Häuser sauber macht.
H: Eine Krankenschwester ist eine Dame, die für kranke Leute sorgt.
I: Ein Gärtner ist ein Mann, der Blumen und Bäume pflanzt.

Now test yourself 2.1 📼

Udo – Fußballer – Ich will viel Geld verdienen.
Gisela – Sozialarbeiterin – Ich will anderen helfen.
Lina – Kinderärztin – Ich finde kleine Kinder süß.
Rudi – Pilot – Ich will viel von der Welt sehen.
Gerda – Schauspielerin – Ich will viele Menschen kennenlernen.
Helga – Archäologin – Ich will in alten Pyramiden herumlaufen.
Hans – Ingenieur – Ich habe Spaß daran, Entwürfe zu machen.
Jürgen – Tierarzt – Ich will für Tiere sorgen.
Ursula – Autorin – Ich schreibe gern Geschichten.
Karl-Heinz – Dolmetscher – Ich will mit anderen zusammen sein.

Now test yourself 2.2

1 He wants to earn a lot of money.
2 Works for the post-office.
3 An archaeologist.
4 She wants to run round in old pyramids.
5 Ursula.
6 She likes writing stories.

7 Rudi.
8 Geriatric nurse.
9 Karl-Heinz.
10 Be an interpreter.
11 Lina.
12 She finds little children sweet.
13 Gisela.
14 Be a social worker.
15 Jürgen.
16 Cleaning-lady.
17 Gerda.
18 Actress.
19 Hans.
20 Dentist.

Now test yourself 2.3

Interviewer: Gisela – was ist dein Vater von Beruf?
Gisela: Er ist Bankangestellter.
Interviewer: Und deine Mutter?
Gisela: Sie ist Krankenschwester.
Interviewer: Welchen Beruf hoffst du zu ergreifen?
Gisela: Ich hoffe, Sozialarbeiterin zu werden.
Interviewer: Warum?
Gisela: Weil ich anderen helfen möchte!

Now test yourself 3

Ein Mann, der Werkzeuge macht:
WERKZEUGMACHER.
Ein Mann, der mit Maschinen arbeitet:
INGENIEUR.
Ein Mann, der Diebe festnimmt: POLIZIST.
Eine Frau, die für alte Leute sorgt:
ALTENPFLEGERIN.
Ein Mann, der Häuser entwirft: ARCHITEKT.
Eine Frau, die in Pyramiden herumläuft:
ARCHÄOLOGIN.
Ein Mann, der Fleisch verkauft: FLEISCHER.
Eine Frau, die im Theater spielt:
SCHAUSPIELERIN.
Ein Mann, der ein Flugzeug fliegt: PILOT.
Ein Mann. der für unsere Zähne sorgt:
ZAHNARZT.
Eine Frau, die Diebe festnimmt: POLIZISTIN.
Eine Frau, die für die Familie und den Haushalt
sorgt: HAUSFRAU.
Ein Mann, der mehrere Sprachen spricht:
DOLMETSCHER.
Ein Mann, der für Tiere sorgt: TIERARZT.
Eine Frau, die für kranke Kinder sorgt:
KINDERÄRZTIN.
Eine Frau, die Bücher schreibt: AUTORIN.
Ein Mann, der Blumen pflanzt: GÄRTNER.
Ein Mann, der mit Kindern in einer Schule arbeitet:
LEHRER.
Eine Frau, die Häuser u.s.w. sauber macht:
PUTZFRAU.
Jemand, der keine Arbeit hat: ARBEITSLOS.
Ein Mann, der Fußball spielt: FUßBALLER.
Der Grund: Weil ich Spaß daran habe!

EINHEIT 36

Now test yourself 1

1 Adults DM 18,- – DM 35,-; children DM 9,- –
DM 20,-.
2 No, it's in a big top.
3 The menagerie.
4 A ballet matinee.
5 In the conference hall.
6 The Hellmuth-Brüggemann ballet school.
7 Big Band Workshop.
8 8 p.m.
9 DM 12. (DM 6,- for schoolchildren, students, and
the unemployed).
10 'The Bartered Bride'.
11 A comic opera.
12 The district bank.
13 'Richard II'.
14 The Shakespeare Company.
15 At 7.30 p.m on the two Thursdays before
Christmas Eve and New Year's Eve.

Now test yourself 2

1 Die Plätze im Schloßkino sind billiger als die
Plätze im Kino am Tor.
2 Die Plätze im Kleinkunstkino kosten DM 15,-.
3 Der Film, der am frühesten beginnt, ist 'Der mit
dem Wolf tanzt'.
4 Im Gloria-Kino läuft 'Das nackte Gesicht'.
5 'Der mit dem Wolf tanzt' beginnt früher als 'Das
nackte Gesicht'.
6 Die teuersten Plätze sind im Börsenkino.
7 Die billigsten Plätze sind im Kellerkino.
8 'Super Mario' beginnt später als 'Der mit dem
Wolf tanzt'.
9 'Robin Hood, König der Diebe' läuft in Streit's
Filmtheater.
10 Die Plätze im UFA-Palast sind ebenso teuer wie
die Plätze im Gloria-Kino.
11 Der Film, der am spätesten beginnt, ist 'Ein
Hund namens Beethoven'.
12 Die Plätze im Börsenkino sind teurer als die
Plätze im Schloßkino.

Now test yourself 3.1

Holger – Theater – Günter – klasse.
Nina – Kino – Gerhard – komisch.
Karim – Zirkus – Frank – furchtbar.
Melanie – Konzert – Anita – toll.
Andreas – Oper – Linda – phantastisch.

Now test yourself 3.2

Interviewer: Nina, wohin bist du gestern abend
gegangen?
Nina: Ich bin ins Kino gegangen.
Interviewer: Mit wem?
Nina: Mit Gerhard.
Interviewer: Wie war's?
Nina: Komisch.
Interviewer: Karim, wohin bist du gestern abend
gegangen?

Karim: Ich bin in den Zirkus gegangen.
Interviewer: Mit wem?
Karim: Mit Frank.
Interviewer: Wie war's?
Karim: Furchtbar.

Now test yourself 3.3

Holger ist gestern abend mit Günter ins Theater gegangen. Nina ist gestern abend mit Gerhard ins Kino gegangen. Karim ist gestern abend mit Frank in den Zirkus gegangen. Melanie ist gestern abend mit Anita ins Konzert gegangen. Andreas ist gestern abend mit Linda in die Oper gegangen.

EINHEIT 37

Now test yourself 1

2 Fräulein Ehrlich wohnte in der Buchenstraße.
3 Herr Schmidt wohnte in der Hammer Straße.
4 Frau Hoffmann wohnte in der Seebergerstraße.
5 Herr Stöver wohnte in der Hamburger Straße.
6 Frau Hoffmann war Ingenieurin.
7 Herr Härtel war Friseur.
8 Herr Schmidt war Fleischer.
9 Herr Stöver war Bäcker.
10 Fräulein Ehrlich war Fotografin.
11 Der Fleischer hieß Schmidt.
12 Die Fotografin hieß Ehrlich.
13 Der Bäcker hieß Stöver.
14 Der Friseur hieß Härtel.
15 Die Ingenieurin hieß Hoffmann.

Now test yourself 2.1

A: **Frau Scholz**
B: In Berlin
C: 41
D: Es war manchmal kalt;
A: **Christa**
B: In Ostdeutschland
C: 32
D: Es regnete viel;
A: **Aktar**
B: In der Türkei
C: 26
D: Die Sonne schien die ganze Zeit;
A: **Fräulein Jonnek**
B: In Schottland
C: 5
D: Es war oft neblig;
A: **Herr Kullmann**
B: In Südamerika
C: 10
D: Es war immer sehr warm;
A: **Herr Renken**
B: In der Schweiz
C: 11
D: Es schneite viel.

Now test yourself 2.2

a *Interviewer*: Christa, wo wohnten Sie früher?
  Christa: Früher wohnte ich in Ostdeutschland.
  Interviewer: Seit wann wohnen Sie hier in Frankfurt?
  Christa: Ich wohne seit zweiunddreißig Jahren hier in Frankfurt.
  Interviewer: Und wie war das Wetter in Ostdeutschland?
  Christa: Es regnete viel.
b *Interviewer*: Aktar, wo wohnten Sie früher?
  Aktar: Früher wohnte ich in der Türkei.
  Interviewer: Seit wann wohnen Sie hier in Frankfurt?
  Aktar: Ich wohne seit sechsundzwanzig Jahren hier in Frankfurt.
  Interviewer: Und wie war das Wetter in der Türkei?
  Aktar: Die Sonne schien die ganze Zeit.

Now test yourself 2.3

Seit einundvierzig Jahren wohnt Frau Scholz in Frankfurt. Früher wohnte sie in Berlin, wo es manchmal kalt war. Seit zweiunddreißig Jahren wohnt Christa in Frankfurt. Früher wohnte sie in Ostdeutschland, wo es viel regnete. Seit sechsundzwanzig Jahren wohnt Aktar in Frankfurt. Früher wohnte er in der Türkei, wo die Sonne die ganze Zeit schien. Seit fünf Jahren wohnt Fräulein Jonnek in Frankfurt. Früher wohnte sie in Schottland, wo es oft neblig war. Seit zehn Jahren wohnt Herr Kullmann in Frankfurt. Früher wohnte er in Südamerika, wo es immer sehr warm war. Seit elf Jahren wohnt Herr Renken in Frankfurt. Früher wohnte er in der Schweiz, wo es viel schneite.

Now test yourself 3.1

1 Herr und Frau Leonhardt.
2 Herr und Frau Hecker.
3 Herr und Frau Pinkowski.
4 Herr und Frau Klages.
5 Herr und Frau Franke.
6 Herr und Frau Diedrich.

Now test yourself 3.2

Bevor sie einen Fernseher hatten, spielten Herr und Frau Hecker Klavier.
Bevor sie einen Fernseher hatten, machten Herr und Frau Pinkowski Radtouren.
Bevor sie einen Fernseher hatten, gingen Herr und Frau Klages ins Kino.
Bevor sie einen Fernseher hatten, lasen Herr und Frau Franke viel.
Bevor sie einen Fernseher hatten, arbeiteten Herr und Frau Diedrich viel im Garten.

Now test yourself 4

Seit sechsundzwanzig Jahren wohnt Mehmet Güabilmez in Bremen. Früher wohnte er in der Türkei, wo es manchmal kalt war. Früher war er Bäcker und er wohnte in der Grünbergstraße. Links stand ein Supermarkt, der seinem Bruder gehörte. Rechts wohnte ein Fleischer. Er hieß Minssen. Gegenüber, auf der anderen Seite der Straße, wohnte ein Ingenieur. Er hieß Knabe. Bevor sie einen Fernseher hatten, gingen Herr und Frau Güabilmez ins Kino, oder sie hörten Radio.

Now test yourself 5

1 er wohnte	45 sie wohnte
2 wir sahen	46 Sie hatten
3 sie wohnte	47 man trank
4 er war	48 wir wollten
5 sie war	49 es schneite
6 er hieß	50 wir fuhren
7 sie hieß	51 sie schien
8 wir hatten	52 sie interviewten
9 Sie machten	53 es regnete
10 wir verkauften	54 Sie wohnten
11 wir wollten	55 sie fragten
12 wir gingen	56 sie arbeiteten
13 es schneite	57 Sie machten
14 wir sahen	58 sie hatten
15 es schmeckte	59 sie spielten
16 sie lasen	60 sie machten
17 wir fanden	61 sie hörten
18 wir fuhren	62 sie lasen
19 es gab	63 sie hatten
20 sie stand	64 sie fragten
21 man trank	65 er wohnte
22 sie stand	66 sie wohnte
23 wir brauchten	67 wir fanden
24 es gehörte	68 es regnete
25 es regnete	69 sie arbeiteten
26 sie interviewten	70 sie fragten
27 sie schien	71 wir brauchten
28 sie fragten	72 er hieß
29 wir fuhren	73 wir fuhren
30 z	74 wir verkauften
31 wir brauchten	75 z
32 Sie wohnten	76 wir fuhren
33 sie spielten	77 sie hörten
34 ich wohnte	78 sie spielten
35 sie machten	79 wir gingen
36 Sie machten	80 das schmeckte
37 Sie hatten	81 Sie machten
38 sie arbeiteten	82 sie arbeiteten
39 sie lasen	83 sie hieß
40 sie hörten	84 sie lasen
41 wir fanden	85 es schneite
42 man aß	86 wir verkauften
43 sie hatten	87 wir wollten
44 er wohnte	88 wir fanden

Es war einmal ein Elefant,
Der griff zu einem Telefant -
O halt, nein, nein! Ein Elefon,
Der griff zu einem Telefon!

EINHEIT 38

Now test yourself 1.1

1 In the KSG school bus-bay.
2 Waiting for the bus for the school ski-trip.
3 It became hilly; the hills became mountains; it began to snow hard.
4 In a parking-lot in a small village.
5 Put their ski-pants, jackets and boots on.
6 Get the tickets for the ski-lift.

7 The splendid view.
8 They fastened their skis on; their teacher explained to them the skill of skiing.
9 They skied down a little slope; they had something to eat.
10 It was longer and steeper.

Now test yourself 1.2

wir durften; es wurde; es fing an zu schneien; er kam; er verwandelte sich; sie konnte beginnen; sie erklärte; sie besorgte die Karten; wir mußten nach Hause fahren; wir verließen; ich schaute aus dem Fenster; ich bestellte; alle zogen sich ihre Skihosen an; der Bus hielt an; wir bekamen einen Bärenhunger; wir standen; sie überraschte uns; wir erwarteten; als wir fertig waren.

Now test yourself 2.1

Your article should mention the following points: the origin of the word 'carnival'; when preparations start; when the carnival takes place; the dressing up (what with); what happens first (the 'Volkskarneval' – what people do; the 'Rosenmontagszug; the sweets; the straw effigies; Ash Wednesday and what happens; how the carnival ends.

Now test yourself 2.2

Gespannt standen wir und erwarteten den (Rosenmontags)zug. Mein(e) Freund(in) erklärte den Karneval. 'Karneval' bedeutet 'Fleisch – lebe wohl!' Die Vorbereitungen beginnen am elften November, aber der Karneval selbst findet vor der Fastenzeit statt. Es ist ein Fest der Verkleidung. Gruppen ziehen in bunten Kostümen dahin und bekommen Applaus. Das Fest konnte beginnen! Plötzlich kam der (Rosenmontags)zug und hielt an. Wir schrieen alle nach den Pralinen. Die meiste Zeit schaute ich auf die Umstehenden. Wir bekamen einen Bärenhunger! Deshalb aßen wir in einem Restaurant/einer Gaststätte. Ich bestellte einen Hamburger. Aber plötzlich fing es an, stark zu regnen. Alle zogen deshalb ihre Mäntel an, und wir mußten nach Hause fahren.

Now test yourself 3.1

Bierfest – Montag 20.00 Uhr – Eisenberg, im Kurhaus.
Fischerfest – Donnerstag 17.00 Uhr – Trauchgau, an der Fischerhütte.
Kinderfest – Mittwoch 13.30 Uhr – Obergrünburg, im Kindergarten.
Musikfest – Dienstag 13.00 Uhr – Pfronten, im Kurpark.
Schwimmfest – Samstag 10.00 Uhr – Roßhaupt, im Freibad .
Sportfest – Freitag 14.00 Uhr – Prem, auf dem Sportplatz.
Volksfest – Sonntag 18.30 Uhr – Rieden, auf dem Dorfplatz.

Now test yourself 3.2

Das Bierfest findet am Montag in Eisenberg statt.

Das Fischerfest findet am Donnerstag in Trauchgau statt.
Das Kinderfest findet am Mittwoch in Obergrünburg statt.
Das Musikfest findet am Dienstag in Pfronten statt.
Das Schwimmfest findet am Samstag in Roßhaupt statt.
Das Sportfest findet am Freitag in Prem statt.
Das Volksfest findet am Sonntag in Rieden statt.

EINHEIT 39

Now test yourself 1.1

1 Fotoromane.
2 Artikel über Musik und Pop.
3 Artikel über Sport.
4 Witze und Cartoons.
5 Artikel über Kosmetik und Mode.
6 Psycho-teste.

Now test yourself 1.2 📼

1 A Fotoromane.
  B Henrike.
2 A Artikel über Musik und Pop.
  B Kai.
3 A Artikel über Sport.
  B Mehmet.
4 A Witze und Cartoons.
  B Simone.
5 A Artikel über Kosmetik und Mode.
  B Karin.
6 A Psycho-Teste.
  B Timo.

Now test yourself 1.3

1 Henrike kauft Jugendmagazine, weil sie gern Fotoromane liest.
2 Kai kauft Jugendmagazine, weil er gern Artikel über Musik und Pop liest.
3 Mehmet kauft Jugendmagazine, weil er gern Artikel über Sport liest.
4 Simone kauft Jugendmagazine, weil sie gern Witze und Cartoons liest.
5 Karin kauft Jugendmagazine, weil sie gern Artikel über Kosmetik und Mode liest.
6 Timo kauft Jugendmagazine, weil er gern Psycho-Teste liest.

Now test yourself 2

Interviewer: Hast du ein Lieblingsmagazin, Alexander?
Alexander: Ja!
Interviewer: Welches?
Alexander: Am liebsten lese ich 'Fußball-Hits'.
Interviewer: Wie oft erscheint es?
Alexander: Monatlich.
Interviewer: Was gefällt dir am besten darin?
Alexander: Die Artikel über Sport und die Witze und Cartoons.

Now test yourself 3

1 Spread salt on the streets.
2 At least not spread it on the pavements.

3 The salt penetrates into areas where the roots of trees and bushes get their water and their nutrients; it contaminates the ground water; it attacks our shoes; dogs and cats suffer pain on their paws when they come into contact with it.
4 Sand, ashes, saw-dust, pine-needles.
5 They wouldn't damage nature.

EINHEIT 40

Now test yourself 1 📼

A – Michael.
B – 14.
C – In town.
D – Leipzig.
E – in the east.
F – 1 sister, Nina, 10.
G – a dog (Bello).
H – yes, very much.
I – on his bike.
J – music.
K – the flute.
L – the gym club.
M – twice a week.
N – Tuesdays and Thursdays.
O – likes walking (hiking).
P – watches TV.
Q – films and documentaries.
R – not a lot.
S – young people's magazines (*Bravo*).
T – articles about music.
U – plays handball.
V – went to a concert.
W – fantastic.
X – as a vet.
Y – at the filling-station.
Z – buy a ranch in America.

Now test yourself 2

1 Nein, ich wohne auf dem Lande.
2 Um Taschengeld zu verdienen, arbeite ich in einer Bäckerei.
3 Ich fliege um 12 Minuten nach 5 ab.
4 Hier kauft man Fleisch.
5 Sie sind böse auf mich, wenn ich eine schlechte Note bekomme.
6 Wenn ich das große Los gewinne, werde ich ein Auto kaufen.
7 Ich hoffe, Pilot zu werden.
8 Er spielt Tennis.
9 Bremen ist eine Stadt im Norden von Deutschland.
10 Ich habe meine Armbanduhr verloren.
11 Bei schönem Wetter schwimme ich.
12 In der Freizeit höre ich gern Musik.
13 Das Fest findet am Samstag, dem dritten November, im Schulzentrum statt.
14 Ich habe Zahnschmerzen.
15 'Der mit dem Wolf tanzt'. Im Tanzkino. Am Montag um 21.00 Uhr.
16 Am liebsten sehe ich Sportsendungen.
17 Sie hat schwarze Haare.

18 In der zweiten Stunde habe ich Mathematik.
19 Um fit zu bleiben, laufe ich Rollschuh.
20 Ja, ich spiele Trompete.
21 Als Hauptgericht nehme ich Hähnchen.
22 Gestern abend bin ich zum Zirkus gegangen.
23 Um sieben Uhr stehe ich auf.
24 Ich muß eine Schreibmaschine kaufen.
25 Mein Lieblingsfach ist Deutsch.
26 Für vier Personen: zwei Erwachsene und zwei Kinder.
27 Er heißt Rod Stewart.
28 Zwei Briefmarken zu 10 Pfennig.
29 Sie spielten Klavier.
30 Am besten gefallen mir Artikel über Mode.
31 Sie kosten sieben Mark 50 das Kilo.
32 Ich kaufe diesen Pulli nicht, weil er zu groß ist.
33 Er ist ein großer, dünner Herr.
34 Gehen Sie geradeaus. Nehmen Sie die zweite Straße rechts. Der Campingplatz ist auf der linken Seite.
35 Ja, ich habe eine Katze.
36 Ja, ich gehöre dem Reitverein an.
37 Hier lasse ich mir die Haare schneiden.
38 Ich habe eine Erkältung.
39 Ich komme mit dem Bus zur Schule.
40 Das Wetter ist schön, die Sonne scheint.

Now test yourself 3

1 Deutsch	21 ersten
2 Jahre	22 ich
3 gern	23 schön
4 Jogginganzug	24 brauchen
5 England	25 einen
6 in	26 Hand
7 Schwester	27 an
8 mich	28 Frau
9 biegst	29 treffen
10 steht	30 Wir
11 schönem	31 gespielt
12 lange	32 meinem
13 Flugzeug	33 Fahrrad
14 Geld	34 laufe
15 für	35 Tierärztin
16 niedlich	36 billigsten
17 kostet	37 arbeiteten
18 wandern	38 plötzlich
19 zu	39 liebsten
20 sondern	40 einziges

Herzlichsten Glückwunsch und auf Wiedersehen!

Index